MW00637709

Amores Innecesarios

Amores Innecesarios

Primera edición: noviembre 2021

IBSN: 978-1-952681-66-0

Impreso en Colombia por Editorial Nomos S.A.

Edición: Ariana Isabel Vega Vargas
Coeditor: Gerardo Enríquez Rivera
Diseño de cubierta y diagramación: Alejandra Olavarría

787 Editores, LLC
1116 Ave. Ponce de León
San Juan, Puerto Rico 00907
www.787editores.com
info@787editores.com

AMORES INNECESARIOS

ADA TORRES-TORO

787

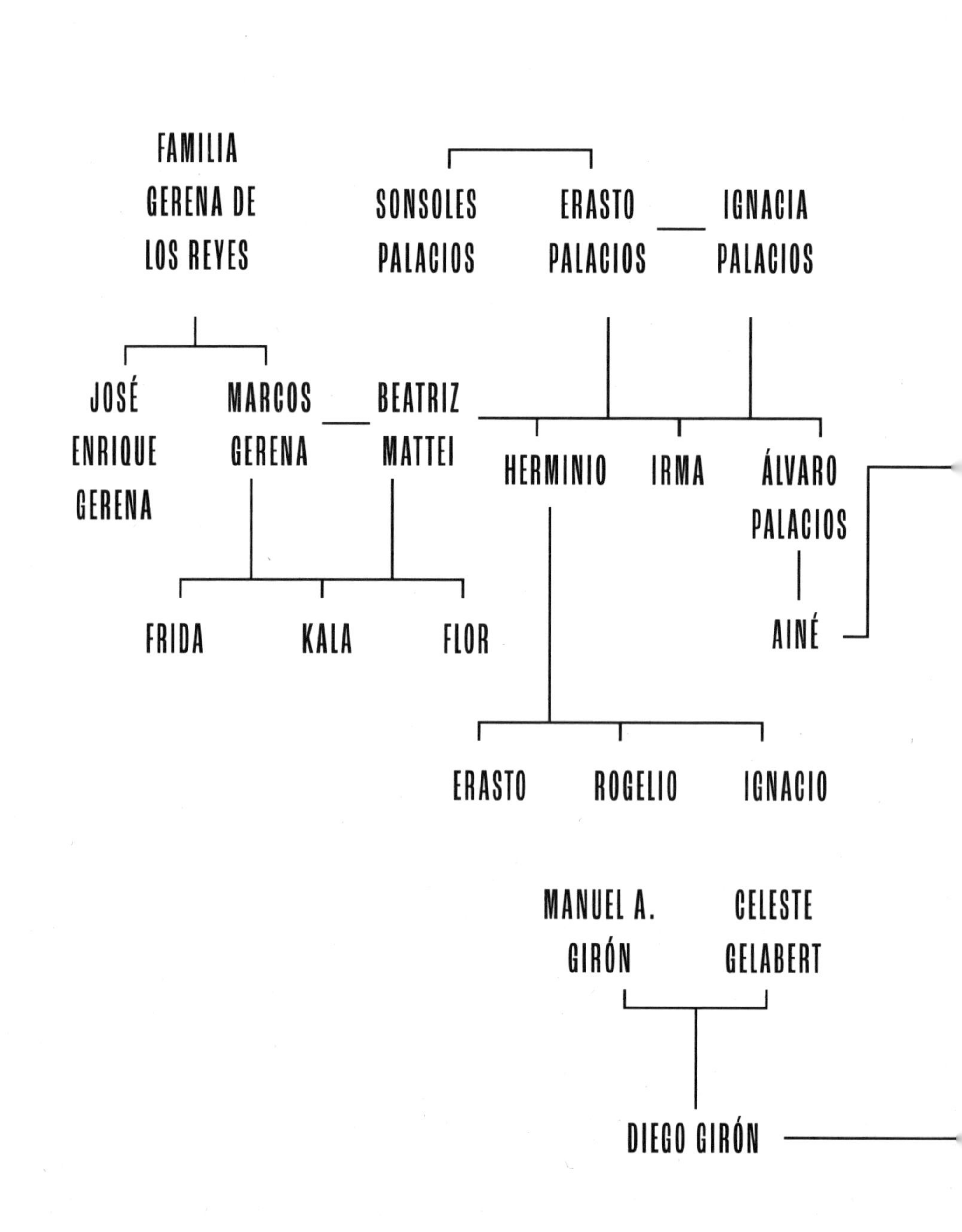
FAMILIA GERENA DE LOS REYES
SONSOLES PALACIOS
ERASTO PALACIOS
IGNACIA PALACIOS
JOSÉ ENRIQUE GERENA
MARCOS GERENA
BEATRIZ MATTEI
HERMINIO
IRMA
ÁLVARO PALACIOS
FRIDA
KALA
FLOR
AINÉ
ERASTO
ROGELIO
IGNACIO
MANUEL A. GIRÓN
CELESTE GELABERT
DIEGO GIRÓN

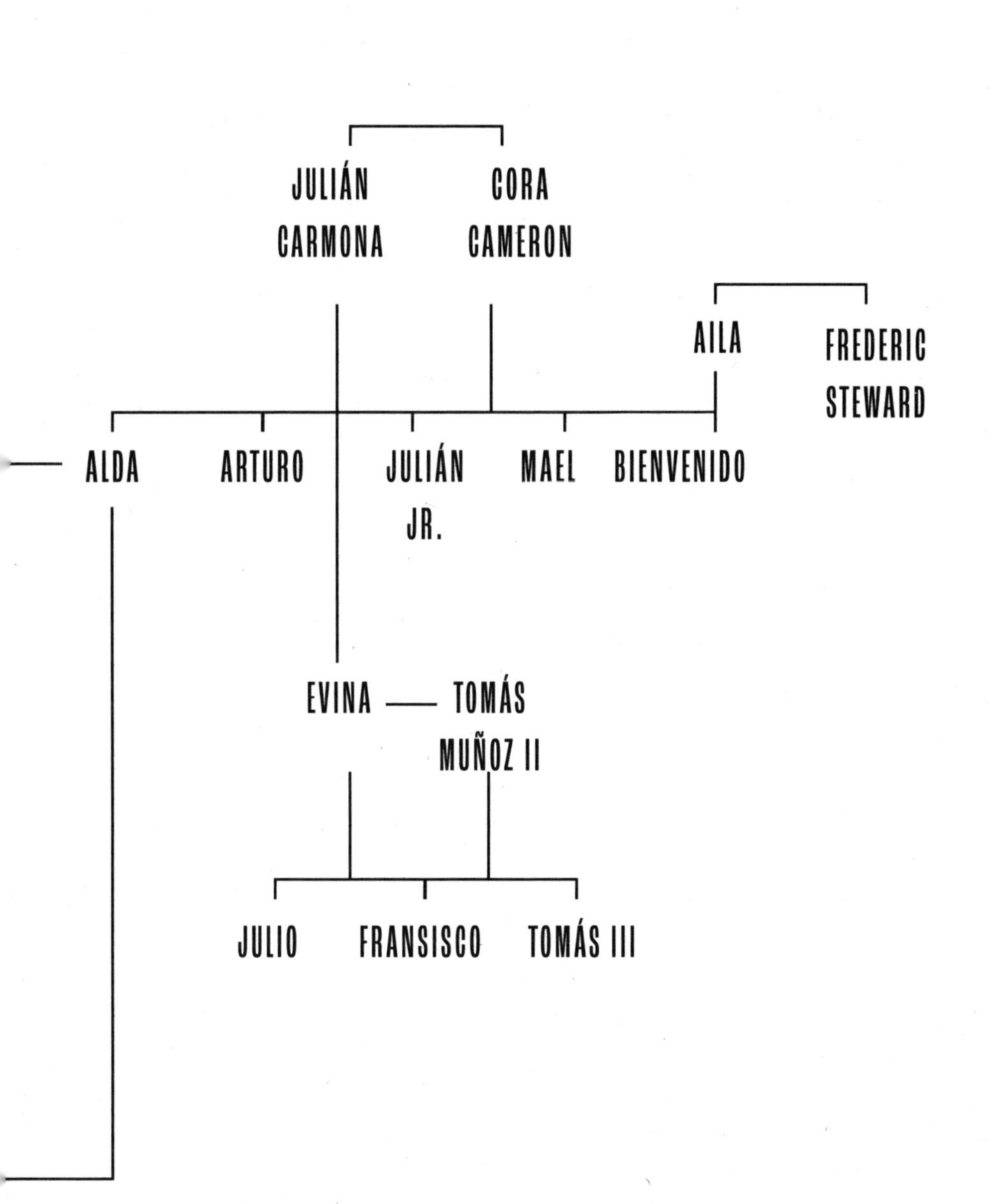
JULIÁN
CARMONA
CORA
CAMERON
AILA
FREDERIC
STEWARD
ALDA
ARTURO
JULIÁN
JR.
MAEL
BIENVENIDO
EVINA
TOMÁS
MUÑOZ II
JULIO
FRANSISCO
TOMÁS III

Dedicado a mi madre, un Hada de alas eternas,
y a Radamés, el ángel que me envió.

Me asomo
a la caja
de resguardo
hecha de algarrobos
y gusanos
que me construí
de infante.

En ella acumulo
los abandonos que
me han acompañado
toda la vida.

– Sappho de Beauvoir

CAPÍTULO 1

Región Independiente Autónoma de Ponce (RIAP) –
Década de los 40

Alda Carmona era una genuina mariposa social. La primogénita de una mujer escocesa llamada Cora Cameron, que primero le robó el aliento y poco después la paciencia y las ganas de vivir a su marido, Julián Carmona, de origen andaluz, Alda no perdía oportunidad de informar a quien quisiera saber –y a quien no, también– que su nombre significaba *«la más bella»* en celta. En honor a ello, llevaba fielmente al cuello uno de los rosarios de su extensa colección y un collar de oro confeccionado por una artesana mexicana que leía *«Bella»* en finos hilos dorados. El famoso collar se lo regaló su cuñada Beatriz al despedirse de ella en México, allá por 1974, cuando Alda estaba embarazada.

En 1940, Doña Cora Cameron y Don Julián Carmona emigraron a Canadá provenientes de Madrid. En Montreal nacieron Alda, su hermana Evina y el primer hijo varón de la familia, Arturo. Eventualmente, –y huyendo de los inviernos inhumanos de Montreal– emigraron a República Dominicana, hasta asentarse poco después en la Región Autónoma Independiente de Ponce, donde nacieron tres varones y la última del linaje Carmona-Cameron: la pequeña Aila.

Para las postrimerías del siglo XIX, España se encontraba sumida en un letargo socioeconómico que impulsó la emigración de los españoles a las repúblicas antiguamente ligadas a España. La frase desesperada de los inmigrantes ibéricos, *«sea yo recibido por mis primos en América»*, era frecuente entre los jóvenes españoles que compartían el sueño de crear fortuna y regresar prósperos a sus provincias. Era un libreto que no perdería vigencia a través de los siglos en los apetitos europeos; las Américas eran el repositorio de riquezas para satisfacer, primero a los imperios, y luego a los hijos de esos imperios. Julián, sin embargo, no siguió el patrón de sus compatriotas; emigró tarde y ya casado con Cora. Ciertamente, buscaba una mejor vida lejos de la devastación de la Segunda Guerra Mundial y del franquismo, pero no perseguía grandes fortunas, para fastidio de su esposa, quien siempre soñó con ellas.

No fue hasta que llegó a Ponce que se sintió en armonía con su entorno desde que abandonó España. La hermosa y orgullosa región que se desarrollaba a toda prisa y el perenne calor sureño le recordaba a su natal Andalucía. Don Julián murió primero, años después; la familia siempre sospechó que se despidió para escaparse relativamente temprano del temperamento infernal de Cora, ese que aumentaba cada vez que daba a luz un nuevo miembro de la prole Carmona. La furibunda escocesa comenzaba a meter en cintura y regañar a sus críos desde la panza.

Julián dejó terrenos de siembra y ganado en su finca justo en la cordillera de la región ponceña, y una casona en la Calle Salud en el centro del pueblo, donde terminó sus días Cora Carmona, dejando tras de sí una extensa familia, mitad nacida en Montreal, mitad nacida en Ponce, con todo el sabor y el espíritu meloso del Caribe en esa gran ensalada genética.

Los Carmona resplandecían con sus pieles pálidas y poco prácticas para el salvaje sol ponceño. Por alguna división genética, todos los hombres tenían ojos color celeste y las mujeres ojos color miel. Para su constante mortificación, el balcón de la casona en la Calle Salud de Doña Cora Carmona, sufría de un tránsito pesado de jóvenes cortejando, observando, o embelesados con alguno de su estirpe. Era difícil seguir el mapa del asunto.

Cuando ya sus hijas estaban en edades casaderas y sus hijos andaban hacía tiempo por la libre –haciendo Dios sabía qué con quién– Cora trató de implantar un sistema para que los mayores sirvieran de chaperones a los más jóvenes, pero las lealtades de su prole no estaban con ella, y ninguno iba a lanzar al otro al fuego mercurial de su madre. Julián se las arreglaba para pasar casi todo su tiempo en la finca, por lo que Cora carecía del recipiente resignado de sus pataletas y múltiples quejas. Eventualmente sus hijos se marcharon, unos a estudiar y otros al ejército, mientras que las hijas se inclinaban por lo académico, en especial Alda, que fue la primera en la familia en obtener un grado en Literatura. Antes de que se le escaparan todas, Cora echaría mano firme y desesperada de la exquisita Aila, la más joven de los Carmona. Si la familia era hermosa en colectivo, Aila era preternatural. Además de poseer la belleza bastante uniformada que compartían las hermanas y hermanos, Aila tenía un porte regio innato, era altísima y muy delgada a pesar de los experimentos gastronómicos ponceños-españoles que Cora nunca dominó, aunque nadie se atrevió a compartirle esa información a riesgo de llevarse un cacerolazo en la cabeza. Aila era, para su desdicha en este caso, un alma noble que solo deseaba agradar. Sin mucho preámbulo, Cora le anunció a Aila que había llegado el momento de honrar la tradición de la familia de su padre, esa que dictaba que los Carmona debían presentar un retoño a la Iglesia Católica, y ese premio de lotería le correspondía a Aila, aún cuando toda la familia sabía que a Julián le importaban un bledo las costumbres incestuosas entre la Iglesia y España.

No hubo razonamientos que penetraran la terquedad de Cora. Alda conservó por muchos años una foto enmarcada de su hija Ainé, de unos seis años, feliz en la playa de El Tuque con su tía Aila, enfundada en un severo hábito blanco que la cubría totalmente, excepto el tierno óvalo de su cara y sus manos. La foto era de contrabando; Aila había ordenado a la familia entera la destrucción total de toda evidencia gráfica de ese tormentoso episodio de su vida. Con el pasar del tiempo, Aila colgó los hábitos y se casó. Su boda fue una de las últimas veces que Alda vio a casi toda su familia junta, aunque los incidentes que ocurrieron inmediatamente después de la celebración retendrían a los invitados y a la familia en Ponce por mucho más tiempo de lo planificado.

CAPÍTULO 2

Región Independiente Autónoma de Ponce (RIAP)

Aunque fue tema de conversación entre ambas durante el transcurso de sus vidas, Ainé nunca supo a ciencia cierta porqué Alda escogió casarse con Álvaro Palacios, entre todas las opciones que tuvo. Entre los múltiples pretendientes de Alda, se encontraba un joven que llegó a ser Primer Ministro de la RIAP, otro marchante que compartía el fervor religioso de Alda a tal grado que, cuando ella lo rechazó, ingresó al sacerdocio, y el hijo de los dueños de la cadena principal de tiendas de zapatos en la ciudad, a donde años más tarde Alda llevaría a Ainé a comprar zapatillas de *ballet*, tacones de sevillanas y zapatos escolares. El antiguo pretendiente acostumbraba a atenderla personalmente, con voz de sacarina y ojos de adoración.

La primera vez que Álvaro Palacios divisó a Alda fue un domingo en la Plaza Las Delicias de Ponce, entre piragüeros y las maromas del curioso personaje en etiqueta blanca que dirigía el tráfico del pinto-

resco pueblo y quién ofrecía generosamente sus servicios de guardia «palito». La considerable tribu Carmona salía de la catedral después de misa, y aunque a Álvaro no se le había perdido nada en ninguna iglesia, algunos domingos esperaba a la salida para observarla. Ninguna mujer le había provocado un interés tan persistente, particularmente porque sus pasiones corrían por ríos de pocas intensidades.

La vida social de Cora giraba en torno a la catedral y no solo para un *evento* especial –muertes, bodas, bautizos o Misas de Gallo– también solía acudir durante la semana, especialmente si había un chisme jugoso en el pueblo del cual no tenía todos los detalles. No obstante, los domingos, sin excepción, la familia entera caminaba la corta distancia entre la Calle Salud y la catedral, como desfilando en una pasarela. Un domingo en particular, los Carmona se dispersaron en varias direcciones de acuerdo con sus planes: los varones, a diversas actividades desconocidas por Cora y agendadas para evitar almorzar los horrendos experimentos con chorizos de la matriarca de la familia, Aila con un grupo de amigas a buscar helados de *Los Chinos de Ponce,* y Alda con Evina, la próxima nacida en las gélidas tierras canadienses, pero para quien el único referente cultural y social era Ponce. Evina llevaba unos cuantos meses saliendo a espaldas de Cora con un alegre y joven comerciante de nombre Tomás Muñoz. Como suelen darse las ironías de la vida, el sistema de chaperones por el que tanto luchó Cora se materializó, pero a la inversa. Los Carmona se vigilaban unos a otros para poder hacer lo que querían a espaldas de su progenitora. Alda se había convertido en la celestina de ambos, y esa tarde luego de la misa los acompañó al Hotel Meliá a tomar un café.

Doña Cora no se cansaba de contar que la familia de Don Bartolo Meliá, natural de Mallorca y fundador del hotel de arquitectura colonial, había tenido una estrecha amistad con Don Julián, de la cual nadie nunca tuvo evidencia y que, francamente, parecía poco probable dada la personalidad introspectiva de Julián, quien no se movía en esos círculos y a quien le importaban muy pocas cosas en la vida a excepción de trabajar la tierra y mantenerse fuera de la mirilla de su esposa.

Álvaro vio al trío entrando al hotel y recordó que Tomás era amigo de su hermano menor, Herminio. Le tomó exactamente una semana conseguir que su hermano le presentara a Tomás, congraciarse con él y acompañarlo la próxima vez que el joven visitó a Evina. Nada más llegar, desde la seguridad de la acera delantera, Tomás saludó efusivamente a Evina, mirando embelesado a la joven, quien lo saludaba de vuelta desde el tope de las escaleras que terminaban en el balcón de las pesadillas de Cora.

* * * * *

Álvaro era el hijo mayor de Don Erasto y Doña Ignacia Palacios, ambos ponceños de nacimiento y crianza. Erasto era un hombre de negocios menores, que, sin embargo, le proveían suficiente para mantener a su familia en una cómoda casa en la calle Torre, y pagar por los estudios de los tres hijos que tuvo con Ignacia. El matrimonio fue producto de arreglos familiares que ayudaron a resolver dos problemas simultáneamente. Por un lado, estaba la constante melancolía de Ignacia, que flotaba por la vida silenciosa y solitaria, y quien sacaba de quicio a su familia que finalmente decidió –sin saberse la lógica detrás del remedio– que el matrimonio la sacaría de su ostracismo. Por otro lado, existía una urgencia de parte de los Palacios de obligar a Erasto a desenvolverse en otro oficio que no fuera el de frecuentar asiduamente *Elizabeth's Dancing Place*, que no era otra cosa que el icónico prostíbulo en San Antón de Isabel Luberza Oppenheimer, mejor conocida como «Isabel la Negra».

Fue una boda sin alegría ni limerencia, que dio nacimiento a un ambiente sombrío que se mudó con la pareja como un visitante que los acompañaría para siempre. Álvaro nació once meses más tarde, para el deleite inicial de su padre, quien soñaba con un primogénito varón. Sin embargo, Álvaro dio señales tempranas de haber heredado la seriedad y melancolía de Ignacia. Erasto lo llevaba al negocio de Isabel la Negra, a jugar clandestinamente y a apostar a los caballos. Lo introdujo a la cerveza y a los cigarrillos a los diez años y ya a los once lo hostigaba para que buscara novias. Mientras más Erasto lo empujaba a los «verdaderos placeres de la vida», menos entusiasmo lograba de su primogénito, quien prefería estudiar que acompañar a su padre a las apuestas de caballos o al sexo con precio por hora, algo que le parecía de mal gusto, aunque curiosamente nunca lo internalizó como una afrenta a su propia madre. Los mundos de sus padres se intersecaban exclusivamente a la hora de la cena. La mala racha de Erasto siguió con el nacimiento de Irma, una niña enclenque y llorona que lo desesperaba. Finalmente, consiguió el hijo que deseaba en Herminio, un muchacho campechano y fiestero como su padre.

Herminio fue el primero en casarse, a los 19 años, con Beatriz Mattei, la hija de un importador y distribuidor de productos españoles, desde cigarrillos hasta peinetas. Cuando Herminio y Beatriz tuvieron el primero de sus tres hijos, Álvaro fue el padrino en el bautizo, y mientras cargaba incómodamente al pequeño, supo inequívocamente que criar niños no estaba entre sus talentos o inclinaciones. No tenía la paciencia o el encanto que veía en todos ante un bebé. No le dio mayor importancia, pensando que sería distinto con los suyos. Las verdaderas pasiones de Álvaro eran la lectura y su carrera de arquitectura. Casi todo su dinero lo invertía en libros, desde ficción hasta guías de viajes. Soñaba con recorrer el mundo y ver obras arquitectónicas en París, Londres y Madrid. Aún en medio de aquella dinámica extraña, los Palacios eran un clan que se entendía entre sí. A simple vista, era una familia tradicional que cenaba junta todas las noches. Con Don Erasto sentado a la cabecera de la mesa y sus dos hijos varones flanqueándolo, Ignacia e Irma eran poco más que floreros decorativos que no intervenían en «conversaciones de hombres» y se limitaban a colocar y retirar platos a los varones de la familia. Con el tiempo, Irma desarrollaría otros métodos para hacerse escuchar y eventualmente inmiscuirse de lleno en las vidas y relaciones románticas de los hombres de la familia.

Ignacia tenía una alquimia particular en la cocina, donde a diario producía complejos y exquisitos platillos dignos de un restaurante de lujo que nadie en la familia se perdía. Su cocina era su reino privado donde podía acallar las tristes letanías de su mente. Cuidaba con dedicación su pequeño huerto casero, sus flores, sus gallinas y sus tejidos. Cuando no estaba cocinando, Ignacia tejía en su mecedora en

una especie de trance. Álvaro calculaba que en su vida había tejido lo suficiente como para arropar media capital ponceña. Era común ver a Ignacia caminando silenciosa por la casa y asustar a todo el mundo cuando aparecía de pronto como sacada del sombrero de un mago. En su hombro siempre estaba su cotorra Mercedita, una lora parlanchina de cabeza amarilla, cuyos orígenes y edad se desconocían. Cierto día apareció por el gallinero de Ignacia, le brincó en el hombro y decidió quedarse allí para siempre. Con el tiempo, Mercedita se convirtió en el *alter ego* de Ignacia y rellenaba con gusto sus silencios.

La familia tomó por costumbre preguntar a Mercedita cualquier información que necesitaran de su dueña. Herminio podía pasar por la cocina y preguntar qué había de cena ese día, y Mercedita respondía con un entusiasmado: «¡Sopa!» o «¡Buñuelos!» Álvaro preguntaba a diario cómo había pasado el día y Mercedita siempre respondía: «¡De mierda!», y procedía a reírse moviendo su robusto pico.

Álvaro nunca vio a su padre y a su madre proferirse el más mínimo gesto de cariño, nunca los vio besarse o celebrar un aniversario. Había llegado a la conclusión desde pequeño que aquellos raptos románticos y apasionados que veía en las películas del Teatro Fox Delicias pertenecían solo a la fantasía de la gran pantalla y nada tenían que ver con la realidad de la vida diaria, que en su opinión no era más que una constante y agotadora lucha. Erasto no comprendía la visión fatalista de Álvaro, que se comportaba como si hubiera crecido en medio de grandes carencias, cuando en la realidad su padre no le negaba nada. Cuando Álvaro conoció a Alda, con su risa fácil que todo iluminaba, su rostro de altos pómulos y ojos almendrados color miel, y su alma amorosa, pensó que aquella mujer era el complemento perfecto para lograr su propia familia numerosa –de la cual se ocuparía ella–, mientras él escalaba hasta convertirse en un arquitecto reconocido. En su mente, era el plan perfecto. En el Olimpo, los dioses se rieron de Álvaro.

* * * * *

Eventualmente, Alda, Álvaro, Evina y Tomás comenzaron a salir juntos, y para sorpresa de los Carmona, Álvaro asistió a misa un cierto domingo, y pidió audiencia con Cora y Julián, quien bajó de la finca expresamente para la ocasión. Ese día las actividades extracurriculares de toda la familia *post* sermón quedaron suspendidas. Todos querían ser testigos de este primer experimento de noviazgo y enterarse de antemano si terminaría en bodas de altar o bodas de sangre. Había buen dinero en apuestas corriendo. Cuando Álvaro subió las famosas escaleras blancas que conducían al paraíso que contenía la intimidad de los Carmona, Alda le tomó la mano para guiarlo mientras su madre dirigía la procesión familiar hacia el salón principal, decorado con una pesadilla de muñecas en diversos estilos y colores de trajes flamencos exhibidos con orgullo en filas de anaqueles. Como si eso no fuera suficiente asalto al buen gusto, las muñecas iban acompañadas de toreros y una colección contigua de figuras de toros de corrida, todos sobre manteles circulares de mundillo. Puesto que su padre no tenía interés alguno en la decoración de tortura, Alda miraba aquel salón ideado por un Torquemada sevillano y se preguntaba porqué Cora abrazó la cultura española y no la suya escocesa como referente familiar, y de paso, decorativa.

Mientras caminaban al salón y como si tuviera ojos en la parte trasera de la cabeza, Cora se volteó y preguntó con toda seriedad: «El joven, ¿Es ciego? ¿No? Pues suéltale la mano, Alda, que ya sabrá llegar solo». A pesar del ademán implacable de Cora, Álvaro tenía las credenciales correctas, tras exagerar por mucho su inexistente fervor religioso. Venía de una familia en mejor posición económica que los Carmona –ítem importante para Cora, que ya había vivido suficientes carencias toda su vida gracias a su enorme prole, constantes mudanzas y falta de ambición de su marido. Además, era un joven brillante, recién graduado de la Escuela de Arquitectura de la Universidad Nacional Autónoma de Ponce y proveniente de una familia ponceña de tercera generación, cuyos padres seguían casados; un hijo de divorciados no hubiera pasado el umbral de la puerta.

Cora nunca se sentó con su hija Alda para preguntarle sobre sus sentimientos hacia el arquitecto, ni indagó sobre por qué lo escogió a él en lugar de otro pretendiente. Ese no era el estilo maternal de Cora. De hecho, la escocesa carecía de estilo maternal alguno que no fuera «un buen sopetón a tiempo». Los sentimentalismos y el romance eran nimiedades que ella disfrutaba viendo en telenovelas, mientras fumaba Ducados y tomaba su nativo *scotch* o el acostumbrado anís, hábito que copió de su cuñada Sonsoles, quien vivía feliz, soltera y sin hijos en el Barrio Santa Cruz de Sevilla. Cora era fría, porque no aprendió otra cosa en su propia niñez y porque de algún modo esperaba que cada uno de sus retoños llegara con un pan debajo del brazo, y que los mayores velarán por los más chicos aún en las cosas más fundamentales que le tocaban a una madre. Cuando Alda tuvo su primera menstruación a los 13 años, pensó que moriría. ¿Qué otra explicación podría haber para aquella vergonzosa hemorragia? Cora no solo optó por ignorar lo que significaba aquel importante cambio en el cuerpo de su hija, sino que le llegó a pegar por ensuciar su ropa interior. Alda se encargó de que ninguna de sus hermanas tuviera que pasar por el mismo capítulo doloroso y las orientó cuando le llegó el turno a cada una, convirtiendo los planes de Cora de crianza delegada en una profecía autocumplida.

Así las cosas, Alda sabía que la bendición de sus padres, y en específico de su madre, dependería de otros factores que nada tenían que ver con sus sentimientos o su felicidad. Se trataba de supuestos asuntos prácticos que Álvaro satisfacía por demás. Por su parte, Alda creía estar clara sobre lo que quería en ese momento: salir de la casa de Cora, tener su propio hogar e hijos y buscar la forma de armonizar trabajo –aunque fuera a tiempo parcial– con una vida en familia que imaginaba sería la antítesis de lo que había vivido en la suya. Después de una hora de charla y de varios *scotch*, Cora asintió con aire de duquesa cuando Álvaro formalmente pidió la mano de Alda.

CAPÍTULO 3

Montreal, Canadá

Exactamente diez meses más tarde, un 29 de diciembre –bien calculado para evitar el infernal calor ponceño– Alda y Evina Carmona contrajeron nupcias en una comentada boda doble con Álvaro Palacios y Tomás Muñoz II, respectivamente. Ninguno de los linajes de las tres familias involucradas ameritaba mucha atención de parte de la sofisticada sociedad ponceña, pero sí la extraordinaria belleza de las novias. Alda, en un clásico vestido de organza de manga larga y canutillos y Evina en uno de encajes, algo más *risqué*, opacaron a todas las novias que desfilaron por la catedral por un largo tiempo después. Fotografías de ambas –a menudo sin los respectivos novios– fueron publicadas en todas las páginas sociales, para el deleite de Cora y la molestia de varias familias que no encontraban justificación alguna para tanto despliegue mediático por una boda de gente corriente.

Por años, las fotos de las páginas sociales de las novias colgaron enmarcadas en la casa de Cora, hasta que llegó el día que caminaría por los largos pasillos y no reconocería quiénes eran aquellas personas en las fotos. Ambas novias eligieron Canadá para su luna de miel, y los novios, curiosos sobre el país que vio nacer a sus nuevas esposas, accedieron de buena gana. Los cuatro viajaron a Quebec, una ciudad que Cora había sentenciado como «imprescindible visitar», donde estuvieron tres días antes de partir hacia rumbos distintos. Evina tenía ilusión de ver las Cataratas del Niágara del lado canadiense y Alda quería revisitar su ciudad de origen, Montreal, de la que recordaba muy poco. A su llegada se hospedaron en el histórico Hotel Pierre du Calvet, el más antiguo de la ciudad, construido en 1725. La suite matrimonial –literalmente sacada de otro siglo– estaba decorada con muebles de madera oscura, chimenea, pesados brocados rojos y antigüedades valiosas. Alda se sintió transportada a un momento mágico del siglo XVIII. La magia, sin embargo, empezó y terminó allí. En su cuarta noche a solas con su marido en Montreal, sin la distracción de su hermana y el buen humor de su cuñado, Alda tuvo una angustiosa corazonada de que había cometido un grave error. No sabía en ese momento que nunca lograría escapar de ese error cuyos tentáculos tocaría muchas otras vidas, además de la suya.

* * * * *

Región Independiente Autónoma de Ponce (RIAP)

Irma fue tan protagonista del matrimonio Palacios-Carmona como los mismos Álvaro y Alda. De hecho, fue protagonista de los matrimonios de sus dos hermanos y hasta del de sus propios padres, mudándose sin invitación por semanas, e inclusive, hasta meses a

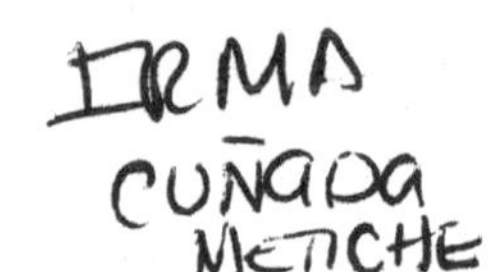

casa de uno o del otro, haciendo planes con sus hermanos que no incluían a sus esposas, inmiscuyéndose en la crianza de sus sobrinos y organizando toda suerte de actividades familiares en la casa de los Palacios, donde las esposas de Álvaro y Herminio eran apéndices un tanto innecesarias pero toleradas.

Si Alda y el resto de los Carmona habían sido dibujados con el fino pincel del Creador, Irma era una prueba de boceto que por equivocación llegó del vientre de su madre sin haberse terminado del todo. No solo era poco agraciada: era extraña. Sus ojos brotados se ubicaban exageradamente separados el uno del otro, dándole una apariencia de sapo concho –rasgo que no tenían, por fortuna, ninguno de sus dos hermanos. Por cejas, tenía cuatro pelos a los que no ayudaba en lo absoluto pintándolos torpemente con un lápiz de color más oscuro que su cabello, que, a su vez, constaba de unas pocas mechas de un color indeterminado. Toda la grasa de su cuerpo se concentraba en el torso y la barriga, creando una figura delgada en sus extremidades, pero cilíndrica en el medio. En toda su vida, Alda jamás la vio en otra indumentaria que no fuera una variación de pantalones de elástico mal entallados en la cintura, blusones holgados, zapatos cerrados sin tacón y collares de cruces con medallas de una surtida variedad de vírgenes.

Durante el noviazgo de Alda y Álvaro, la futura novia no tuvo tiempo de reparar demasiado en Irma, en su actitud taciturna y su interés desmedido por las intimidades de Álvaro y de Herminio, a quienes trataba como novios en vez de hermanos. Alda estaba demasiado ocupada manejando las complejidades de su propia familia, las interminables exigencias de Cora para la doble boda y la exhaustiva búsqueda de la casa donde vivirían, como para prestar atención a aquella joven tímida y antisocial. Con los años Alda entendería que Irma era de todo menos tímida.

Después de la decepcionante luna de miel, y a su regreso a Ponce, el panorama de lo que le esperaba a Alda comenzó a cristalizarse y no intuía nada bueno en lo que observaba ahora con más detenimiento. Álvaro había comenzado a trabajar en el estudio de arquitectos que había montado en la ciudad Edward Durell Stone, quien tenía a su cargo el esperado traslado del Museo de Arte de Ponce de su sede en la calle Cristina en el centro de la ciudad capital, a la Avenida Las Américas, donde preparaban un espacio virgen con infinitas posibilidades que vivían en los sueños de Álvaro.

Cuando terminaba su jornada de trabajo, el joven marido siguió ininterrumpidamente la costumbre de pasar por la casa de sus padres, donde aún vivía Irma –ya adulta y con trabajo– antes de ir a la propia. Allí conversaba con su padre y con Irma acerca de las novedades del día, cenaba los platos aromáticos que salían de la cocina de su madre, degustaba los vinos de su padre y bromeaba con su hermano Herminio, para luego llegar a su casa, saludar rápidamente a Alda, bañarse y acostarse a dormir. Alda observaba perpleja aquella rutina. Careciendo de un referente de pareja en Cora y Julián, la joven le narró a Evina la bizarra rutina de su marido. «Álvaro no cena en tu casa, sino en la de sus padres, ¿y tú lo permites? Me sorprende de ti. No eres tonta y menos tímida, Alda. Esta noche cuando lo veas le das la noticia de que el cordón umbilical lo perdió hace tiempo», le dijo Evina sin rodeos. Esa noche Alda puso especial cuidado en su apariencia. Seleccionó un vestido estampado sin mangas ceñido a la cintura, estilo Jackie Kennedy en el que se veía sensacional. Se maquilló, se perfumó y se sentó a esperar por Álvaro. Desafortunadamente, Álvaro, quien ya había cenado, tomado varias copas con Don Erasto, y hecho media digestión a su

llegada, malinterpretó la realzada belleza de Alda como una invitación a una noche romántica y la crucial conversación tuvo que esperar. Ella lo dejó pasar porque aquellos episodios de tibia pasión eran raros y espaciados en su marido. Abordar aquel tema era una gestión que había que ejecutar como quien camina en un campo minado.

En el año que llevaban casados Alda ya había sido testigo de platillos voladores de porcelana tirados al piso porque la comida no era del agrado de Álvaro, de su insufrible tendencia a hablarle como si fuera una niña ignorante, de lo frecuentemente que le alzaba la voz o la interrumpía si Irma o algún otro miembro de su familia reclamaba su atención, por trivial que fuera la razón. Todo esto sin contar con una tacañería extrema que jamás había presenciado Alda en su vida, y para la cual no había justificación, puesto que eran jóvenes profesionales con buenos trabajos y holgadez económica. Pero Alda guardaba dentro de sí más ejércitos de los que aparentaba, aunque no del todo entrenados en aquellos tiempos, y finalmente lo abordó exigiendo una rutina marital normal, donde su esposa y su hogar fueran una prioridad sobre la familia de sus padres. Álvaro, sin encontrar buenos argumentos con los que rebatir lo obvio, respondió con una jugada magistral: empezó a invitar a Irma y sus padres a cenar a la casa que compartía con Alda. Para hacer más completa la humillación, Doña Ignacia frecuentemente llegaba con comida empacada y lista. «Como le gusta a Álvaro, y para que no tengas que cocinar», le decía suavemente su suegra, quien era tan víctima como ella de aquella dinámica familiar tóxica, y a quien tampoco le preguntaban su parecer. La única voz femenina que tenía peso entre los Palacios parecía ser la de Irma.

* * * * *

Región Independiente Autónoma de Ponce (RIAP)

Un accidentado año matrimonial transcurrió, y en las Navidades de 1965 se inauguró con mucha pompa y circunstancia la nueva sede del Museo de Arte de Ponce. Con sus exquisitas galerías hexagonales y su impresionante entrada –donde dos enormes escaleras semicirculares parecían abrazarse en el tope–, el evento marcaba un hito cultural en el Caribe. Álvaro acudió a la gala orgulloso y apuesto, en gabán clásico de chaqueta blanca y pantalón negro, del brazo de Alda, quien había mandado a hacer un traje largo inspirado en el famoso atuendo negro de Audrey Hepburn, quien cuatro años antes había impuesto el estilo con la película *Breakfast at Tiffany's*. Cora le prestó los largos guantes negros de terciopelo que guardaba de su madre, al igual que un collar de perlas de fantasía. Cora sabía que pocos notarían el collar falso ante la despampanante belleza de su hija.

Por el resto de su vida, la mirada sincronizada y la admiración palpable de todos los comensales que provocó el momento en que Alda hizo su entrada triunfal al museo, sería un recuerdo que acariciaría. Cuando notó las miradas dirigidas hacia su esposa, Álvaro se pavoneó por un rato con Alda a su lado, pero pronto se aburrió y se unió al grupo de poder en la fiesta, compuesto por un círculo cerrado de hombres –arquitectos, artistas, curadores, inversionistas, ingenieros, políticos– que habían hecho posible el museo. Las mujeres pasaron a un segundo plano puramente decorativo que acompañaba a la colección de obras europeas y locales que colgaba de las paredes. Sin conocer a nadie, pero con la seguridad que le daban su educación, su elegancia natural y su espectacular sonrisa, Alda se dio a la tarea de mezclarse entre los invitados para, quizás, hacer amistad con algunas de las esposas de los compañeros de trabajo de Álvaro. La tarea no fue fácil, ya que quienes se acercaron a iniciar conversación fueron hombres, y eventualmente optó por retirarse a una esquina de la barra en el jardín. Pidió una copa de champaña mientras observaba a su marido.

En su primer aniversario de bodas, su matrimonio pendía solo de dos hilos: su desesperado deseo de ser madre y el temor a la ofensa religiosa de Cora –y la suya propia– si se daba un divorcio entre los Carmona. Por esas fechas sabía que los problemas de su matrimonio eran vastos y complejos, primordialmente centrados en un marido machista en exceso aún bajo los estándares de la sociedad misógina en la que vivía, pero paradójicamente, infantilizado emocional y socialmente en su incapacidad de destetarse de sus padres. Como si todo eso fuera poco, Álvaro tenía la libido de un hombre de 80 años y su salud general era increíblemente frágil para un hombre tan joven. Sin embargo, el elemento más constante, tóxico y angustioso que mantenía a su matrimonio en vilo era Irma, reflexionaba Alda. Aunque su marido era bastante críptico discutiendo los asuntos de su hermana o de su familia en general, poco a poco Alda y Doña Ignacia crearon entre sí la empatía que en ocasiones nace de la solidaridad entre mujeres en circunstancias similares. Alda trabajaba impartiendo dos clases en la Universidad Nacional Autónoma de Ponce, un arreglo laboral a tiempo parcial que había hecho esperando un embarazo que no llegaba. Por consiguiente, tenía las tardes libres y a veces pasaba a tomarse un café con Doña Ignacia mientras su suegro trabajaba o dormía una siesta con ronquidos que amenazaban con hamaquear los cimientos de la casa. Fue en esas tardes de café y galletitas de mantequilla que Alda intentó hurgar información que le fuera útil para desenredar aquel entuerto matrimonial en cuyo eje estaba Irma y no ella. Sacándole información a paso de gotero, supo que «en toda su vida» –según Ignacia, como si Irma fuera una anciana– su hija había recibido solo una invitación de parte de un joven aparentemente interesado en ella. Alda solo podía imaginar las características de beato que debía guardar el joven en cuestión para soportar el carácter de Irma.

En cualquier caso, Irma logró verse y conversar con el joven en algunos momentos ya que cierto sábado soleado y caluroso –como lo son todos en Ponce– el joven se apareció en la casona de los Palacios y tocó a la puerta con valentía e ingenuidad. Se trataba del hijo de un empleado de Don Erasto; un mulato alto, fornido y muy guapo, según daba cuenta Doña Ignacia, a quien se le aterciopelaba la voz cuando hablaba de él. En este punto de la historia, Alda, perpleja, se preguntaba qué talentos ocultos tendría su cuñada para atraer a semejante espécimen como el que describía Doña Ignacia.

—¿Y entonces? Por Dios, Doña Ignacia, no me torture así. Esto es como una radionovela de a capítulo por semana. ¿Qué pasó? –le urgió Alda.

—Pues nada pasó. Erasto no aprobó el noviazgo y ahí murió todo –contestó Ignacia suspirando, como si lamentara más la partida del marchante que la misma Irma.

—¿Y por qué no aprobó el noviazgo, Doña Ignacia? –presionó Alda, exprimiendo el gotero de información.

—Pues, mija, ya conoces a tu suegro y sus manías –contestó mientras colocaba la taza de porcelana en una mesa y procedía a tomar sus agujas de tejer para seguir con la pieza en la que estaba trabajando.

Alda la miró sin saber qué decir. El catálogo de manías de su suegro podía llenar la guía telefónica de Ponce. Necesitaba especificidad.

—Pues el muchacho era trigueño y eso Erasto no lo iba a permitir –exhaló por fin.

—¿Y eso que tiene qué ver?

—Pues mucho. El muchacho no pasó del balcón. Erasto no dejó que Irma saliera y la encerró en su cuarto. Fue todo muy desagradable. Todavía recuerdo al joven bajando las escaleras. Eso sí, nunca se humilló. Cuando llegó abajo, al pie de las escaleras, miró a Erasto casi desafiante, como diciendo: *«Ustedes se lo pierden»*.

Alda nunca había escuchado a su suegra hablar tanto de un sopetón. Mercedita, en el hombro de Doña Ignacia, asentía vigorosamente, dando fe del incidente. Alda pensó que palabras más ciertas que «ustedes se lo pierden» jamás fueron pronunciadas en aquel pueblo pequeño de grandes infiernos. Los Palacios no eran una familia que Alda hubiera recomendado a nadie.

—Pero Ignacia por Dios, todo el mundo en Ponce es una mezcla de razas. Es lo mejor que tenemos –dijo Alda señalando lo obvio, pero sin estar segura si Ignacia tenía la capacidad de pensar más allá de los primitivos prejuicios de los Palacios.

—No querida, no. Mira el color de tu piel. Todos somos de Ponce, pero unos somos más ponceños que otros –dijo Ignacia sin interrumpir su tejido.

Alda, horrorizada, dio por terminado el café de la tarde y se dispuso a marcharse preguntándose en silencio dos cosas: si su suegra sabía que había parafraseado la novela *Animal Farm* de George Orwell aplicada al racismo –lo que encontraba improbable dada su escasa cultura– y si, por el contrario, los Palacios le habían abierto tan fácilmente las puertas a su familia por la palidez de su piel y su descendencia europea, lo que era cada vez más probable. Ahora tenía más información, pero menos respuestas. Regresó a su casa cavilando mientras calculaba cómo esta información le serviría, si de algún modo. Cuando llegó a la casa de una planta que compartía con Álvaro, se bañó y se preparó algo ligero de cenar mientras veía la telenovela de la noche. No tenía idea de a qué hora llegaría Álvaro, pero en la nevera había una infinidad de fiambreras confeccionadas por Doña Ignacia de las que Álvaro podía comer. Finalmente, y luego de corregir una buena cantidad de exámenes, se acostó a dormir. Nunca sintió a Álvaro llegar o acostarse a su lado. La despertó el sonido seco y chillón del teléfono. Cuando abrió los ojos ya su marido estaba haciendo preguntas rápidamente en el auricular y Alda supo que algo grave pasaba. Cuando colgó el teléfono, Álvaro le informó que Herminio había tenido un accidente y estaba en estado crítico en el hospital. Mientras ambos se vestían a toda prisa, Herminio murió en una sala de emergencias. Tenía 26 años.

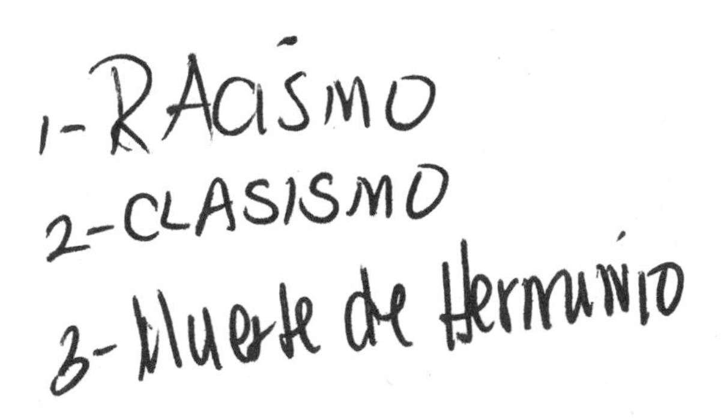

CAPÍTULO 4

Región Independiente Autónoma de Ponce (RIAP)

La muerte de Herminio cambió por completo la vida de la familia Palacios. Doña Ignacia, que siempre lo había consentido, cayó en un verdadero estado catatónico que todos asumieron sería pasajero, pero que con el pasar del tiempo se hizo permanente e irrevocable. Doña Ignacia, que nunca les había encontrado mucho uso a las palabras, nunca volvió a hablar, excepto para lo estrictamente necesario. Empezó a usar silla de ruedas sin motivo aparente, y no dejó de utilizarla hasta el final de sus días. Era capaz de permanecer por horas sentada, mirando al vacío en dirección a los árboles de pomarrosa en el patio, sin emitir sonido alguno y con la única compañía de Mercedita en su hombro. El capítulo más sorprendente del viacrucis privado e intenso que vivió Doña Ignacia, se dio un par de años más tarde cuando repentinamente compró una casa en las montañas de Ponce, se mudó sin avisar con su hija Irma y acto seguido le presentó la demanda de divorcio a Don Erasto. La familia entera quedó atónita, incluidos los Carmona, que seguían el drama de cerca a través de Alda.

Dentro de la generación de Alda y Álvaro el divorcio era una rareza. Dentro de la generación de Doña Ignacia y Don Erasto era impensable. Así, el patriarca de los Palacios se quedó solo en aquella casona de la Calle Torre, sin tener muy claro cómo fue que le cambió la vida de un golpe. Doña Ignacia nunca le dio explicaciones ni a él ni a nadie; nunca logró apalabrar la tragedia sobrehumana que no sabía cómo manejar, excepto sumergiéndose aún más en sus silencios. Los Palacios eran emocionalmente rudimentarios. Era una tribu con empatía limitada y vicisitudes al momento de crear conexiones, excepto la que habitaba como una telaraña entre ellos mismos. Eran racistas, machistas y homofóbicos. Ninguna condición de miseria humana era lo suficientemente sagrada como para salvarse de sus chistes de mal gusto que agraciadamente solo soltaban en la intimidad de su propia compañía. Ante esa realidad, nadie en la familia contaba con un mapa emocional para manejar la muerte repentina de Herminio. Aquello se bregó entre rechinar de dientes y depresiones sin mofles de escape.

Cuando Alda supo, antes del accidente y por boca de Cora, que Erasto le era rutinariamente infiel a Doña Ignacia con sus visitas al establecimiento de Isabel la Negra –que en realidad, nunca se vieron interrumpidas tras el matrimonio– y las criadas que trabajaban en la casona, la joven comenzó a observar la dinámica cotidiana entre las criadas y sus suegros con más detenimiento. Pronto, se dio cuenta de que Don Erasto no ponía ningún empeño en disimular sus actividades extramaritales y que, por su parte, a Dona Ignacia le importaba un bledo. Aquel harem que desfiló bajo su techo no fue motivo de divorcio para Doña Ignacia, como tampoco lo fue la conducta insufriblemente despótica de Erasto –y que Álvaro heredó, aunque en menor grado–. Todo lo soportó hasta que murió Herminio. Con ese evento, la poca vida que habitaba en ella quebró y la familia entera miraba los pedazos sin tener idea de qué hacer. Nunca se supo a ciencia cierta porqué, pero Doña Ignacia responsabilizó a Don Erasto por esa muerte y, por tanto, no tenía uso ni espacio en su vida para su marido.

Doña Ignacia se retiró con Irma a vivir en una casa más pequeña y alejada del pueblo, en las montañas de Ponce. Extrañamente, Don Erasto la visitó casi a diario por muchos años; a Doña Ignacia le daba igual. Ella se aislaba en su habitación con la compañía perenne de Mercedita vislumbrando el vacío, mientras Don Erasto se mecía en el sillón del balcón fumando mentoles y apreciando los cafetales cercanos. Podían pasar semanas sin dirigirse ni unos buenos días.

Los eventos que siguieron la muerte de Herminio obligarían a Alda a recordar la conversación de aquella tarde cuando Doña Ignacia hizo la bien sopesada especulación de que Irma tendría solo una oportunidad en su vida para escapar de aquel infierno familiar. Con la partida del sensual trigueño a quién Erasto no dio paso, Irma vivió el resto de sus días como una visitante no anunciada que habitaba en las casas de sus hermanos y sus progenitores en un monótono círculo itinerante. Tras el accidente que marcó a los Palacios, el diminuto radio de acción de Irma entre núcleos familiares ajenos se concentró en la viuda de su hermano, Beatriz y los tres hijos varones de la pareja: Erasto Jr., Rogelio e Ignacio. Prácticamente de la noche a la mañana, Irma se autoproclamó la sucesora de Herminio en cualquier decisión familiar intentando controlar el hogar de su fallecido hermano con niveles iniciales de éxito. Beatriz, la viuda de Herminio, era un poema de decencia y jamás hubiera tenido la más mínima oportunidad de prevalecer ante el poderío que ejercía Irma sobre la familia de no ser por la intervención de Alda un tiempo después.

Irma tomó las riendas de la familia de Herminio determinando desde los arreglos fúnebres de su hermano, hasta el cambio de colegio y cuidado diurno de sus sobrinos; cambios que ella estimó necesarios de modo que todo quedara en manos de personas de su confianza. Se mudó por un año a la casa que habían compartido Herminio y Beatriz, y se encargó de administrar el hogar, las cuentas, los seguros, el jardinero, las tareas y el menú diario. Beatriz, impotente ante aquella mole de intromisión, buscó refugio frecuentemente en Alda. Ambas mujeres habían formado una amistad sólida a través de los años, cimentada en buena medida en los martirios compartidos a manos de los Palacios. Alda no lograba concebir y con cada año que pasaba se acrecentaba su frustración. Su fe religiosa, su trabajo y la literatura eran lo único que la sostenía. Beatriz se convirtió en su gran consuelo y viceversa, y aunque su cuñada parecía estar eternamente embarazada, no le añadía dolor a Alda. Por alguna razón, esos embarazos la aquietaban y podía pasar horas charlando con Beatriz y acariciándole la sucesión de panzas que contuvieron a sus tres sobrinos. Ahora miraba a una Beatriz agitada, distinta a su apacible cuñada.

—Me tienes que decir qué hacer. Me estoy volviendo loca. Irma sigue en casa. Es como el proxy de Herminio. Está ahí cuando me levanto y está ahí cuando me acuesto. Anoche fui a medianoche a la cocina a buscar un vaso de agua y por poco infarto al verla en la sala, sentada a oscuras como una aparición. Pensé en La Llorona –le narró Beatriz en tono miserable.

Alda se rió a pesar de saber que Irma no era asunto de chiste. Su

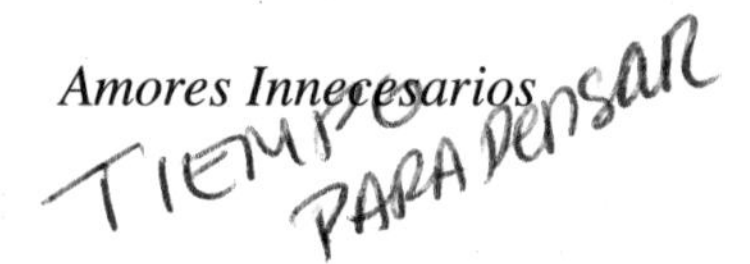

compañía desmedida era causa justa para reclamar locura temporal como defensa en caso de emergencia.

—Beatriz, respira. Tienes varias opciones simples. Te enfrentas a Irma y le dices que se tiene que ir de tu casa... –Alda pausó cuando vio a Beatriz negando con la cabeza– O me envías a mí y yo lo hago con gusto –dijo salivando ante la posibilidad de enfrentarse a Irma con las municiones del aval de Beatriz.

—La mujer perdió a su hermano. No puedo...

—Beatriz, la viuda eres tú.

—Tienes razón. Claro que tienes razón, pero no estoy lista para ese encontronazo aún.

—Te entiendo. Entonces mira el problema desde otro ángulo. Aprovecha el regalo que te hace Irma. El regalo es inadvertido, pero está ahí –le dijo Alda pausadamente, mientras iba elucubrando la idea de a poco.

Beatriz reconocía esa mirada de Alda. Nunca había conocido a la persona capaz de resistirse cuando se empeñaba en algo, excepto, irónicamente, su propio marido y todos los Palacios que eran inmunes a sus considerables talentos de persuasión.

—¿Y de qué regalo estamos hablando? –preguntó Beatriz, reclinándose en las incómodas pero modernas butacas que su cuñada se daba el lujo de tener gracias a la ausencia de niños en la casa.

—Te está regalando tiempo, Beatriz. Si Irma te ha dado un golpe de estado en tu propio hogar y se está haciendo cargo de todo, niños incluidos, eso te da la oportunidad de sentarte a pensar qué quieres hacer con tu vida. Eres joven y guapa. El seguro de vida de Herminio no te dejará pasar necesidades. ¿Qué te gusta, qué te apetece? Ese es un lujo que muy pocas mujeres tenemos. Nosotras por lo general jugamos las cartas que nos tocan como mejor podemos.

Beatriz asintió sin mirarla. Tenía la mirada enfocada en un punto imaginario en el flamboyán que era protagonista del patio de Alda, y parecía recalibrar su situación. Tiempo. Tenía tiempo para imaginar otra vida. Al final, esa epifanía de Beatriz cambiaría para siempre su rumbo, y también el de Alda.

* * * * *

Beatriz ignoraba que, durante el semestre anterior, Alda había tenido su primera reunión con el nuevo decano, Marcos Gerena, el más joven en la historia de la universidad en ocupar el puesto. Gerena tenía un club de fanáticas que se extendía por todo el campus y que incluía a miembros del profesorado y estudiantado por igual. El decano era alto, moreno y exudaba sensualidad sin siquiera intentarlo. Tenía una voz grave y a su vez, suave, digna de un locutor, acompañada de un ademán que transmitía confianza. Al terminar la reunión, ambos se pusieron de pie.

—Por cierto, aunque tarde, le extiendo mi más sentido pésame por la muerte de su cuñado Herminio –le dijo cortésmente Marcos. Alda lo miró sorprendida.

—Gracias. ¿Conocía usted a Herminio?

—Socialmente. Mi hermano menor, José Enrique, lo conoció cuando salió brevemente con su cuñada, Irma –le explicó el decano.

Alda se quedó en una pieza; se recuperó de inmediato y miró la mano izquierda de Marcos. No había anillo de matrimonio en ella. Alda guardó toda esta información en su archivo de elucubraciones, le dio las gracias y se despidió. Desde ese día en adelante, Alda se encargó de cultivar una relación cuidadosa con Marcos Gerena, bien calibrada para que no pasara de lo aceptable entre una mujer casada y un hombre soltero, pero lo suficientemente cordial como para conversar frecuentemente, ir por café y compartir bromas diarias. Alda no mencionó a nadie en la familia, y menos a su marido o a Irma, que su jefe era el hermano del marchante a quien Don Erasto nunca dejó entrar a la casa de los Palacios.

Un sábado de septiembre, Alda pasó a recoger a Beatriz y su prole para ir de paseo por la Guancha, una hermosa área de esparcimiento que se abrazaba con el Mar Caribe. Nadie mencionó si Irma estaba invitada o no, porque sabían que, si deseaba ir, lo haría sin preguntarle a nadie. Afortunadamente Alda, Beatriz y los tres niños ocuparon la totalidad del espacio del Renault de Alda y cuando Irma salió de la casa de su cuñada, ya estaban todos acomodados. Sin decir nada, se dio media vuelta y regresó a la casa dando un portazo. No fue causa de alarma para nadie, más bien sirvió como testimonio de lo acostumbrada que estaba la familia a las excentricidades crípticas de Irma. De hecho, Alda contaba con ello para poner en marcha el plan que tenía en mente. Puso el pie en el acelerador e inició una conversación con Beatriz como si no hubiera visto a Irma. Tenía bien planificados sus próximos pasos, y aunque Beatriz era dócil, no era tonta. Era importante que se sintiera apoyada y guiada, pero no bajo las órdenes de Alda. Para eso ya tenía suficiente con Irma. Una vez estuvieron todos acomodados en el parque frente a la playa y los niños propiamente embarrados en mantecado, Alda abordó el meollo del asunto que se traía entre manos.

—Bea, el semestre pasado accedí a dar dos clases adicionales en la universidad y voy a dirigir el certamen de literatura el año que viene.

—¡Qué maravilla! Debe ser interesantísimo –le dijo Beatriz.

—En realidad lo estoy haciendo porque, a falta de un embarazo, estar en la universidad me distrae y despeja la mente –le contestó Alda con la verdad–. El asunto es que ya estoy trabajando a tiempo completo y con actividades extracurriculares así que puedo solicitar una asistente al decano. Puede ser una oportunidad de oro para ti. Sé que no trabajas desde que te casaste, pero antes trabajabas en la empresa de importaciones de tu padre como secretaria, y eso es justo lo que necesito –finalizó Alda.

Eso no era justo lo que Alda necesitaba, pero ese no era el punto clave de la conversación.

—¿En serio piensas que te puedo ayudar? ¿No haría más sentido alguien con un trasfondo en literatura? –le dijo Beatriz con toda la razón.

—Qué va, eso lo trabajo yo. Lo que necesito es alguien que me organice, que lleve un sistema para manejar el doble de las clases, récords de los estudiantes, someter informes y el trabajo clerical del certamen. Todo eso lo puedes hacer tú –le respondió Alda, quien había anticipado la pregunta.

Mientras Alda le narraba a Beatriz sus proyectos y su rutina diaria en la Universidad, más se entusiasmaba la joven. Esa era la parte fácil.

—Voy a hacer la petición formal de tu puesto al decano, un hombre encantador llamado Marcos Gerena. Es un gran amigo al que aprecio mucho. Guapísimo, aunque eso no viene al caso. No creo que ponga trabas. Ahora bien, para que esto salga como queremos, es importante anticipar la reacción de Irma –le dijo a su cuñada mientras Beatriz asentía, entusiasmada y absorta en los planes de Alda para su futuro.

Limpiando el mantecado de las manos y la boca a su sobrino menor, Alda le anticipó que Irma se opondría a que trabajara o a cualquier movimiento que perturbara el estatus quo. Irma era un parásito que se alimentaba de familias ajenas y estaba más que a gusto anidando en la casa de Herminio. La ficha de negociación que tenía Irma era el cuido de los niños, por lo tanto, era la primera que había que neutralizar para liberar a Beatriz.

—Mi vecina tiene una hija universitaria que estudia de noche y puede trabajar de día. Ahora de regreso podemos pasar por su casa y te la presento. Así, cuando Irma te amenace con no cuidar a los niños para evitar que aceptes el trabajo, ya tendrás un plan a la mano –finalizó Alda.

Beatriz la miró con admiración y agradecimiento. El próximo paso era el más delicado. El lunes siguiente Alda fue a saludar a Marcos a su oficina como de costumbre, llevando dos cafés y las galletas de jengibre que le gustaban. Era un pasatiempo compartido entre ambos discutir nuevas obras literarias para los currículos o para deleite propio y aquella tarde charlaban sobre la recién publicada novela Muero por dentro, una obra de ciencia ficción del escritor Robert Silverberg sobre un joven con facultades telepáticas, y su trauma al perderlas. Alda la encontraba fantasiosa y Marcos, fascinante.

—Marcos, ya voy necesitando una secretaria con el próximo certamen –Alda le comentó, cuando estaba ya por despedirse y como si fuera un detalle que casi olvida.

—Sí, me lo imaginaba. Tengo varios CV muy buenos y sugerencias si las deseas.

—Pues verás, estoy considerando a la viuda de Herminio, Beatriz Palacios. Mi cuñada es una mujer maravillosa, competente, y aunque su fuerte no es la literatura, realmente busco a alguien que me ayude con el papeleo y el asunto administrativo. Sería un salvavidas para ella y para mí –le dijo Alda.

—¿Salvavidas?

—Sí, para mí porque me conoce y sabe mis manías, y para ella porque necesita actividades que la saquen de esa familia. Acá entre nosotros, los Palacios son muy difíciles, por no utilizar otro adjetivo más descriptivo –le dijo cuidadosamente Alda.

Este era el campo minado. Aquí el plan colapsaba o se materializaba. Alda nunca había tocado con Marcos el tema del desaire de la familia Palacios para con su hermano, y estaba contando con que lo hubieran discutido entre hermanos, y eso generara en Marcos empatía hacia la desgracia de Beatriz.

El día de la entrevista de Beatriz con Marcos –algo innecesario para contratar a una secretaria, pero en lo que Alda insistió– le instruyó ir a su casa primero, después que Álvaro hubiera salido al tra-

bajo, y decirle a Irma que iba a una cita médica. Una vez tuvo a su cuñada de frente la observó como quien evalúa un maniquí. Con ojo experto, Alda le cambió el sencillo vestido con cuello estilo Peter Pan que no le hacía ningún favor, y en su lugar le prestó uno suyo color rojo borgoña, ajustado, tipo *wrap*, un estilo que lanzó por esos días una diseñadora llamada Diane Von Furstenberg, y que Alda fue de las primeras en lucir en Ponce. Luego le recogió el cabello en un *twist*, le prestó sus perlas y la maquilló. Cuando Beatriz se vio al espejo sonrió. Parecía otra.

—Parece que voy de fiesta. Me queda un poco ajustado el traje, pero funciona. Me encanta el escote. Y los tacones son hermosos. No sé si puedo caminar con ellos –le comentó Beatriz.

—Puedes. No vas a caminar mucho. Vas a sonreír mucho. Y el traje es una talla más pequeña de la que vistes, pero es un wrap. Ven, te lo ajusto. Esta primera impresión profesional es muy importante Beatriz. ¿Te memorizaste todo lo que te dije? –preguntó Alda.

—Sí, estoy lista –dijo Beatriz con más convicción de la que jamás Alda había escuchado en su voz.

Cada una tomó su cartera y salieron hacia la universidad. Guiada de la mano de Alda, era imposible que Beatriz no impresionara a Marcos, pero esa tarea la podía completar cualquier mujer interesante en el campus. Por lo tanto, en sus charlas diarias con Marcos, Alda había construido una narrativa mística alrededor de la figura de Beatriz, convirtiéndola en una mujer heroica, sobreviviente de la muerte de su marido, y ahora en una injusta batalla con los Palacios, que pretendían controlar su vida. No era una historia que distara mucho de la realidad, pero en boca de Alda, Beatriz lucía mucho más sofisticada y decidida de lo que era por aquellos tiempos. Cuando Alda abrió la puerta de la oficina de Marcos para dejar entrar a Beatriz, el joven decano se puso de pie, desplegando toda la suculencia de sus seis pies de altura, su piel color miel tostada y su elegancia natural. Beatriz sonrió ampliamente como una niña en la mañana de Navidad y se sonrojó lo justo. Marcos la miró y le devolvió la sonrisa, encantado.

Jaque. Mate.

CAPÍTULO 5

Región Independiente Autónoma de Ponce (RIAP)

El insólito caso de la Señora Beatriz Palacios se estrenó en Ponce en la primavera de 1974, en un escándalo de proporciones espectaculares que sacudió los cimientos de la familia por segunda vez desde la muerte de Herminio. La noticia del romance instantáneo entre Beatriz y el hermano de su conato de exnovio –porque novio real, nunca fue– casi mató de la rabieta a Irma y aportó abundante comidilla de chismes que se regaron en Ponce como fuego en la caña. La lluvia de coloridas amenazas que desató la desajustada mente de Irma fue tal, que Don Erasto y Álvaro llegaron a considerar internarla, con algún grado de seriedad. Desafortunadamente, ninguno de los dos quería ser el valiente que se lo planteara, y con Doña Ignacia sabían que no podían contar, por lo que la idea no llegó a mayores. Alda se hubiera ofrecido voluntariamente y con gusto a internarla, pero ya estaba contando sus bendiciones al haber salido relativamente ilesa de su rol en aquella bomba atómica. No quería tentar a la suerte. De hecho, solo dos cosas evitaron que el romance de Beatriz también se llevara de por medio la frágil relación de Alda con los Palacios. La primera fue la puntillosa planificación de Alda en unir a Beatriz y a Marcos. Alda visualizó la situación como un juego de ajedrez y lo manejó anticipando cada movimiento de los Palacios, que, a decir verdad, eran bastante predecibles. La segunda fue un evento fortuito por el que no podía tomar crédito y que al año siguiente la llevaría junto con Álvaro a California, poniendo una añorada distancia entre ella y los Palacios. Con un solo movimiento de delicada estrategia, Alda había logrado devolverle la felicidad a su querida cuñada y simultáneamente provocar una rabieta épica en la familia de su marido.

Por tanta justicia junta, Alda estaba dispuesta a asumir el pequeño riesgo que sabía que vendría cuando fuera llamada a testificar a la casa de Doña Ignacia en las montañas. Alda no había dejado sin considerar ningún elemento del posible interrogatorio, y había cuadrado bien la historia oficial con Beatriz. Cuando Alda llegó a la casa, se enfrentó al paredón de Don Erasto, Doña Ignacia en su silla de ruedas con Mercedita en el hombro, y una Irma iracunda e indignada. Hablando volúmenes en lenguaje corporal, Álvaro se acomodó al lado de su padre, dejando a Alda sola ante la familia. Aquello también lo había calculado; no se inmutó. Los Palacios eran torpes interrogando y con los años, Alda se había convertido en una maestra del lenguaje y la estrategia. Examinando a sus fiscales, Alda obvió a su suegra, quien solo parecía medianamente interesada en aquel lío, a Irma, que solo escupía incoherencias, y a su marido, inservible cuando estaba en presencia de sus padres. Se concentró en Don Erasto: no importaba de quién viniera la próxima pregunta, le respondía solo a él. Erasto decodificó esta actitud como una deferencia ante él, y suavizó el tono. Así los desarmó uno a uno hasta que solo quedó Irma rabiando. Con voz serena y sin que se le moviera un pelo de su hermosa cabellera, les explicó que su rol en aquel episodio se había limitado a darle un trabajo a Beatriz, ante la necesidad de su cuñada. No, no tenía idea de cómo ni cuándo se conocieron el decano y Beatriz. Por supuesto que no sabía que los Palacios conocían a los Gerena. «¿Por qué? ¿Cómo se supone que supiera de la conexión? ¿Hay algún problema con los Gerena?» les preguntó, degustando cada palabra. Nadie contestó.

En ese punto Alda tuvo el sublime placer de ver a su suegra salir momentáneamente de su estupor y mirarla azorada, calibrando en silencio el recuerdo de la conversación que tuvo un año antes con Alda cuando le contó del desplante de Erasto hacia el hermano de Marcos. Pero en esa charla de rara intimidad entre ambas, Doña Ignacia nunca mencionó el nombre de José Enrique o de los Gerena, por lo que Alda calculaba que no tenía por qué dudar de su versión de que todo aquello era una casualidad. Ante la falta de argumentos o pruebas, los Palacios depusieron las armas contra Alda, aunque su marido la siguió mirando con recelo por algún tiempo, cosa que a ella le tenía sin cuidado. Era poco precio por el deleite de ver sus poderes de celestina retumbar en todo el pueblo. Lo único que la tomó por sorpresa en medio de aquel escándalo que ella misma maquinó, fue la velocidad con que ocurrió todo, y el descubrir con deleite que Beatriz tenía otra personalidad dentro sí. Una vez tocó con delicadeza el primer dominó, toda la hilera se vino abajo en cuestión de días.

El mismo día en que Alda los presentó en la oficina de Marcos, Beatriz regresó a casa de su cuñada en la tarde, mientras Álvaro aún no llegaba del trabajo. Dando menos detalles de los que Alda hubiera

querido y con visible prisa, pidió permiso para ducharse y le pidió prestado un segundo vestido. Esta vez parecía más segura de lo que quería y escogió un Halston drapeado que Alda aún no había estrenado y que miró con preocupación. Bea parecía haber progresado de los cuellos Peter Pan a la alta costura en cuestión de ocho horas. «Disculpa Alda, es que obviamente no puedo regresar a casa, porque Irma no me dejará salir de nuevo», dijo Beatriz, y acto seguido se deshizo el *twist* que le había hecho Alda, y le pidió que le rehiciera el cabello, esta vez suelto, y la maquillara nuevamente.

Mientras trabajaba con el cabello de su cuñada e intentaba interrogarla a la vez, Beatriz se concentró en la amplia colección de perfumes de Alda. Escogió *Opium* de Yves Saint Laurent con igual determinación. Alda pensó que aquello pintaba intenso. Esa misma noche Marcos llevó a Beatriz a cenar al restaurante del Hotel Meliá, según supo luego Alda, a quien le fascinó la simetría entre ese encuentro y los muchos que tuvo con su hermana Evina y su cuñado Tomás cuando también les servía de celestina en aquel hotel durante sus pasadas tardes de café y polvorones. El hotel era un genuino imán para los amoríos.

Dos días más tarde, Beatriz contrató a la vecina de Alda para ocuparse de los niños durante el día, y a su propia vecina, una maestra retirada y noctámbula, para que los cuidara en las noches que hicieran falta. Exactamente una semana después del momento en que Beatriz conoció a Marcos, Irma estaba de vuelta en la casa de Doña Ignacia, sin ceremonias ni explicaciones de partede Beatriz, más allá de informarle que necesitaba recobrar su privacidad y empezar a rehacer su vida. Beatriz procedió a cambiar las cerraduras de la casa. En ese punto ni Alda la reconocía.

Álvaro luego le comentaría a Alda su sorpresa ante la determinación con la que Bea sacó a Irma de su casa y de su vida, a pesar de no haberse atrevido a abordar el tema durante el largo tiempo que la tuvo ocupando su hogar. Alda asintió en silencio, y pensando en la estampa de Marcos, se limitó a contestarle: «Todo en la vida es motivación, Álvaro», y tomó un sorbo de su vino.

Beatriz y Marcos no iniciaron un romance; estrenaron una novela que muchos en Ponce seguían de capítulo en capítulo para mortificar aún más a Irma, quien ya en ese punto hubiera podido asesinar a Bea si le hubieran dado la oportunidad. Bea invertía en Marcos cada minuto del día y de la noche que no estuviera dedicado al trabajo o a sus hijos. Se paseaban abiertamente por el campus, para el desencanto de bucna parte del profesorado y cuerpo estudiantil. Se convirtieron en el terror de los restaurantes de la ciudad; cuando llegaban a cenar ocupaban el doble del tiempo que los demás comensales con sus extensas conversaciones, que muchas veces sobrepasaban la hora de cierre. Alda había calculado tener éxito, pero esto superó todas sus expectativas.

Para su sorpresa, Bea resultó ser muy eficiente en su trabajo. La sorpresa era atribuible al hecho de que el profesionalismo de su cuñada nunca fue un elemento relevante en los planes de Alda. Una tarde, ya casi al cierre del semestre, y mientras cubría su maquinilla, Bea le preguntó si podía acompañarla a su casa para tomar un café y hablar un rato.

—Por supuesto, Bea. Me alegra. Desde que estás con Marcos no te veo excepto aquí en la universidad –le dijo Alda. Ambas se acomodaron en la terraza de la casa de Alda, que daba a un patio amplio cuya atracción principal era el gran árbol de flamboyán justo en el medio.

Alda había fantaseado mil veces con tener allí una casa de muñecas para una hija. Con café y galletitas de mantequilla a la mano, Beatriz no perdió tiempo en ir al grano.

—¿Cómo está Irma? –preguntó.

—Pues como la chica esa de la película del exorcista a la que le da vueltas la cabeza. Qué te puedo decir. Siembra truenos y cosecharás tempestades. Esta crisis la tenía pendiente hace tiempo –le dijo Alda.

—¿Y el resto de la familia? ¿Y Álvaro?

—A mi marido ya se le pasó la ofensa, que a decir verdad era más en solidaridad con Irma que *motu propio*. A Doña Ignacia se le pasea el alma por el cuerpo y mi suegro anda con novia nueva, según me cuenta Cora, mi madre, que es lo más chismoso que han visto estos lares, pero cuya información es casi siempre fidedigna. La única que queda berreando es Irma, no te preocupes –le aseguró.

—Qué bueno saberlo. Después de todo son los abuelos y la tía de los niños y no los quiero agarrar desprevenidos otra vez.

—¿Otra vez? –preguntó Alda. Bea le respondió mirando hacia el flamboyán.

—Bea, ¿cómo que otra vez? –repitió Alda.

—Te explico.

—Por favor –dijo Alda impaciente, sospechando otro bombazo.

—Marcos tiene un amigo mexicano que se graduó con él de la Universidad Complutense de Madrid –comenzó Beatriz–. Ahora es el subdirector del Departamento de Literatura de la Universidad Nacional Autónoma de México, y le planteó a Marcos crear un proyecto en conjunto que conlleva un intercambio de los campus participantes y sus respectivos roles por un año.

—¿No sería eso un descenso para un decano? –cuestionó Alda,

confundida.

—No en este caso. Marcos es un pez grande en una pecera pequeña, pero la Universidad Nacional Autónoma de México es enorme y una de las mejores 50 universidades en el mundo. En esencia, una piscina mucho más grande –le explicó Bea.

—Ya voy captando. ¿Y tú vas a llevarle las maletas a México? ¿Con todo y prole? –dijo Alda sorprendida de la maroma que pretendía Bea.

—No me lo ha pedido directamente, pero hemos conversado teóricamente sobre el asunto. Sé que llegué a su vida con niños incluidos, pero a Marcos no parece importarle y hasta la fecha se lleva de maravilla con ellos –le dijo rápidamente Beatriz como si temiera ser interrumpida.

—¿Ya conoció a los niños? –preguntó Alda, atónita.

—Sí, como al mes de estarnos viendo. Quizás un poco menos –dijo nerviosa Bea.

—¿Vas en serio con estos planes?

—Si Marcos me lo pide, sin dudarlo. A ti te lo debo todo, por eso quise decírtelo con anticipación. Toda esta felicidad es totalmente inesperada, y para serte franca, un poco desconcertante porque no recuerdo esta euforia con Herminio ni cuando estábamos recién casados –confesó Bea.

—Tiene perfecta lógica. Eso de matar pasiones se le da muy bien a los Palacios. Debe ser genético –dijo Alda con total seriedad.

—Creía que tenía un matrimonio normal. Nunca se me ocurrió que esta experiencia que vivo ahora existía para los mortales –sentenció Beatriz.

—Decía Eduardo Galeano que todos somos mortales hasta el primer beso y la segunda copa de vino, y me parece que ya tu rebasaste ambas metas –le dijo Alda sonriendo.

—Además de que eres mi apoyo, también te cuento todo esto porque eres el único miembro de la familia con la que tengo contacto y por eso te pongo en sobre aviso, claro –respondió Bea.

—¿Sobre aviso? ¿Yo soy la mensajera designada? Qué poco agradeces el monumento de futuro marido que me debes.

—Odio ponerte en esta posición, pero no tengo otra forma de avisarles –le explicó Bea.

—Por supuesto que tienes. Escríbeles una carta o, mejor aún, llama a Irma directamente, pero no lo hagas si no estoy presente. No quiero perderme ese berrinche.

—No puedo tener más contacto con esa familia, Alda –le dijo Bea, casi en un susurro–. Escapé viva de milagro de ese infierno gracias a ti. No me hago ilusiones sobre lo que sería mi vida si no hubieras intervenido. Estaría volviéndome loca con Irma saltando de cualquier rincón oscuro. No me puedo arriesgar a verlos de nuevo.

—No te preocupes, Bea. Ve y sé feliz. Por todo el tiempo que te dure, disfruta cada segundo. Yo me encargo –Alda vio en sus ojos un miedo real a volver a enfrentar a los Palacios. Se vio reflejada en esa angustia común que las unía como un lazo de tortura, y la abrazó fuerte.

* * * * *

Ciudad México

En agosto, Álvaro fue quien llevó a Alda y a Beatriz al aeropuerto donde ambas abordaron un avión que las llevaría a Ciudad de México, el punto geográfico que Beatriz llamaría su hogar por el resto de su vida. Para sorpresa y suspicacia de todos en las familias Palacios y Carmona, Alda rechazó la oferta de ser la próxima decana interina del departamento por el tiempo que Marcos estuviera en México. Irma, en su eterno enajenamiento auto involucrado, decidió atribuir la noticia a «la vergüenza que debe sentir Alda por haber abierto la puerta a este escándalo cuando decidió ofrecerle una plaza a Beatriz», según le repetía a su madre. Cada vez que Irma despotricaba con la misma cantaleta, el silencio y la mirada perdida de Doña Ignacia daba cátedra de quién tenía la estrategia más sabia para manejarla. El más sorprendido, sin embargo, fue Álvaro, quien, ante la ausencia de niños, no tenía mayores afanes por tener a su esposa en la casa.

Por su parte, Alda, inusualmente críptica, solo dio por explicación que Bea necesitaría ayuda con la mudanza y sus tres niños en una ciudad desconocida, y Don Erasto y Álvaro accedieron a que Alda la acompañara por el bien de *los hijos de Herminio*, como se referían los Palacios a los niños.

Alda estuvo cuatro meses en México con su cuñada, Marcos y sus tres sobrinos. Fue un tiempo de inmensa felicidad para todos, pero particularmente para Alda y Beatriz, quienes se dieron a la tarea de descubrir la enorme ciudad con los niños y aprender de su gastronomía, además de su rica cultura e historia. A principios del año 1975, que recibieron con un espectáculo de fuegos artificiales frente a la Parroquia San Miguel Arcángel en la mágica ciudad de San Miguel de Allende, Alda se despidió de la nueva familia de Beatriz con mucha dificultad, y los miró largamente, como para guardar una referencia visual de cómo se veía la felicidad, en caso de que tocara a su puerta algún día. Ahora, por primera vez, la sentía cerca. Cuando abordó el avión de regreso, tenía al cuello un collar de oro que leía «Bella» en honor a su nombre. Tenía, además, seis meses y medio de embarazo.

CAPÍTULO 6

Región Independiente Autónoma de Ponce (RIAP)

Alda adoraba la belleza de las lenguas romances y la melódica alquimia que forjaban. Siempre amó la frase *«dar a luz»* y la entendía como una forma poética y alegórica de la introducción de un ser humano al mundo. Su parto, sin embargo, distó mucho de lo poético. Alda dio a luz el 14 de febrero de 1975 en Ponce. El parto duró una eternidad tortuosa. Cuando finalmente le entregaron a su primogénita, Alda estaba tan débil y anémica que apenas podía sostener a la recién nacida. Tampoco la pudo lactar. En el proceso del parto, Alda había requerido una transfusión de sangre debido a su anemia crónica, encima de lo cual fue forzada a parir de modo natural cuando en realidad hubiera requerido una cesárea. Beatriz viajó de México para ayudar a atender y cuidar tanto a la recién nacida, como a la madre, quien no estuvo en posición de velar a su hija por varias semanas.

Alda no le había anunciado su embarazo a nadie cuando abordó un avión hacia México. Primero, porque ella misma no lo creía y deseaba rebasar la seguridad de los tres meses, y segundo, porque Álvaro no la hubiera dejado ir. Intuía que estar en paz lejos de los Palacios era lo más saludable para su milagroso embarazo. Lógicamente, Alda nunca esperó que Álvaro se convirtiera en un padre cariñoso e involucrado, porque no poseía esas cualidades en ninguna otra faceta de su personalidad. Sin embargo, tampoco esperaba la continuación ininterrumpida de su vida como si no se hubiera convertido en padre.

Lo que Alda interpretó como indiferencia era en realidad un tenaz auto-envolvimiento sazonado con preocupación. Con apenas 35 años, Álvaro sufría de asma crónica, migrañas frecuentes, niveles bajísimos de energía y alta presión. Su libido, que nunca fue mucho, también iba en picada y no había posibilidad de que buscara ayuda médica porque ello suponía admitir el problema, que prefería transferir a Alda, a quien acusaba de frigidez. Más allá de sus quejumbres y achaques físicos, Alda sospechaba que Álvaro no era meramente retraído, sino que sufría de una personalidad depresiva que se agudizaba con el pasar de los años. Le daba escalofríos pensar en el deteriorado estado de salud mental de su suegra y de Irma, y no podía evitar proyectar ese potencial escenario en Álvaro. Fue en medio de ese complejo y delicado tejido matrimonial que Álvaro se encontró estrenando la paternidad, y mientras más precaria se tornaba su salud, más se retraía de su familia inmediata, aunque nunca se alejó emocionalmente de sus padres y su hermana. Así las cosas, las primeras semanas de la vida de la recién nacida transcurrieron entre los brazos amorosos de sus tías y de su madre, a quien la carita de la niña se le antojaba digna de haber esperado años para lograr mirarla. Podía pasar largos minutos capturando el detalle de las pestañas de la pequeña, perpleja por su creación, como una daltónica que descubre los colores por primera vez.

Por aquel entonces, los ojos de Álvaro sobrevolaban California y jugaba con la idea de trabajar en la costa del Pacífico. Alda lo sabía y poco le importaba. Tenía a su niña y los Palacios estaban lejos gracias a la presencia de Beatriz en su casa. No tenía planes de protestar. En su patio seguía reinando orgulloso su flamboyán. Alda decidió prestar más atención a esta área de la casa, y sin encomendarlo a nadie, compró el juego de muebles para el exterior más extravagante que encontró, con mullidos colchones amarillos y blancos, varias mesitas, sillas reclinables estilo Adirondack y una gran carpa estilo glorieta de paredes de tela reversibles que mandó a instalar para proteger su piel del sol. Todo se acomodó frente al flamboyán, donde pasaría horas arrullando a su niña y platicando con Beatriz, Evina y Aila. Además, se encargó de rematar la paciencia de Álvaro instalando un sistema de acondicionador de aire central y ordenando finos edredones y cojines para la habitación de Beatriz. Álvaro se lo tragó todo a riesgo de cultivar una úlcera. Con Alda rodeada de Beatriz y sus dos hermanas, la casa del flamboyán rojo se coaguló rápidamente en una pequeña y feliz comunidad de mujeres. Álvaro fue expulsado sin miramientos a dormir en el sofá-cama de su estudio, ya que la única habitación de huéspedes estaba ocupada por Beatriz, y las hermanas de Alda se turnaban para dormir con ella en la habitación matrimonial para atender a la niña cuando había que alimentarla de madrugada. Frecuentemente, Álvaro dormía en casa de Don Erasto o de Irma.

La recién nacida había crecido feliz en el vientre de su madre como un parásito amoroso a quién Alda le dio todo hasta quedar ella misma desinflada de vida. La niña era saludable y tenía un apetito voraz que Bea y Evina calmaban con botellas tibias de leche ante la frustración de Alda, quien seguía intentando lactar sin éxito. Bea, una veterana condecorada en las lides de lactancia, tras haber sacrificado sus tetas en el altar de tres recién nacidos hasta ese momento, usó todos sus trucos, pero Alda no producía suficiente leche, y ella prefería que su cuñada guardara las energías, que claramente necesitaba más que su risueña sobrina.

Al principio la preparación de las comidas y, en particular de la cena, se la compartían Beatriz y Evina, pero pronto le dejaron la cocina a Bea, quien se había convertido en cuestión de meses en una excelente cocinera de gastronomía mexicana. Las sobremesas eran de horas, mientras Bea bebía coñac, Evina degustaba su *whisky* doble malta nocturno, y Alda tomaba té de jengibre. Los días pasaban plácidamente atendiendo a la niña, en juegos de cartas o conversaciones sobre lo que leía cada una. Bea se había tornado adicta a las telenovelas mexicanas, que obviamente veía allá antes que Alda y Evina en Ponce, y otro de sus entretenimientos era verlas con ellas y adelantarles lo que pasaría en el momento antes del clímax de cada escena.

Álvaro entraba y salía de aquella isla de mujeres sin pena ni gloria. A veces se asomaba a saludar o ver a la niña, a quien le observaba los valles del rostro con ojo profesional como si midiera simetría arquitectónica. Luego de unos segundos, siempre asentía, como si aprobara el plano que acababa de estudiar. A veces cuando lo veía pasar, Alda se sobresaltaba por fracciones de segundos, como si olvidara por instantes que Álvaro también vivía allí.

* * * * *

Esos días dulces, viviendo plenamente su maternidad acompañada de Bea y sus hermanas, se veían interrumpidos varias veces a la semana por las inevitables visitas de Cora. Un domingo particularmente caluroso, después de misa, sudada y tratando de refrescarse con un abanico español que agitaba agresivamente, Cora llegó, estoica, para abordar varios asuntos cruciales sobre su nieta. Bea y Evina se colocaron a los lados de la cama de Alda, como centinelas, y colocaron a la bebé, enfundada en un elaborado traje de mundillo, en el regazo de su abuela. Cora fingió llorar de alegría cuando la arrulló, como si se tratara de su añorada primera nieta (era la decimosegunda). La niña rompió a llorar estridentemente en los brazos de su abuela. Evina y Alda intercambiaron miradas. Cuando Cora y la niña dejaron de llorar, las intenciones de la abuela comenzaron a cristalizarse.

—Alda, tenemos que bautizar a la niña cuanto antes. Ya hubiera levantado bandera, porque un mes es mucho tiempo, pero sé que te estás recuperando. ¿Cuándo crees que estés lista para organizarlo todo? –le dijo Cora sin mirarla mientras mecía a la niña en sus brazos.

—¿Organizar qué cosa? –preguntó Alda, mirando con preocupación a su hija, quien se movía incómoda en los brazos de Cora.

—El bautizo de la niña en la catedral. Lo único lamentable del asunto es que habrá que invitar a los Palacios –Cora pausó por un momento y levantó la vista rápidamente y sin disimulo para fijarse en Beatriz, quien después de todo era madre de tres Palacios.

—Prosiga, Doña Cora. No se preocupe por mí, que yo escapé del culto –le dijo Beatriz con desenfado.

—Me alegro por ti. ¿Sigues con ese muchacho, Marcos Gerena? –le preguntó de pronto Cora, con su acostumbrado arte para ir directo al grano y sin delicadeza.

Bea se maldijo mil veces por haber abierto la boca y provocar este desvío de tema y atención que no le interesaba perseguir. Ya tenía suficiente con planificar cómo salir viva del bautismo, especialmente si Irma la veía allí.

—¿Con mi marido? Por supuesto Doña Cora. Sabrá que tuvimos una boda católica hermosa en Ciudad de México. ¿Alda no le mostró las fotos? Estoy ansiosa por darle niños –contestó Beatriz, rogando porque las palabras «católica» y «niños» agradaran a la religiosidad rabiosa de Cora y se olvidara del tema.

—¿Piensas darle niños, además de los de Herminio? Qué valiente eres –le dijo Cora, que ya iba perdiendo interés en Bea.

—Pero Cora, si usted tuvo siete –le dijo Bea, para arrepentirse nuevamente al instante.

—Justo por eso lo digo –le ripostó Cora sin importarle que tenía a dos de sus hijas presentes–. Pero volviendo al asunto en cuestión, vamos a buscar posibles fechas y yo me encargo de coordinar con la oficina parroquial de la catedral. Pienso que en mi casa podemos tener una recepción al aire libre en el patio –prosiguió Cora.

—¿En pleno abril, aquí en Ponce? Los invitados van a morir por combustión espontánea, madre. La recepción la podemos hacer en un hotel o algo similar de modo que sea lo más sencillo posible para Alda –dijo Evina apelando a la razón que Cora no tenía.

—¡Qué va! En el patio de mi casa quedará perfecto. Es importante presentarla a Dios y a nuestra ciudad cuanto antes –dijo Cora, eternamente terca.

Alda, Evina y Beatriz la miraron esperando una aclaración que nunca vendría. Cora no había nacido en «nuestra ciudad» de Ponce. Alda abrió la boca para protestar, pero Evina intervino.

—Madre, ¿le apetece un *whisky*? Álvaro tiene uno de doble malta exquisito, y lo voy a terminar sola si nadie me ayuda –dijo Evina.

—Sí hija, gracias. ¿Tendrás los vasos de escocés adecuados en forma de tulipán y con boca abierta, no recta? Me lo sirves sin hielo y doble –instruyó Cora, dejando el orgullo ponceño a un lado y abrazando la idea de un buen *whisky*–. Hablando de escoceses –continuó Cora mientras le acariciaba la mejilla a la recién nacida– esta niña es pura Carmona. No sacó de los Palacios ni una uña. Dios es misericordioso –dijo, y santiguándose con toda seriedad. Alda, Beatriz y Evina explotaron en una carcajada triple sincronizada que asustó a la niña.

—Alda, como sabes, todas las mujeres en nuestra familia tienen nombres de origen celta que yo escojo. Me pareciste la niña más hermosa cuando naciste, y lo eras, por eso te puse *la más bella*. En retrospectiva, quizás ese nombre era para Aila, pero, en fin, tú también eres muy hermosa –dijo Cora con su usual tacto de lija nueva. Evina miró a Alda y giró sus ojos suspirando. Alda se preparó mentalmente para lo que venía.

—Ahora que la veo, sé que el nombre que le traigo es el perfecto. Se llamará Aine. Significa *resplandor* en celta –dijo Cora mirando a su nueva nieta.

La protesta de Alda murió en sus labios. No existía nombre más perfecto para su hija. Le sonrió a su madre y asintió, saboreando una extraña conexión con ella. Al reconocer ese lazo afectivo y maternal por el que siempre tuvo hambre y nunca saboreó, sintió una profunda añoranza por algo que nunca había vivido, como quien echa de menos el azúcar sin haberla probado. Alda lloró silenciosamente; todas asumieron que eran lágrimas de felicidad y la arroparon en un abrazo. Para castellanizar el nombre, Alda le añadió una tilde a la e de Ainé. Con ese nombre bautizaría a su única hija. A su marido Álvaro le tuvo sin cuidado los crucigramas que ella o Cora hicieran para seleccionar el nombre de pila de la niña. Solo le importaba que no era un varón y no se podía llamar Álvaro.

* * * * *

Al final de las negociaciones, Alda y su madre llegaron a un plan que consistía en llevar a cabo el bautizo en la Catedral Nuestra Señora de Guadalupe de Ponce seguido de una recepción en un salón de eventos con acondicionador de aire en el cercano Hotel Meliá. Cuando Cora confirmó la fecha con la oficina de la catedral, Alda no perdió tiempo en reservar, además del salón de la recepción, dos suites en el hotel para Beatriz, sus tres hijos y Marcos. El pasado decano había planificado con la universidad para tomarse el tiempo de viajar a Ponce para tan importante ocasión, junto a los tres niños de Beatriz, quienes, en la prolongada ausencia de su madre, habían quedado bajo su cuidado y el de Doña Mercedes, una adorable mexicana que vivía con ellos. A Beatriz le encantaba el pronunciado acento mexicano que los chicos habían asimilado rápidamente, y las frases y palabras autóctonas que copiaban de Mercedes y de los compañeros de escuela. Imaginaba que los Palacios no estarían tan encantados como ella. Tres días antes del bautismo, mientras esperaba la llegada de su familia en el Aeropuerto Internacional de la RIAP, Beatriz seguía dándole vueltas al asunto como si fuese un trompo; cómo manejar a los Palacios, a quienes no veía desde que sacó a Irma de su casa.

La familia de Álvaro no había visitado a Alda aún y solo habían visto a Ainé en las ocasiones en las que Álvaro la llevaba a casa de Don Erasto, fuertemente escoltado por Cora y Evina. Bea aún no tenía una estrategia clara, aunque Alda insistía en que cuando los Palacios supieran que ella y Marcos estarían juntos en el bautizo, sencillamente no irían. Ella opinaba que el asunto no sería tan fácil, porque estaban los hijos de Herminio de por medio. Esperaba ansiosa que Marcos, con su pragmatismo y serenidad usual, arrojara luz al asunto. Por su parte, Marcos, quien sabía, pero no había vivido en carne propia los desplantes de los Palacios, llegó feliz y despreocupado. Estaba ansioso por abrazar a Alda, a quien había llegado a adorar como parte de su familia, y por presenciar a Ainé, a quien ya conocía por las frecuentes fotos que le enviaba Bea acompañadas de largas cartas donde le narraba las incidencias alrededor del nacimiento y el bautizo que se aproximaba.

En una prosa viva, liviana, desenfadada y a menudo cómica, las cartas describían las maromas manipulativas de Cora, las novedades de la rutina que había conformado aquella familia improvisada de tías y hermanas, y las neurosis de Álvaro. En las fotos aparecía una niña diminuta, de piel tan pálida que sus venitas azules eran visibles en su cabeza, cubierta de un cabello color cobrizo y unas pestañas largas que resguardaban sus ojos, siempre cerrados en un cálido sueño.

Décadas más tarde, Ainé tuvo la dicha de publicar aquella correspondencia entre Beatriz y Marcos, junto a una selección de cientos de cartas que compartieron Alda y su cuñada en los momentos en que se encontraban separadas, en una hermosa colección para la que el mismo Marcos escribió el prólogo, el epílogo y el contexto que hiló la historia. En el libro, Ainé cambió los nombres de los involucrados, y lo tituló *Cartas desde la Casa del Flamboyán*. Se publicó bajo el seudónimo de Celestina Carmín, y fue dedicado a Alda, pero no bajo su nombre, sino para *la más bella*.

* * * * *

Los Palacios estuvieron convenientemente ausentes de participar en la planificación del bautizo. Irma tampoco insistió en mudarse a la casa de su hermano, como había hecho en el pasado tras los nacimientos de los hijos de Herminio. Aquella casa era territorio ocupado y acordonado por Beatriz y las Carmona; Irma lo sabía. «Además es porque es una niña», le explicó Beatriz. «Si fuera un niño ya estuviera instalada aquí y créeme, no es una experiencia que le recomiendo a nadie. Todavía tengo pesadillas de cuando vivió conmigo».

Ya en el elegante salón estilo colonial del hotel, mientras Alda coordinaba los arreglos florales y el plano de los invitados en las mesas, llegó Álvaro, y sin saludar, se le acercó, anunciándose solamente con su respiración siempre difícil y laboriosa, típica de un asmático. Alda siguió dando instrucciones y sin dejar de corregir los arreglos florales que encontraba objetables, le preguntó a Álvaro si ya sabía cuántas sillas debía reservar para los Palacios.

—Mi padre dice que viene. No sé si mami esté de ánimos para salir de la casa. No me ha indicado una cosa ni la otra. Sobre Irma, no sé –le contestó Álvaro.

—Quizás es buena idea que les recuerdes que Beatriz estará aquí –le dijo Alda de pronto, sin mirar a su marido y con especial atención en las tarjetas de colocación de invitados.

—Lo saben, Alda. Beatriz lleva meses en la casa.

—Entonces, asumo que también saben que Bea irá acompañada de su marido y de su cuñado, José Enrique –le dijo Alda con una voz que sonaba sospechosamente liviana.

—¿José Enrique Gerena? ¿Quién lo invitó? –preguntó Álvaro, sospechando una derrota antes de comenzar la batalla. Alda dejó de atender las tarjetas y los arreglos, y se volteó para mirarlo de frente.

—Yo. Yo lo invité. Es el cuñado de una mujer que quiero como a una hermana y que ha estado aquí, cuidando de mí y de mi hija mientras los Palacios aún ni se dignan a visitarme –el desafiante tono de Alda pasmó a Álvaro, que prefería ser manipulado por su esposa que ser confrontado de este modo al que no estaba acostumbrado.

Abrió la boca para responder, pero vio en la mirada de Alda algo nuevo: el total desinterés por lo que él o su familia quisieran u opinaran. Era una actitud que iría en crescendo a partir del nacimiento de Ainé.

—Te recomiendo que se lo informes a tu familia. No voy a tolerar escenas de gente sin modales en el día más feliz de mi vida, y mucho menos los desplantes de tu hermana. Y si Don Erasto se atreve a ofender a los Gerena tan siquiera con la mirada, se puede despedir de ver a Ainé en el futuro –dijo Alda dando por terminada la conversación.

— Alda no me gusta ese tono… –empezó Álvaro.

—¡No me importa lo que te guste! –gritó de pronto Alda, con una furia que ya alcanzaba el punto climático del hastío, y que liberó asistida por la fuerza que le daba su nueva maternidad.

Los mozos y la decoradora que estaban en el salón se apresuraron en salir del recinto. Alda calculó que ya tenía los pies en aguas calientes, así que de una vez se sumergió completamente.

—Álvaro, presta atención. Sé que es difícil para ti, porque soy yo la que habla, pero trata –dijo Alda respirando para soltar el resto–. Lo que necesitaba de ti ya lo tengo. Bueno, miento. También hace años aspiré a tener un marido amoroso y considerado, pero ya no aspiro a imposibles. Tengo a Ainé y de algún modo, tenerla me ha liberado de necesitar nada más, y eso te incluye especialmente a ti. La única razón por la que no me he separado es por mi religión, y porque quiero darle la oportunidad a Ainé de criarse con un padre. Tan indiferente y frío como eres, Ainé es tu hija. Pero lo que traes a la mesa es muy poco, Álvaro. Juega bien las pocas cartas que tienes. Por el momento, mantén a la jauría de lobos que tienes por familia lejos de mí, de mi hija y de mi gente durante el bautizo –y con eso caminó a una mesa al fondo del salón, seleccionó las tres tarjetas de colocación de invitados con los nombres en caligrafía de Don Erasto, Irma y Doña Ignacia, las removió de su lugar y se las puso a Álvaro en la mano.

Acto seguido llamó al personal del hotel que había salido corriendo durante la discusión y continuó detallando instrucciones dando a su esposo por despachado. Alda nunca supo cómo Álvaro resolvió el asunto, o si se resolvió por sí solo, pero ninguno de los Palacios asistió al bautizo que transcurrió alegre y sereno, un domingo soleado de cielos imposiblemente azules en Ponce, donde los numerosos flamboyanes que decoraban las calles amanecieron de un rojo naranja explosivo en aparente celebración de Ainé.

Dos días después, Alda, acompañada de Cora y Evina, acudió a la casa de Doña Ignacia en las montañas cafetaleras de Ponce a llevarle a su nieta. Con Álvaro, Irma y Erasto presentes, la escasa media hora que duró la visita se le hizo eterna. Luego de intentar rellenar los incómodos silencios con una cuidadosa curaduría de temas que no fueran detonantes, Alda se dio por vencida y le pasó el batón a Cora. La matriarca de los Carmona, peineta y mantilla *in situ*, se replegó sin tapujo alguno a describir cada detalle del bautismo, incluyendo lo guapa y feliz que estaba Beatriz y lo guapo que eran su marido y su nuevo cuñado. Alda sonrió, con toda inocencia, y lo disfrutó inmensamente.

CAPÍTULO 7

Región Independiente Autónoma de Ponce (RIAP)

Las energías emocionales que Álvaro Palacios desconocía cómo invertir en su familia, las apostaba a su trabajo. Con gríngolas típicas de un buen Palacios, Álvaro pensaba que casi toda muestra valiosa arquitectónica en la RIAP y el resto de la isla residía en la capital, Ciudad de Ponce, o se había originado allí. La excepción, a su juicio, era el trabajo del arquitecto alemán Henry Klumb, en cuyo estudio trabajaba Álvaro por aquellos días del nacimiento de su hija. Fue necesario el prestigio de Klumb para sacar a Álvaro de las entrañas de Ponce y, por consiguiente, de los Palacios. Se resignó a los largos viajes por aquella autopista –casi terminada– que facilitaba el ir y venir entre la región independiente y el resto de la isla.

Klumb había estudiado bajo el brillante ojo del padre de la arquitectura moderna de mediados de siglo XX, Frank Lloyd Wright, y su experiencia como curador de exposiciones en California resultó perfecta para lograr el éxito que ya alcanzaba en el Caribe. Su línea arquitectónica era orgánica, como le enseñó Wright, y diseñaba respetando las condiciones naturales existentes. Se inspiraba en el sol, la brisa tropical y el potencial de desarrollo urbano. Álvaro, en cambio, había crecido y estudiado rodeado de los edificios neoclásicos de Ponce, de las estructuras de modernismo catalán, de *Art Decó y Art Moderne*, barroca o de influencia española.

La ciudad que lo vio crecer era un exquisito laboratorio de experimentos donde se ensayaron diversos estilos arquitectónicos en un hermoso carnaval urbano que no dejaba descanso al ojo, pero que deleitaba. Klumb le enseñó la belleza del minimalismo, del diseño limpio que respeta su entorno y se repliega alrededor de este, en vez de intentar conquistarlo y vencerlo. El trabajo mantuvo el interés de Álvaro por un corto tiempo. El arquitecto ponceño llevaba años siguiendo de cerca la carrera de Frank Gehry, arquitecto canadiense cuyo creciente prestigio y talento revolucionario lo llevaría, años más tarde, a diseñar el inimitable y emblemático Museo de Guggenheim en Bilbao. Gehry residía en Los Ángeles y ya para entonces, aún lejos de su obra maestra arquitectónica, contaba con un ferviente culto entre arquitectos y artistas alrededor del mundo. Cuando en 1974 Álvaro comenzó a trabajar con Klumb, aprovechó el momento para involucrarse activamente en el Colegio de Ingenieros, Agrimensores y Arquitectos, y comenzó a intercambiar ideas y visiones más allá de sus confines conocidos. Aunque Álvaro era brillante, su ambición, al igual que su libido, era tibia y finita, por lo que sus exploraciones de tendencias e influencias alternas nacieron más de una pasión intelectual por la arquitectura y menos por una ambición profesional definida. Fue a través del Colegio que supo que un ponceño se había convertido en el

Secretario de Desarrollo Urbano de Sacramento, California.

Álvaro tardó semanas en decidirse, pero finalmente hizo contacto por correo postal y –eventualmente– telefónicamente con Sebastián Lasaga-Ortíz, el nuevo secretario. Cuando Alda regresó de México, ya los planes de una mudanza a Sacramento se asomaban por el horizonte, aunque lentamente y sin su participación u opinión. Unos meses después del bautizo de Ainé, finalmente se materializaron. Alda, quien ya para entonces le había perdido el miedo a llevarle la contraria a Álvaro, accedió a los planes de mudanza sin rechistar, para sorpresa de su marido. En realidad, no se le hubiera ocurrido oponerse a ningún plan que la alejara geográficamente de los Palacios, y a la vez la acercara a Beatriz, Marcos y sus sobrinos.

Después del bautizo de Ainé, Beatriz regresó a México. Evina, Aila y Cora también regresaron a sus vidas y a sus propias rutinas. De pronto, aquella casa del flamboyán le pareció insoportablemente solitaria y sofocante. Se dedicó a empacar y preparar la pequeña mudanza que tendría como destino la casa terrera que había rentado Álvaro en Sacramento. Cuando terminó, una semana después, se sentó encima de una de las cajas con Ainé en los brazos. «Cielo mío, la mala noticia es que no sé qué nos espera en Sacramento. La buena noticia es que te tengo» le dijo suavemente Alda, besando a su hija en aquel pelo tan fino que se deshacía como polen en una flor al soplarse. Alda Carmona estaba lista.

* * * * *

Sacramento, California

El estudio de Frank Gehry estaba en el sur de California, lejos de Sacramento, pero Álvaro sabía que la mudanza le permitiría seguir cultivando contactos que lo acercaran al famoso arquitecto. Curiosamente, tratándose de alguien con sensibilidades arquitectónicas, Álvaro escogió la casa terrera más sencilla y sin gracia que encontró, únicamente tomando en consideración su proximidad a las oficinas donde trabajaría. Álvaro visualizaba la belleza y la armonía de las formas y los espacios en una película donde él simplemente no era un actor. Podía diseñar estructuras hermosas, pero no vivirlas, porque no se le ocurrían para sí o su familia. Alda se dio cuenta que la indiferencia y la frialdad de Álvaro no eran solo para con ella; eran para consigo mismo.

Cuando madre e hija llegaron a Sacramento a reunirse con Álvaro, quien se había adelantado a recibir la mudanza, era diciembre de 1975. La ciudad tenía apenas un cuarto de millón de habitantes y la casa que las recibió estaba pintada de un amarillo color bilis que Alda se propuso eliminar a la brevedad posible. Por su parte, Álvaro se lanzó de lleno en su trabajo, congraciandose con su compueblano, Lagara-Ortíz, y realizando todas las conexiones posibles que lo alinearan con los discípulos de Gehry. Alda fue libre de hacer lo que quisiera, y no perdió el tiempo en acumular proyectos en su calendario y planificar salidas diarias con Ainé a los pocos lugares atractivos que había en Sacramento, una ciudad que, a su juicio, era más sosa que el proverbial huevo sin sal y cuya única cualidad redimible era ser la cuna de la escritora Joan Didion. Recordaba sus salidas al parquecito de niños en la Guancha con Beatriz y sus tres sobrinos, y la invadió una nostalgia profunda por otro capítulo que nunca viviría: ver su hija y a los hijos de Beatriz de edades cercanas jugando y compartiendo los lugares de su propia infancia.

Alda tenía tres posibles rutas para empezar a tejer su entorno social: regresar a trabajar en una de las poco impresionantes universidades de Sacramento, cosa que había descartado para dedicarse a Ainé; confraternizar con las esposas y colegas de Álvaro, –hasta la fecha su marido no la había invitado a ningún evento relacionado a su trabajo– o la Iglesia católica, esa embajadora universal que la hacía sentir como en casa siempre y cuando contara con una parroquia y un cura en la cercanía. Alda Carmona comenzó a planificar cada domingo como un evento, y en efecto, en su desértico calendario social, lo era. Se arreglaba con cuidado y dedicación, y vestía a Ainé como una muñeca. Se sentaba en la primera fila de la iglesia como un hermoso cisne rodeado de aves de menor belleza. Podía arrancarle conversación a quien fuera, quisiera la persona o no, y con frecuencia lo hacía.

A los tres meses, Alda y su niña eran conocidas y admiradas por la comunidad de la Iglesia *St. Rose* de Sacramento. Se ofreció como voluntaria para escribir y publicar el semanario de la iglesia, para el deleite de Jean Ferris, una nativa de la ciudad que ya estaba harta de hacerlo y quien gustosamente le pasó el trabajo a Alda. Jean no podía imaginar que aquella mujer joven y llena de vida terminaría siendo su amiga más entrañable, y que, gracias a ella, llegaría eventualmente a Ponce para su retiro. En unos meses, Alda se encargó no tan solo del semanario, sino de un nuevo programa de catecismo. Además, se convirtió, para todos los efectos prácticos, en la administradora de *St. Rose*, un rol que nadie le disputó.

El sacerdote de la iglesia, *Father* Greg, o Gregorio como lo habían bautizado en Galicia, tenía 72 años, suficiente edad para saber hacía tiempo que aquella vida de sacerdocio no era lo suyo. Pero, como todo hijo menor de familia española franquista, le tocó ser la «ofrenda» de la familia a la Iglesia, entregándose sin vocación, ganas o inspiración de ningún dios mayor o menor. Sus sermones, en un inglés lastimosamente salpicado con un espeso acento gallego, eran ininteligibles, y como se negaba de plano a abandonar su primitivo micrófono, su voz se proyectaba explotada y chillona. Alda oraba y pedía por paciencia divina o la capacidad de entender ese inglés gallego: lo que fuera más rápido tramitar con la divinidad. Luego se apresuraba a pedir perdón por su falta de paciencia, pasando por alto el hecho de que la virtud que más había ejercido en toda su vida era justamente esa. Décadas atrás, Gregorio había sido asignado a aquella ciudad desafortunada, donde los parroquianos tomaban Mountain Dew en vez de un buen tinto de verano, y no sabían degustar un buen caldo gallego ni bajo amenaza del Santísimo. Para el deleite de Gregorio, Alda sabía cocinar y, además, tenía en su repertorio culinario numerosos platillos españoles que su madre nunca perfeccionó, pero que su hija, guiada por su padre, pudo aprender sin dificultad.

Con la llegada de Alda, el Padre Gregorio comenzó a extrañar menos a su tierra natal. No tenía inconveniente en que Alda –ya para aquel entonces recibida como ministra de la Eucaristía–, dirigiera la comunidad religiosa de la parroquia. Rara vez Álvaro acompañaba a Alda y a Ainé a la iglesia los domingos, pero no faltaba al almuerzo subsiguiente de paella de chorizos, gambas al ajillo, croquetas de bacalao y salmorejo cordobés que su esposa preparaba para el agraciado sacerdote. Para la enorme sorpresa de Alda, su flemático marido disfrutaba de la compañía del Padre Gregorio y pasaba largas sobremesas conversando con él sobre sus proyectos. Era en esas conversaciones –que no eran con ella– que Alda recogía los detalles de lo que pasaba en la vida profesional de Álvaro. Ya para aquellos tiempos, había aceptado que Álvaro tenía un problema más allá de estar atrapado, al igual que ella, en un matrimonio yermo y natimuerto. Alda llegó a investigar seriamente sobre las posibilidades de anular su matrimonio por vía de la misma Iglesia católica, pero se dio cuenta de lo cuesta arriba de aquella ruta y, por tanto, tendría que soportarlo ofreciendo su soledad «en penitencia» porque su religión no le presentaba otra opción.

* * * * *

Jean Ferris tenía el don de la claridad para reconocer las cosas que la hacían feliz y las que no. Los perros, las largas caminatas, los zapatos deportivos, las medias de algodón, la música de *Fleetwood Mac*, los casinos, el mar y el sol la hacían feliz. Trataba de estar al aire libre la mayor cantidad de tiempo posible y salía todas las mañanas y las tardes con sus tres perros salchichas a recorrer millas por la ciudad. Jean también sabía lo que la hacía infeliz: cualquier hombre que no fuera su marido, James, quien falleció cuando cumplieron 25 años de casados. Tampoco le encontraba la gracia a tener hijos, especialmente cuando en vez de parir podía tener perros, que le agradaban mucho más que los mocosos. Jean sabía que James había sido una rara excepción de amor y compatibilidad que tuvo la suerte de disfrutar, y jamás entretuvo la idea de casarse nuevamente. Habiendo experimentado la armonía marital, su nueva amiga, Alda, la llenaba de curiosidad, porque parecía saberlo todo menos lo que podía hacerla feliz. Alda, pensaba Jean, tampoco sabía que tenía el derecho a reclamar ser feliz sin pedir permiso. A los ojos de Jean, la joven mujer tenía todo lo que podía necesitar para disfrutar de su vida: era inteligente, hermosa, elegante, educada, y ciertamente sabía cómo obtener lo que quería en cosas menos importantes que su felicidad personal.

Ambas mujeres encontraron la manera de crear un lazo de confianza sin hablar directamente de las enormes carencias emocionales que sufría Alda. Jean no veía su rol en la vida de su amiga como uno atado a largas conversaciones sobre penurias íntimas, sino como un llamado a distraerla, creando un oasis de compañía en el que Alda pudiese olvidar por ratos su profunda soledad.

Cuando Ainé cumplió tres años, Alda lo celebró con una fiesta en el patio de la casa con Jean y su jauría, algunas vecinas y sus hijas, el Padre Gregorio y amistades de la iglesia. Álvaro ya llevaba seis meses trabajando en San Diego y no asistió al cumpleaños de Ainé, como no asistiría a casi ninguno en su vida. En cuanto todo el mundo estuvo atendido y los niños entretenidos, Jean sacó a un lado a Alda, ofreciéndole un vaso de limonada que aceptó con gusto.

—*Sweetie, you look gorgeous as usual*. ¿Álvaro estará mucho tiempo más en San Diego? –indagó en inglés, el idioma con el que se comunicaba con Alda.

Jean estaba empeñada en aprender español, pero su progreso era lento y lastimoso para el oído; para eso Alda tenía suficiente con los sermones de Gregorio, así que se habían decidido por el inglés.

—*I have no idea*. Allá está haciendo lo que le gusta con un grupo de arquitectos que trabaja con Gehry. Acá hace lo que le toca. Va y viene. ¿Por qué? –preguntó Alda mientras fijaba la vista en Ainé, quien miraba deslumbrada a una payasa que animaba la fiesta.

—Acabo de comprar una casa rodante –le dijo con entusiasmo,

midiendo la reacción de Alda, quien la miraba sin comprender–. Un *trailer home* grande con cocina, área de comedor y espacio para dormir para cuatro personas. Lo ordené hecho a mi gusto.

—Ya veo. ¿Y qué piensas hacer con la casa rodante? –le preguntó Alda fijando la vista en su amiga.

—Voy a viajar toda California de arriba a abajo. Es más, voy a subir a Nevada, empezar por Las Vegas, el Lago Tahoe, y de ahí seguir al sur hasta llegar a Ensenada, México. ¿Qué te parece? –le contestó Jean, esperando que Alda captara la totalidad de sus intenciones.

—¿Nos vas a dejar solas? ¿Cuánto tiempo te tomará ese viaje? –preguntó con alarma en la voz.

—No sé. No le he puesto una fecha de inicio o de final. Primero quería hablarlo contigo y de paso, invitarte junto a Ainé. Imagínate… salir de aquí y ver toda la región. Imagínate llegando por la #1 *a Big Sur*. Son 656 millas costeras de pura belleza. Anímate Alda. ¿Qué tienes aquí excepto el semanario de la iglesia y hacer el trabajo de Gregorio? –le dijo Jean planteando lo obvio.

La californiana pausó, esperando la lista de objeciones que calculó que Alda le expondría, pero su amiga solo hizo silencio y miró a lo lejos a Ainé, cuya risa liviana y dulce escuchaba con claridad. Tres días más tarde, Alda llamó a Jean a su casa.

—Tengo un par de condiciones. Eliminemos a Las Vegas porque no vamos a poder entrar con Ainé a ninguna parte. Nos podemos ir contigo dos o tres semanas a Nevada, y cuando bajes en ruta para el resto del trayecto, Ainé y yo regresamos a casa. Además, cada domingo, no importa dónde estemos, debemos buscar una parroquia para ir a misa –dijo Alda de un tiro sin siquiera saludar.

—Trato hecho. Empaca a la niña que yo empaco a los perros. Nos vamos cuanto antes –le respondió Jean; en su rostro se dibujaba una sonrisa, aquella que no usaba desde la última vez que vio a James vivo.

CAPÍTULO 8

California

Luego del empeño de Jean, una casa rodante que le costó una pequeña fortuna, y extensa planificación –que incluyera las necesidades de una niña y tres perros–, el minúsculo grupo finalmente partió en 1978 de Sacramento hacia el noreste, rumbo al Lago Tahoe, en la frontera entre California y Nevada. Alda se despidió de la casa de Sacramento, la cual quedó vacía, ya que en aquellos días Álvaro había comenzado a trabajar formalmente a tiempo completo en los estudios de Gehry en el sur. Su transición de Sacramento hacia Santa Mónica y San Diego se había desdoblado orgánicamente para él, quien había echado mano de su rol en el diseño del Museo de Arte de Ponce para congraciarse con la firma del reconocido artista y arquitecto. A base de las últimas conversaciones domingueras que escuchó entre Álvaro y Gregorio, Alda armó las piezas de lo que ocurría en la carrera de su esposo. Si bien Álvaro era, sin lugar a duda, un arquitecto más que competente, sus talentos no estaban en romper esquemas, ni en esa disrupción de lo tradicional tan necesaria para crear algo desde «ojos nuevos». Álvaro se movía por las veredas de lo conocido, y aún cuando observaba las novedades arquitectónicas, trataba de interpretarlo dentro de su libro en vez de sumergirse en la posibilidad de algo distinto.

Así las cosas, Álvaro no logró escalar estelarmente como creador de alguna visión o tendencia arquitectónica, pero sí como un extraordinario mentor y singular director de proyectos. Alda nunca encontraría la razón por la que Álvaro tuvo la capacidad de enseñar, guiar y nutrir docenas de talentos nuevos, mientras esa paciencia y dedicación amorosa estaban ausentes en su hogar inmediato. Una de las pocas veces que llegó a visitar las oficinas de Álvaro en Sacramento, fue acompañada por una parlanchina secretaria que iba recitando halagos a la dedicación y paciencia de Álvaro, sin saber que su descripción se recibía cargada con dolor, pues ese era el esposo que Alda añoraba y que no tenía.

Aquella doble personalidad de Álvaro, a quien se le hacía más fácil proferir atención a extraños que a su familia, era una pesada condena cotidiana para Alda y Ainé. Alda sabía que tenía que salir de aquella ciudad, de aquella vida gris y solitaria, que ni la religión lograba llenar a capacidad por más que lo intentaba. Antes de marcharse, le dejó mensajes a Álvaro en las dos oficinas que le conocía hasta que logró conseguirlo, momento en que le informó que se iría un par de semanas de vacaciones con Jean y Ainé. Éste la escuchó distraído, concentrado en un plano. Alda le informó de su fecha de salida y luego le escribió los detalles, aquellos pocos que tenía, en una carta que envió a la dirección del remitente que Álvaro utilizaba para enviarle la manutención del hogar. Le pidió que pagara la renta directamente y el resto lo enviara a su atención por transferencia a una dirección subsiguiente que ella le dejaría saber en cuanto llegara a Nevada.

Aquel año comenzó en el Lago Tahoe, que enamoró a Alda con su fría belleza que observaba en silencio por horas. Disfrutaba mirando a Ainé caminar, maravillada con el sonido que hacían bajo sus pequeños pies los pinos que formaban una alfombra fragante en aquel bosque luminoso. Las aguas del lago eran tan prístinas que se podían beber y las noches eran las más estrelladas que había visto Alda.

Todas las noches, Jean encendía una fogata en el patio con muebles de picnic que tenían adyacente al área de su casa rodante, se acomodaba en una de las sillas Adirondack y se entretenía degustando vinos o *martinis*, y contándole a Alda sobre los 200 cadáveres que se rumoraba estaban en el fondo del lago preservados por las gélidas aguas. Otras veces, especulaba sobre cuando verían un oso negro, típico de la zona, hasta que Alda amenazó con dejarla sola en sus *happy hours* si continuaba con los temas mórbidos. Jean se echaba a reír a carcajadas y no le hacía caso, ni Alda la dejaba sola.

Fue por aquellos días que Alda comenzó diariamente a escribir en libretas que iba guardando en sus maletas, poco a poco, tan pronto las llenaba. Sabiendo que su amiga era profesora de literatura, Jean se moría por saber qué tanto escribía Alda, y la curiosidad la engullía imaginando una incipiente obra literaria cocinándose en su propio *RV*, pero nunca le preguntó, respetando su privacidad. Alda no estaba absorta en la literatura, sino en un delirante diálogo interno donde exploraba maneras de llenar con su religión y espiritualidad el enorme vacío que tenía pegado a la piel como el inescapable sudor ponceño. En sus diarios sostenía largos diálogos con diversos personajes religiosos:

a veces Jesús, otras un ángel a quien había bautizado Rafael y quién aseguraba estaba asignado a su caso, a Santa Teresa de Ávila –a quien admiraba con pasión casi adolescente– y a San Francisco de Asís. A todos suplicaba, y en ocasiones, exigía, una plenitud emocional y una felicidad que no estaba accesible para ella en este plano.

El viaje no terminó en Nevada. Pasadas dos semanas, Alda le dejó saber a Álvaro que seguiría con Jean y Ainé unas semanas más, ya que quería conocer Sonoma, y luego San Francisco. Al mes, informó a Álvaro que continuaría hacia las ciudades de Palo Alto y Carmel. Cuando Álvaro recibió el mensaje del prolongado viaje de su esposa e hija, rompió un vaso de cristal lanzándolo contra la pared, un estilo de pataleta que había protagonizado antes frente a Alda. Para cuando consiguió hablar con su esposa, esta había partido de San Francisco con Ainé, Jean y tres perros salchichas en la casa rodante que bautizaron, como si fuera un barco, con el nombre de *Boogie Oogie*, en honor al éxito del grupo *A Taste of Honey*.

Mientras Álvaro pasaba el coraje –que se le enfrió en cuanto se distrajo con su trabajo–, los ojos de Alda se llenaron de la extraordinaria belleza de la costa californiana. El viaje, que originalmente contemplaba solo Nevada, se fue expandiendo como piezas que se van sumando para formar un collar. Sentadas en el asiento del pasajero, con Ainé en su falda mientras su amiga conducía aquel trailer con la destreza de un camionero, las dos mujeres cantaban a todo pulmón por el camino.

"There's no time to waste, let's get this show on the road
Listen to the music and let your body float
Now get on up on the floor
'Cause we're gonna boogie, oogie, oogie"

* * * * *

Álvaro tardaría mucho en volver a ver a Alda y a Ainé. Cuando *Boogie Oogie* se acercó a San Diego, Jean le preguntó si deseaba visitar a Álvaro. Alda lo pensó muy brevemente. «Mejor sigamos directo hacia Ensenada. Estoy loca por ver a Beatriz y a mi nueva sobrina». Alda había mantenido a Beatriz al tanto de sus planes, y aunque su cuñada estaba encantada con el paso de libertad sin precedentes que había tomado Alda, le preocupaba el ambicioso viaje en carretera con una niña de tan solo tres años. «Te preocupas porque no conoces a Jean. Es como andar con una mini Jimmy Hoffa. Maneja grandes vehículos y retos a voluntad. Estamos más seguras con ella que con Álvaro», le escribió Alda.

Beatriz viajó de Ciudad México a Ensenada, en la frontera en Baja California, para encontrarse con Alda. Jean había localizado un área en la Playa Saldamando, que tenía un *RV park* con duchas y conexiones de electricidad, como en los lugares donde se habían quedado durante esos meses. Una vez pasaron la frontera y se adentraron en Tijuana,

Alda apenas podía contener la anticipación de ver nuevamente a Beatriz. Cuando llegaron al parque de casas rodantes, Alda le entregó la niña a Jean y caminó en dirección a la playa hasta sentir la arena y el agua del Pacífico en sus pies. Allí espero, no supo cuánto tiempo, hasta que sintió el cálido abrazo de Beatriz.

* * * * *

Se podía decir –sin exagerar– que existió una Alda antes y después del viaje en *Boogie Oogie* a lo largo de la costa de California. Antes de comenzar su año itinerante con Jean y su hija, su acto de rebeldía le produjo la vacilante esperanza de que Álvaro reaccionara y saliera de su existencia semicomatosa y la indiferencia concurrente hacia ella y Ainé. Al final del trayecto, en territorio mexicano, Alda había aceptado, como quien acepta un ramo de hiel, que nunca conocería la sensación de existir en una relación plena, como la que veía entre Bea y Marcos, mientras estuviera casada con Álvaro. Jean fue testigo de aquel agonizante estado de incertidumbre e introspección de su amiga, la que a menudo producía un genuino trance de *suspensión de incredulidad* literaria, donde obviaba todo lo que sabía de su marido, la experiencia acumulada, el desamor que cargaba a cuestas como una desafortunada joroba, para creer que su acto de irse a explorar mundo alcanzaría a sacudir los inamovibles cimientos emocionales de Álvaro. Luego aterrizaba en la realidad, a lo que le seguían días de escritura febril en sus diarios, para luego comenzar el ciclo nuevamente.

Jean cumplió su promesa de detenerse en una iglesia los domingos a lo largo del camino, aunque si no hubiera sido por Alda hubiera pasado por alto el privilegio. Cada ciudad parecía traer consigo un nuevo estado de ánimo para Alda, atado a aquellas conversaciones consigo misma. En San Francisco, sintió un enorme sentido de culpabilidad por estar disfrutando de un tiempo de libertad lejos de su marido, y escribió una libreta entera pidiendo perdón, purificación y guía para encontrar su camino. En Los Ángeles, eufórica, luego de leer *El Castillo Interior* por Santa Teresa de Ávila, escribió por horas sobre sus propios experimentos, utilizando la metodología de Teresa de Jesús con las siete mansiones –o etapas– para llegar a la unión espiritual con Dios.

En Carmel, dedicó varias entradas del diario a dar gracias por la extraordinaria experiencia que vivía y que, de algún modo, la fortalecía para la tormenta que de seguro le esperaba cuando regresara. Jean no sabía si aquellos desvaríos de fervor religioso ayudaban o no a Alda, sin embargo, tenía suficientes canas como para saber que su amiga estaba en una búsqueda interna increíblemente delicada, pero que debía continuar. La muleta que necesitara su amiga, fuera la religión o cualquier otra, no la iba a cuestionar. Si en ese punto Alda le hubiera dicho que necesitaba ir a una barra de bailarines exóticos al estilo Chippendales para sentirse mejor, Jean la hubiera llevado sin rechistar. Alda le traía a discusión esos intensos temas religiosos, por lo general en el *happy hour* diario que Jean organizaba puntualmente a la puesta del sol. Esto significaba que la hora predilecta cambió innumerables veces durante el año, dependiendo el momento del calendario y la ubicación donde se encontraran.

—Mira que eres puntual con tus *happy hours*, Jean –le decía Alda.

—Como tú con tus misas los domingos. Cada una se rasca donde le pica –le contestó Jean en español, con una frase que había copiado

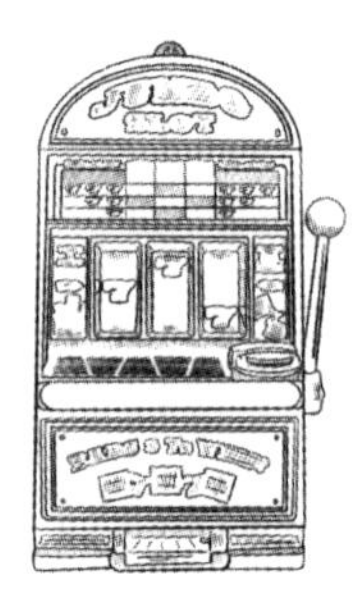

de la misma Alda.

—Tienes razón, y agradezco tu compañía todos los domingos. ¿Irías a misa, aunque yo no te hubiera acompañado en este viaje? –le preguntó con curiosidad.

—Probablemente iría mejor a un casino –le respondió Jean, echándose a reír con su inimitable voz ronca y simultáneamente dulce.

Jean adoraba los casinos y solo a petición de Alda no había comenzado el viaje por Las Vegas. En 1978, los casinos eran ilegales en California, pero los había en casi todas las ciudades; Jean tenía un talento sin paralelo para olfatearlos y ubicarlos. Durante ese año llegaron a un compromiso sin formalmente apalabrarse, que nació orgánicamente del amor entre ambas. Jean acompañaba a Alda todos los domingos a misa, sin queja alguna. Cuando Jean quería ir a un casino, Alda se quedaba cuidando a la niña y a los perros y tampoco se quejaba, mucho menos la juzgaba.

Cuando se reunieron con Beatriz en Ensenada, su cuñada llegó con Frida, su cría más pequeña, acompañada de la sorprendente noticia de que estaba embarazada con el segundo retoño de Marcos. Para el infinito deleite de Jean, Beatriz se hospedó en un hotel que tenía un casino ilegal aledaño. Alda se alojó en el hotel con Bea y Frida durante la estadía de su cuñada y Jean se acomodó en el local de juego por el futuro previsible.

—No puedo creer que le pusiste Frida a mi sobrina. Es como escoger un nombre a base de un trance turístico –le dijo Alda a Bea, mientras aspiraba profundamente el aroma de la cabecita de su nueva sobrina; ese olor embriagador y dulce que solo tienen los infantes y que Ainé iba perdiendo.

—Técnicamente, no es un trance turístico si vivo en México. Además, quería ponerle un nombre que celebrara mi primer parto aquí –le dijo Bea observando a Ainé, quien había colocado su pequeña oreja en su ombligo con la aparente esperanza de escuchar a su próxima prima por ese peculiar auricular.

—¡Misión cumplida! ¿Entonces vamos para el quinto bebé? ¿Cómo te sientes? ¿Y Marcos? –le preguntó Alda. Extrañaba muchísimo a Beatriz, y aquellas tardes que pasaron juntas en su balcón en la Calle León o en uno de los cafés alrededor de la Plaza Las Delicias.

—Me siento de maravilla. A estas alturas disparo bebés igual que tú rezas rosarios. Como un reflejo y sin pensar. Con Frida casi ni llego al hospital. Imagínate que mala onda haber parido en un taxi en medio del pinche tráfico infernal de Ciudad de México. Marcos está un poco aturdido. No creo que se esperaba este otro embarazo tan seguido. Tampoco parecía estar al tanto de que los recién nacidos a veces lloran sin motivo aparente. Él requiere razones específicas –le contestó Beatriz, mientras Alda se recuperaba de escuchar a su cuñada decir «mala onda» y «pinche».

—Qué delicia verte, Bea. No nos hemos visitado tanto como hubiera pensado en estos años que llevo acá.

—Pero qué dices, si nos hemos visto todas las Navidades, veranos y en las vacaciones de Semana Santa.

—Me refiero a tú visitarme a Sacramento –le dijo Alda, aún embelesada con Frida, quien tenía las pestañas más largas, negras y espectaculares que había visto en una niña.

—¡Ah! Bueno, he ido a verte un par de veces, pero esa ciudad no tiene gracia ni sabor. O si la tiene, sabe a *root beer* caliente. Prefiero que vengas a casa, que allá lo pasamos genial, y están los chicos y Marcos. Además, tú tampoco quieres estar en Sacramento, evidentemente, ya que aquí estamos, en el medio de la nada, en la frontera, a cientos de millas de tu casa teniendo esta conversación –le dijo Bea entrado en la materia que le interesaba.

— ¿Vas a regresar? –le preguntó después de una pausa y en vista de que Alda no decía nada.

—Por supuesto que tengo que regresar. No puedo vivir para siempre como una gitana en un camper. Además, Ainé entra el próximo año a preescolar –le contestó Alda.

—De acuerdo. Pero, ¿a dónde vas a regresar? No te estarás planteando seriamente regresar a vivir a Sacramento. ¿Para qué? Tu marido ni siquiera trabaja allí. Casi no ves a Álvaro, y cuando lo ves no sabes para qué lo quieres ver. Ainé no lo va a reconocer uno de estos días –dijo Beatriz sin muchos rodeos. México y Marcos habían hecho maravillas para borrar su timidez de antaño–. Sabes que siempre eres bienvenida en casa –le dijo suavemente.

—Gracias Bea, pero tienes razón. Tengo que decidir qué hacer a base de lo que es mejor para Ainé.

—Fíjate, en mi vasta experiencia, no solo pariendo, sino criando niños, me he percatado que los chicos tienden a ser felices cuando sus madres y sus padres también lo son. Una cosa va de la mano con la otra, y como sabes, tengo más de un matrimonio para comparar. No puedes manufacturar una felicidad tipo burbuja para Ainé si en la realidad no existe –le dijo Beatriz, dejando a Alda finalmente sin palabras, una tarea nada fácil.

—Caramba, que mucha sabiduría has acumulado desde que te alejaste de los Palacios –le dijo Alda, sonriendo a medias.

—Así es. Y la ecuación también funciona a la inversa. Mientras más tiempo estás con ellos, más rápido se te calcina el cerebro y se te marchita el alma. Alda, eres mi heroína y mi mejor amiga. Soy sensible a tu fe religiosa, pero se me hace muy difícil pensar que pueda existir un dios de amor, como te refieres a él, que disfrute verte vivir en este infierno que no mereces. Tú me ayudaste a salir de los carceleros de poca monta que son los Palacios. Ahora es mi turno de hacer lo mismo por ti. Por favor, Alda, no condenes a Ainé a vivir siendo testigo de una pareja en desamor –dijo Bea. Al traer a Ainé al asunto, vio –por fin– como los ojos de Alda se avivaron con alarma.

—¿No habías pensado en eso? –continuó Bea–. Cuando todavía Herminio vivía, recuerdo que me obsesionaba la idea de lo que mis tres hijos aprenderían y en qué tipo de hombres se convertirían con Don Erasto, Álvaro y Herminio como modelos a seguir. Y que conste, Herminio no era el peor de esa familia. Perdona, pero es la verdad.

—No te disculpes. No voy a defender a Álvaro. Es indefendible –contestó Alda.

—¿Entonces? ¿Qué vas a hacer cuando te canses de dar tumbos en esa casa rodante con Jean?

—No lo sé... Cómo me gustaría fumar ahora mismo, o tomarme

una pastilla que me hiciera olvidar todo –le dijo Alda mirando a Ainé quien, aburrida al no conseguir comunicarse con el bebé en la panza, se había trasladado a jugar en la arena con los perros salchichas.

—No me parece el momento idóneo para iniciarte en el hábito de la nicotina o las drogas. Mejor una buena *sangríta*. Traje todos los ingredientes necesarios y un buen tequila reposado que te va a aclarar todo lo que yo no haya podido. No puedo beber por la nueva panza, pero brindo con el zumo de tomate –dijo Bea, sacando de la neverita de playa tequila, zumo de tomate, limones, sal y tres copitas. Llenó dos con jugo de tomate y uno con tequila.

—Háblame en mexicano, Bea.

—Órale carnalita, no te vas a morir por ese pinche güey de tu marido. Lo que viene estará muy chido, vas a ver –le dijo Beatriz, chocando sonoramente su copita con la de su cuñada. Alda explotó de la risa, y Ainé levantó la vista y se echó a reír, imitando a su madre.

—Espero que chido sea algo bueno.

—Lo es. No te quejes, que la mitad del tiempo no entiendo lo que dicen mis hijos. Nadie diría que nacieron en Ponce. La próxima vez que vayamos allá los Palacios van a infartar.

—Los Palacios viven en un estado de síncope permanente por cualquier cosa, ya sea real o imaginaria. Hablando de histerismos, ¿te imaginas la reacción de mi madre si supiera que llevo nueve meses viviendo en una casa rodante con la niña, tres perros, una amiga que conoce a todos los porteros de discoteca de los casinos ilegales en California y que no he ido a un salón de belleza en varios meses? –dijo Alda, relajándose con el tequila.

—Madre de Dios. Eso último es lo peor. Te diría que de seguro te deshereda, pero no creo que tu herencia vaya mucho más allá que la colección de espanto de muñecas sevillanas que tiene Cora en su sala –dijo Bea, riéndose con la imagen que le vino a la mente mientras recordaba el hogar de los Carmona.

—Créeme, mi madre tiene muchas maneras creativas de castigar. Lo que pasa es que no me siento como una gitana solo por estar viajando con Jean, es más que eso. No tengo un hogar propio porque la casa de Ponce se vendió, para los efectos prácticos no tengo marido, no estoy trabajando, y sé que cuando Ainé comience la escuela, voy a tener que hacer algo con mi vida. Me siento como en el umbral de un pre-síndrome del nido vacío –intentó explicar Alda, mientras hacía ademán con la mano pidiendo otro tequila.

—No puedes tener nada relacionado a un nido vacío con una hija que apenas llega a los cuatro años, Alda.

—Así me siento –pausó por un momento, respirando hondo–. Creo que me regreso a Ponce.

Beatriz la miró atónita; había llegado a Ensenada segura de que su cuñada regresaría con ella a México en lo que dilucidaba su matrimonio, hasta había hablado con Marcos de la ilusión que le hacía. No dijo nada de inmediato. La soledad de Alda era una herida tan abierta que le provocaba cuidarla como a una enferma.

—Accediste mudarte a Sacramento para alejarte de los Palacios. Si no tienes hogar acá, ¿crees que lo tienes allá? –preguntó Beatriz.

—No tengo hogar en ninguna parte, y quiero uno. Lo deseo desesperadamente. Es patético. A lo único que aspiro es a lo que me enseñaron a aspirar y ni eso se me da. Gracias a Dios que tengo a Ainé.

—Marcos dice que los sentimientos de valor solo pueden darse en el contexto de una familia cariñosa.

—Eso no lo dijo Marcos. Lo dijo la autora Virginia Satir –le corrigió Alda.

—Quien también es psicoterapeuta de pareja, dicho sea de paso.

—Tú sabes que Álvaro jamás accedería a buscar ayuda para nuestros problemas. No hago sino rezar y rogar por hallar una solución, pero no lo logro –le dijo Alda.

—No estoy sugiriendo que vayas a terapia con Álvaro. Te estoy sugiriendo que no interrumpas este camino de libertad que comenzaste. Tú misma me enseñaste eso, ¿recuerdas? En contra de todo, te atreviste a dar el paso radical de hacer lo que necesitas sin pedirle permiso a nadie. Estos meses deben haber cambiado algo en ti. Como mínimo, darte cuenta de que no necesitas a Álvaro. Sé que no tienes madera de nómada y quizás ahora no tienes una casa propia, pero familia tienes. Tu hogar es tu hija, soy yo, mi familia, Evina, Aila. No estás sola, Alda –le dijo Bea.

Alda la abrazó con la fuerza que añade el tequila a los temas deprimentes.

—Lo sé, Bea, pero la soledad de la que hablo no la pueden llenar Ainé ni ustedes. Es mía y vino de la mano con el hombre con quien escogí casarme. Si Ainé no estuviera próxima a comenzar la escuela, posiblemente me iría contigo. Estoy tratando de ver mi regreso a Ponce como anclar en un puerto seguro, aunque temporero, en lo que resuelvo el resto de mi vida. Dios no me abandonará.

—Dejemos a Dios a un lado por un momento, que no lo veo muy ocupado en tu caso. ¿Puerto seguro? ¿Con los Palacios y Cora cerca? –le recordó Beatriz.

Por respuesta, Alda sonrió, se puso de pie sacudiéndose la arena, tomó a Ainé de la mano y la besó con infinita ternura. «Quién sabe.

Los milagros ocurren, aunque no creas en ellos. No estaré allá peor que acá. Por el momento, vamos a recoger a los perros. Por favor, llévame al restaurante del hotel. Se me está subiendo el tequila, y todavía no ha empezado el *happy hour* de Jean. La noche es larga». Y con eso las dos mujeres, Ainé y la pequeña Frida, que apenas comenzaba a caminar, echaron a andar por el sendero de arena admirando el arrebol sobre la costa del Pacífico que les ofrecía el cielo y que verían esa tarde en Ensenada por primera y última vez.

CAPÍTULO 9

Región Independiente Autónoma de Ponce (RIAP)

A principios de 1975, Alda y Ainé regresaron a Ponce procedentes de Sacramento; cuando Alda pisó el suelo de su ciudad de crianza, sintió que entró a un mundo ajeno. Llegaba derrotada y arropada con una telaraña de medias verdades para justificar el súbito retorno sin su marido. Para la ocasión, Ainé –quien ya había desarrollado opiniones bastante definidas sobre la moda y lo que entendía apropiado– insistió en ponerse unas botas blancas de charol y un sombrero blanco con margaritas, aún cuando Alda intentó, en un esfuerzo fútil, explicarle que aquel atuendo no era apropiado para el calor de Ponce.

Evina, Aila y varios sobrinos las esperaban en el Aeropuerto, aplaudiendo y gritando como si se tratara de la llegada de reinas de belleza. Cora también estaba presente, aunque con su usual ademán estoico. Alda respiró profundo, cargó a Ainé en una de sus caderas y echó a andar hacia su familia, que se le antojaba como un paredón festivo en aquella mañana soleada, donde ni los flamboyanes se dignaron a saludarla.

* * * * *

Sacramento, California

Boogie Oogie salió joven y poderoso de Sacramento solo para regresar diez meses más tarde sucio, cansado y maltratado por tres perros, una niña extremadamente curiosa, una jugadora semiprofesional de casinos ilegales y una casi beata que, sin embargo, requería de alto mantenimiento. En su corta existencia ya había recorrido cientos de millas, dos estados y vivido en dos países. *Boogie Oogie* estaba listo para unas merecidas vacaciones—antes de la próxima aventura que de seguro se le ocurriría a Jean. En diciembre de 1974, Alda regresó de su vida itinerante a Sacramento a una casa igual de vacía a como la había dejado antes de su largo viaje. Aparte del polvo acumulado y la grama recrecida, nada había cambiado en la casa que compartió intermitentemente con Álvaro.

Una somera inspección del armario de su habitación comprobó que Álvaro había removido casi toda su ropa, cosa que intuía por el tono amenazante de su marido en las periódicas conversaciones telefónicas que tuvieron durante aquel viaje. En el comedor informal de la cocina, encontró una pila de pedazos de sobres de facturas abiertos furiosamente. Las facturas no estaban. La nevera apenas contenía agua y una bolsa de manzanas petrificadas. El patio parecía una jungla que se tragaba la casita de muñecas de Ainé, la cual los gorriones típicos de la región habían reposeído como zona de anidación. El frente de la casa estaba alfombrado de periódicos viejos. Había agua potable, pero no electricidad. Alda no se molestó en desempacar las maletas que había cargado por diez meses. Comenzó dándose un baño de agua fría junto a Ainé, a quien el asunto no le hizo gracia y lloró en protesta. Se vistieron con la ropa menos polvorienta que encontró Alda en los armarios, preparó una maleta nueva con ropa limpia, y llamó a Jean para decirle que iba de camino a su casa por unos días, dadas las condiciones de la suya. Al día siguiente llegó a la oficina parroquial de St. Rose con Ainé de la mano, donde el Padre Gregorio las recibió con un largo abrazo que las envolvió a ambas.

—¡Qué alegría verte, Alda! No sabes lo que te he echado en falta. Pero, ¡qué hermosa y alta está tu cría! Las clases de catecismo no son lo mismo y ni contarte del semanario, que se ha ido a la mierda sin ti. Solo de verte me da nostalgia, y ganas de irme a un sitio donde se hable castellano –le dijo Gregorio, bajando los niveles de euforia al ver el semblante desencajado de Alda.

Sin esperar respuesta, llamó a *Sister* Joanne, quien hacía las veces de secretaria en la parroquia sin mucho éxito o entusiasmo, y le pidió que llevara a Ainé al patio a jugar. En cuanto Ainé salió de la oficina de la mano de la monja, Alda explotó en un llanto tan sonoro que, inclusive, la asustó a ella misma. El cúmulo de casi un año de elucubraciones circulares salió en un brote de profundo dolor que la dominó. Gregorio la llevó a una silla, se sentó a su lado en silencio y la dejó llorar, tomándola de la mano. Eventualmente, Alda se fue calmando hasta que quedó como una muñeca desinflada frente al sacerdote.

—Esa larga vacación parece que fue intensa, amiga querida –le dijo Gregorio suavemente. Por alguna razón, el que el sacerdote la llamara *amiga* y no *hija* la hizo llorar otra vez.

—Ya está, ya está, Alda. Aquí tienes servilletas, es lo único que tengo a la mano. Respira.

—Creo que debo confesarme –le dijo Alda finalmente.

—Puedes confesarte, o sencillamente hablarme.

Y Alda comenzó a hablar, hilvanando un pesado rosario de dolores y vacíos que no encontraba cómo soltar ni cómo reconciliar con su fe religiosa. Solo aspiraba a su libertad y la de su hija, y no encontraba la llave de la cárcel que se auto imponía tras el escudo de su religión. Le contó que durante casi un año la comunicación con Álvaro se había limitado a temas transaccionales sobre la manutención de Ainé y la suya, y llamadas más salpicadas de silencios que de palabras. Le contó sobre las condiciones en las que encontró la casa, y que estaba durmiendo en casa de Jean. El Padre Gregorio bajó la vista, sintiendo el peso insondable que le suponía guiar espiritualmente a Alda, cuando sabía que la fe de aquella mujer en la Iglesia católica superaba por mucho la suya propia.

—Siento abrumarte con todo esto. Sé que eres amigo de Álvaro –le dijo Alda, ya calmada y con el rímel seco regado por sus párpados.

—Que no mujer, que no soy amigo de Álvaro. Soy tu amigo. Con Álvaro me gusta comer, beber y hablar de arquitectura o de cualquier bobada que no sea religión. Mira, que hasta un sacerdote necesita un respiro de vez en cuando. Como amigo tuyo, te digo que ya sabes lo que tienes que hacer y solo necesitas a alguien con quién soltarlo, así que venga –dijo Gregorio, mientras le servía un café ralo a Alda.

—Me voy a regresar a la casa de mi madre en lo que decido qué hacer a largo plazo. La separación no supone pecado.

—Alda, vamos a dejar los pecados a un lado, ¿vale? Y sí, soy consciente de la ironía de lo que te estoy pidiendo en una casa parroquial, pero, en fin. Aquí solo hay una pregunta válida sobre la mesa.

—Ainé.

—Exactamente. Haz lo que sea necesario para darle una vida feliz. Esa es tu responsabilidad principal y eso, francamente, es imposible aquí. Si te preocupa el pecado, te recuerdo que Álvaro abandonó a su familia hace mucho tiempo, sin problemas de conciencia. Su trabajo no justifica a lo que se ha reducido tu vida, Alda.

—*A lo que se ha reducido mi vida*. Esas palabras las había estado buscando en este viaje, y por alguna ironía divina tuve que regresar aquí para encontrarlas. El cierre del círculo –dijo Alda tras un largo silencio.

Gregorio se puso de pie y abrazó a Alda. Cuando la mujer salió del recinto se quedó mirando la puerta por largo rato. Sabía que nunca volvería a verla.

* * * * *

Región Independiente Autónoma de Ponce (RIAP)

Con una cantidad sustancial de cautela, Alda había decidido regresar temporalmente a casa de Cora por una combinación de razones prácticas. La inmediata era su precaria situación económica y la segunda, el hecho de que Álvaro no había accedido a pagar la renta o la compra de una casa en Ponce, ya que según él, «hay espacio de sobra en casa de Papi o en casa de Irma y Mami». Alda hubiera preferido dormir bajo un puente. Si bien Álvaro nunca había fallado en enviarle lo necesario para la manutención y gastos incidentales de su familia, la tacañería que lo caracterizaba se había agudizado con los años; cada dólar era cuestionado y contabilizado, dejándole a ella poco espacio para maniobrar. Alda había llegado inicialmente a California con ahorros acumulados mientras trabajaba en la universidad, pero esa cantidad había mermado considerablemente desde su mudanza a Sacramento, y lo que restaba lo intentaba guardar para alguna necesidad o emergencia de Ainé. Álvaro le pagó los pasajes aéreos a ella y a su hija, le entregó 500 dólares en efectivo y las condujo en silencio los 16 kilómetros hasta el Aeropuerto de Sacramento, al norte de la ciudad. El día anterior, Alda caminó con Ainé por última vez hasta la casa de Jean para despedirse.

—Jura que me vas a visitar, Jean. Eres a quien único voy a extrañar de esta ciudad. Un happy hour jamás será lo mismo sin ti.

—Te voy a jurar más que eso. Voy a considerar seriamente retirarme por completo a Ponce –le dijo Jean, sonriendo entusiasmada–. Las considero parte de mi familia, me harán una falta enorme.

—¿Retirarte por completo? Para mí que ya estás bastante retirada antes de tiempo, pero igual me parece una idea fabulosa. Te espero allá, amiga querida –le dijo Alda abrazándola.

La amistad de ambas mujeres duraría hasta el lecho de muerte de Alda, muchos años después.

* * * * *

Así fue como Alda retornó al eterno verano de Ponce, con una niña de cuatro años, sin trabajo, sin matrimonio y temiendo por lo que sería su vida cotidiana junto a Cora. Alda no compartió con su madre ningún aspecto de ese desolador panorama personal, aunque sí le dio una versión más cercana a la realidad a sus hermanas, Evina y Aila. Cora tuvo que conformarse con la escueta explicación de que Álvaro se había mudado a San Diego por razones de trabajo y no hacía sentido que Alda y Ainé vivieran solas en Sacramento o siguieran brincando de ciudad en ciudad detrás de Álvaro. Cora, a quien rara vez se le escapaba una, sospechó que algo más ocurría, pero decidió que tenía tiempo de sobra para averiguarlo. La mudanza también hacía sentido práctico porque la casona de siete habitaciones había quedado prácticamente vacía transcurrido los años, y solo la habitaba Cora y la pobre Aila, quien en ese momento era víctima de la campaña iniciada por su madre para que entrara al noviciado; empeño que terminaría, eventualmente, con hábitos colgados y mucho drama salpicado de ironía. Su padre, Don Julián, solo bajaba a Ponce de la finca cuando era estrictamente necesario.

Con el tiempo, Don Julián había construido una sencilla casa con grandes ventanales por donde entraban a saludar las ramas de los árboles de tamarindo como brazos sensuales cargados de frutos en vainas de pieles escamosas, aterciopeladas y quebradizas. La casa de Don Julián estaba demarcada por las cuatro esquinas de amplios balcones con simples mecedoras de pajilla mirando hacia el río que se desdoblaba frente al Charco de Doña Juana entre la colindancia de Ciales, Orocovis y Villalba, dentro de la RIAP. Ese era su templo privado; la vida de Julián era una conversación continua con la tierra, la cual trabajaba con la misma devoción con la que Cora rezaba los domingos en misa. La tierra era su religión y su vocación.

La casa de la Calle Salud, casi esquina con la Calle Guadalupe, era un laberinto de habitaciones vacías que alguna vez contuvieron a una familia de nueve. Para su sorpresa, cuando subió las escaleras que más de una década atrás subió Álvaro para pedir su mano en matrimonio, Alda sintió un alivio inesperado. El ruido incesante en su cabeza de las mismas ideas mustias se silenció con las voces alegres de Evina, Aila, y de todos sus sobrinos hablando simultáneamente, mientras se pasaban a Ainé de brazo en brazo, besándola y admirándola. Ainé –desde temprano receptiva a los halagos– abrazó a sus tías como si las recordara de siempre.

—Es hermosa. Lo dije desde que la vi por primera vez, ¿recuerdan? –dijo Cora, atribuyéndose el mérito.

—Lo que recuerdo es que te santiguaste y diste gracias a Dios porque no se parece a los Palacios–dijo Evina riendo.

—No recuerdo tal cosa, Evina. Qué ocurrencia. Pero es evidente que la niña es una copia de nosotras. Eso es una ganancia en cualquier escenario, particularmente si la opción son los Palacios –dijo Cora, dejando el asunto editado a su conveniencia.

La casa de los Carmona tenía dos plantas. La principal y superior contenía la sala con la lastimosa colección de muñecas españolas y toros de corrida que seguía imperturbable como centro de interés decorativo. En la misma planta se encontraba el baño principal, tres habitaciones, incluyendo las de Cora y Aila, y al final, la enorme cocina y comedor, ubicados mirando hacia el amplio patio con su pequeño y desatendido sembradío de algodón y árboles de guayaba. Ese minúsculo bosque híbrido le brindó a Ainé innumerables horas de felicidad recolectando algodón y jugando en el huerto casero de su abuela. La planta inferior contenía un enorme sótano de cachivaches que databan de principios de siglo, al que Ainé también le dedicaría largas horas de exploración, encontrando tesoros increíbles: una foto de sus abuelos recién llegados a Ponce, y otra con su abuela vestida de domingo junto al abuelo Julián, frente a la casa recién adquirida. En ninguna de las fotos se percibía el más mínimo atisbo de sonrisa de parte de Cora o de Julián.

En la planta inferior también estaban las habitaciones que en algún momento ocuparon sus tíos, y que Ainé encontraba más fascinantes que cualquier juguete. La vibración paralela donde discurre el mundo de lo masculino era una fuente inagotable de curiosidad para Ainé, cuyo referente de interacción con hombres se limitaba a sus encuentros esporádicos con Álvaro y sus visitas a la casa de Marcos y Beatriz. Ese grupo de habitaciones estaba dominado por muebles de estilo Alfonsino; rectilíneos, varoniles y rígidos. La niña pasaría largas horas de su niñez aventurando por esos espacios vacíos, donde quedaba un remanente y sutil aroma a tabaco, madera y masculinidad.

* * * * *

Alda se instaló en la misma habitación que había compartido con Evina en la niñez. Era un espacio de tamaño moderado en la planta superior con un gran ventanal de celosías que abría al sembradío de algodón y que la saludaba con sus flores simulando racimos de malvaviscos. Tenía dos camas de pilares, un ropero antiguo estilo Isabelino que dominaba el espacio, un escritorio donde acomodó sus diarios, y una silla estilo María Antonieta, trabajada en pajilla. Con pocos detalles la habitación tenía el potencial de convertirse en un espacio hermoso, y Alda se dedicó los primeros días a convertirlo en un nido acogedor para Ainé. Abrió el almacén donde Álvaro había depositado todos sus tesoros –previo a la mudanza a Sacramento– y rescató libros, piezas de decoración, algunos muebles, y varias prendas de ropa que estaban en buenas condiciones. Se ocupó de siempre tener flores frescas en el cuarto, y cambió las cortinas y las colchas de chenille afelpadas y polvorientas de Cora por unos elegantes edredones blancos de algodón que encontró en su almacén. Cambió todo lo que pudo a colores claros para darle luz a la oscuridad que aportaban los muebles.

En esa gestión de desempacar y redecorar contó con la inesperada ayuda de Cora, quien se ofreció a coserle un nuevo dobladillo a las cortinas y unos cojines de colores pasteles para la cama de Ainé. La primera mañana que Alda abrió los ojos en la renovada habitación de su niñez, descubrió a Ainé acurrucada a su lado y no en su propia cama, y la besó mientras la niña dormía. Se percató de que, por primera vez en mucho tiempo, no se despertó con el corazón en la garganta y angustiada por lo que traería el día. Como segundo orden de asuntos por atender, Alda anunció que se haría cargo de la cocina a modo de repagar la generosidad de Cora. La oferta de Alda tenía muy poco que ver con el agradecimiento y más con un reflejo de autodefensa de su estómago contra los horrores que confeccionaba Cora en su estufa de gas. Más importante aún, el delicado sistema digestivo de Ainé aún no se había expuesto a la ubicuidad de los chorizos grasientos de Cora en todo lo que cocinaba, y temía por los efectos adversos de esa dieta apta para arterias bloqueadas y kilos de más. Las próximas gestiones de Alda fueron matricular a Ainé en el Liceo de Niñas y poner al día su resumé. Desde California ya se había carteado con la universidad, y sabía que no había posiciones de docencia abiertas. El momento requería salir de su zona de confort, el salón de clases, y pensar más allá de la vida académica.

CAPÍTULO 10

Región Independiente Autónoma de Ponce (RIAP)

Fue Marcos Gerena quien mediante una carta, le sugirió a Alda se pusiera en contacto con el Ateneo de Ponce, una entidad cuya misión era promover y preservar las tradiciones ponceñas.

—Eso, a mi juicio, no necesita de promoción alguna porque ya está tatuado en el DNA de cada persona de esta ciudad –le escribió de vuelta Alda.

El Ateneo no tenía oficinas propias y operaba desde un espacio cedido justamente por la Universidad Nacional Autónoma de Ponce, donde Alda había desarrollado su carrera. A pesar de su sarcasmo inicial, Alda olfateó una oportunidad como quién aspira el aroma de petricor de una lluvia que aún no ha caído. Dos tardes de investigación en la Biblioteca Pública de Ponce le bastaron para darse cuenta de que, aún en una ciudad que cargaba su orgullo a flor de piel, las actividades con las que el Ateneo intentaba promover las tradiciones ponceñas eran limitadas en imaginación y formato, y por tanto atraía a un grupo reducido, repetitivo y cerrado. El Ateneo en ese momento era poco más que un club semiprivado al que le hacía falta una dosis del siglo XX. Alda desempacó su talento de persuasión con la misma delicadeza que un músico acaricia y desempolva un instrumento que no toca hace mucho tiempo. Procedió a comprar la papelería más fina que encontró y no perdió tiempo en mecanografiar una elegante carta en la que se presentaba, obviando el detalle de que, técnicamente, no había nacido en Ponce.

Alda sabía que, para los efectos de todo el mundo, los Carmona eran tan ponceños como cualquier otra familia de inmigrantes españoles, alemanes o europeos en general. Los Ponceños, con un catálogo de apellidos que abarca desde los Wiechers hasta los Riefkohl, tenían una forma muy particular de designar quiénes eran sus hijos e hijas. En su escrito, dirigido al presidente del Ateneo, el Sr. Diego Girón, Alda narró hermosamente su extensa experiencia como profesora en la Universidad, los proyectos literarios que desarrolló estando allí y hasta la oferta de fungir como Decana, que declinó en favor de «viajar y enriquecerme con experiencias de contraste». Sin pausa, procedió a delinear cómo el Ateneo podía, con algunos cambios de enfoque, atraer mayor participación y acogida en sus actividades para avanzar su misión. Terminó listando como contacto el número de teléfono de la casa de Cora. Realmente, Alda no escribió una carta de solicitud de empleo: escribió una carta de amor hacia Ponce y su cultura.

Con las oraciones exquisitamente hiladas que salían de sus dedos como caricias, Alda se reencontró con su talento y lo saludó con alegría. Le puso una estampilla al sobre y sacó a Ainé a pasear hasta el buzón para luego buscar un helado en *Los Chinos* de Ponce, la heladería más famosa de la capital. Cuando regresó a la casa de Cora, colocó una silla cerca del teléfono. Un par de días más tarde comenzó a pasar largos periodos de tiempo durante horas laborables sentada allí leyendo, hasta que sonó el timbre, como nunca dudó que sonaría.

* * * * *

El día que fue citada para conocer y entrevistarse con Diego Girón, Alda se preparó como una novia para su boda. El talento que se le escapaba a Cora en la cocina lo tenía de sobra con la aguja, y era capaz de coser excelentemente sin patrón. Bastaba mostrarle una foto de un vestido en una revista y a los pocos días la pieza aparecía como transmutada de las páginas. Alda no había solicitado los talentos de costurera de su madre durante su vida adulta, pero sus hermanas sí, y había admirado lo puntilloso del trabajo en más de una ocasión. Su envidiable guardarropa de antaño de piezas de diseñadores se había reducido considerablemente entre sus mudanzas y su limitada liquidez económica. Había que echar mano de la creatividad. Como acercándose a un puercoespín, Alda abordó a Cora después del almuerzo post misa del próximo domingo cuando, por lo general, su madre estaba lo más cercano a lo que se podía interpretar como buen humor. Alda le refrescó el vaso de *scotch* y mostró interés cuando Cora comenzó a pasar revista de los chismes de la semana, entre los cuales figuraba Alda prominentemente.

—Me dijo Doña Estela que Irma está barriendo el piso contigo por tu regreso sin Álvaro y porque no la has ido a visitar para llevarle a la niña. Imagino que Don Erasto pensará igual, y Doña Ignacia... ve tú a saber si a estas alturas Ignacia piensa algo sobre cualquier cosa, el caso es que tienes que resolver ese asunto. No me gusta andar de lengua en lengua –dijo Cora, sin el más mínimo sentido de pudor que correspondía a alguien que disfrutaba tanto de tener a otros en su propia lengua.

Alda, quien no tenía una visita a los Palacios entre sus más altas o bajas prioridades, aprovechó el momento.

—Lo sé, y he estado pensando cuándo ir, pero ya sabe lo difícil que es esa familia. Prefiero enfrentarlos cuando tenga trabajo y me sienta más ubicada. Además, tengo que preparar a Ainé, que no los recuerda para nada, por supuesto. No la han visto desde que los visité con la niña luego del bautismo, –dijo Alda, serenamente sirviéndose una copa de vino tinto para acompañar a Cora con su *scotch*–. A propósito del trabajo, el próximo viernes tengo una entrevista con el Ateneo de Ponce, pero no tengo nada apropiado para vestir. La hija de Doña Estela, ¿aún tiene aquella boutique por La Atocha?

La boutique de la hija de Estela, la némesis de Cora, era famosa por su cuidadosa selección de los trajes más espantosos de Ponce y encima, la oferta era muy reducida porque la dueña insistía en ofrecer casi toda la mercancía de un monocromático rojo ponceño. El comentario tuvo el efecto esperado por Alda.

—No pensarás ir vestida con uno de los esperpentos de Rita. No se trata del carnaval del pueblo. A ver, ¿qué tienes en mente? –preguntó Cora.

Alda no perdió tiempo en mostrarle una página arrancada de la revista Vanidades con un vestido estampado de fondo negro y detalles blancos con una falda fluida encima de la rodilla y una chaqueta negra entallada de Yves Saint Laurent. El diseño era impecable y elegante. Cora lo miró evaluando la selección sartorial de Alda como una piedra preciosa bajo una lupa.

—Esto es más sencillo de lo que parece si conseguimos las telas adecuadas. Fíjate en el detalle de los botones en la chaqueta, esos sé donde conseguirlos, y el ligerísimo vuelo de la falda es elegante. Me gusta. ¿Aún tienes tus perlas, imagino? Mañana vamos por las telas, despreocúpate –le dijo Cora, moviendo el vaso de *scotch* y liberando ese sonido cuasi musical del hielo sobre el cristal que Alda asociaba con su madre.

El día antes de la entrevista Alda se midió el vestido y la chaqueta que Cora había producido de solo ver la foto. Era una copia fiel al diseño original y Alda sonrió mientras Cora, con la boca llena de alfileres, le hacía los ajustes finales. Una vez resuelto el atuendo, Alda se miró en el espejo con ojos expertos. Su año viajando por la costa de California había dejado sus huellas. Ya con 34 años cumplidos, su delicada piel estrenaba algunas pecas en el rostro, el pecho y los hombros, producto del asalto diario del sol californiano, y tenía finas líneas alrededor de los ojos. Su cabello marrón oscuro había tomado tonos rojizos por la exposición frecuente al sol y al agua de mar.

Tenía ojeras nuevas, que, sin embargo, habían mejorado desde su llegada a Ponce porque había logrado comenzar a conciliar el sueño. Estaba más delgada, y no necesariamente en los puntos de interés anatómicos que ella hubiera preferido. Además, necesitaba una manicura urgentemente. Una vez hecho el análisis de situación, se puso a reparar los daños. Desempolvó su maleta de maquillaje, y comenzó a trabajar sobre su rostro con manos desapasionadas y, a la vez, expertas. Cuando terminó, se miró al espejo con el traje que le había cosido Cora y sus clásicos tacones de charol negro. A sus ojos, solo pasaba la prueba. En la realidad objetiva, Alda nunca se vio más exquisita que aquella tarde cuando echó a caminar el trecho entre la Calle Salud y la Plaza Las Delicias, con las miradas de todos los transeúntes, hombres, mujeres y niños, observándola con la admiración reverente reservada para la realeza.

* * * * *

En retrospectiva, la reunión citada en el Hotel Meliá debió ser una señal de fácil lectura para Alda. Puesto que el Ateneo no tenía sede oficial, Diego Girón la había citado allí a las once de la mañana. Cuando

Diego vio a Alda por primera vez, tuvo una epifanía existencial que le permitió ver en ella el cúmulo de lo que vivía detrás de su belleza. La vio entera, enorme, diminuta, plena, asustada, valiente, vencida, sola, esperanzada… Toda su humanidad, la vio Diego en un instante. Y por primera vez en su vida, Alda se sintió vista.

CAPÍTULO 11

Región Independiente Autónoma de Ponce (RIAP)

Diego Girón daba la impresión a todo el que lo conocía de no ser totalmente de este mundo. Veía su entorno por un caleidoscopio que solo él podía acceder y que le hacía apreciar todo desde un lente humanístico y con profunda curiosidad. Era un hombre atractivo, precisamente porque no parecía estar al tanto de su belleza física y, por tanto, la portaba con mucho desenfado, como quien tira una chaqueta de fina gabardina italiana en una esquina del piso. Alda no era una mujer a quien la belleza masculina impresionara en demasía. Había crecido rodeada de ella. Sus propios hermanos, Julián Jr., Arturo, Mael y Bienvenido, estaban entre los hombres más hermosos de la ciudad, sin entrar a contabilizar a Marcos y José Enrique Gerena. El mismo Álvaro podía lucir muy elegante cuando no estaba frunciendo el ceño. Pero el imán de Diego era mucho más complejo; tenía capa tras capa de elementos únicos alineados para crear una mente hermosa y genuina.

Diego era el único hijo de uno de los vástagos adoptivos más queridos de Ponce: «el Madrileño», como todos conocían a Don Manuel Antonio Girón Ortega. Gracias a que Don Manuel Antonio era –casi– universalmente querido en Ponce, y además un comerciante importante, a Diego le dejaron pasar por alto inclinaciones políticas consideradas de carácter cuestionable por la conservadora sociedad ponceña. Aún en una república donde se veneraba el sentimiento patrio, el joven era considerado un nacionalista radical que no se conformaba con la independencia: exigía reparaciones a los vejamenes que vivió su patria en antaño. Vivía en reverencia de la figura del prócer Don Pedro Albizu Campos, y era un estudioso diligente y metódico del pensamiento Hostosiano. Diego no era exactamente el candidato más ortodoxo para presidir el Ateneo de Ponce, pero por otro lado el joven tenía la cultura impecable y la ebullición que le hacía falta a la inerte institución, y su Junta de Directores lo sabía. Tenía, además, un excepcional trasfondo académico habiéndose graduado con honores en Humanidades y Economía de la Universidad de Salamanca, la tercera más antigua y venerable del mundo. Radical o no, el Ateneo sabía que tener a Diego Girón a la cabeza era un lujo, por lo que se reservaron sus tibias objeciones. Cuando la carta de Alda llegó a sus manos, se preparaba para presentar un plan de trabajo a la Junta con el fin de atraer nuevos públicos a las actividades del Ateneo. Con una mirada a las sugerencias de Alda se dio cuenta de que su plan se quedaba muy corto y no perdió tiempo en citarla.

Luego del saludo inicial, se sentaron a tomar un café; hablaron del Ateneo, y del buen momento en que recibió la carta de Alda. Hablaron como si retomaran una conversación que habían iniciado mucho antes en otra vida. En lo que pareció un minuto ya era el mediodía, y Diego la invitó al restaurante del hotel. El almuerzo duró dos horas y fue seguido de un paseo por la Plaza Las Delicias. Durante el café convertido en almuerzo convertido en paseo, Alda inquirió mucho de la vida de Diego, quien era cinco años menor que ella. Era un deleite escucharlo porque cualquier dato casual que salía de su boca vibraba de energía. Con la única referencia contrastante del flemático Álvaro, Diego le pareció a Alda un ave exótica de intensos colores.

* * * * *

Madrid

Región Independiente Autónoma de Ponce (RIAP)

El padre de Diego, Manuel Antonio, había emigrado primero a Santo Domingo y luego a Ponce, huyendo de la inminente guerra civil española y guiado por su espíritu aventurero. No buscaba fortuna porque su familia madrileña ya la tenía, pero el futuro progenitor de Diego solo se aquietaba con nuevos retos que lo mantuvieran interesado. Su familia quería sacarlo de la antesala de la era franquista, así que, con su optimismo invencible, cruzó el Atlántico. El Madrileño adoraba la gastronomía, los cigarros artesanales de calidad, el vino tinto Rioja y las mujeres hermosas, todo lo cual encontró en abundancia en Ponce.

Al año de su mudanza, Manuel Antonio adquirió un venerable edificio de arquitectura neoclásica de la calle Villa, casi frente a la Plaza Las Delicias. El exquisito edificio había sido construido en 1872 y albergado al Hotel Bélgica, una operación perdidosa en antaño. En el ala oeste del primer piso, Manuel Antonio fundó el elegante restaurante

El Prado, por muchos años considerado el mejor de Ponce y donde se podía divisar cualquier día de la semana al primer ministro, al alcalde, múltiples empresarios, artistas, periodistas, inversionistas y damas de la sociedad ponceña. El resto del espacio lo dividió entre salones privados para reuniones o fiestas, y las oficinas de las Empresas Girón, que en ese momento no tenían nada más que el edificio, el restaurante y un puñado de empleados.

En el segundo piso se construyeron doce lujosas habitaciones de hotel para las que trajo un decorador y un restaurador de muebles antiguos españoles con el fin de brindarle a las habitaciones un aura de opulencia decadente, pero sin dejar de ser elegantes. Manuel Antonio no se detuvo allí: tres años más tarde adquirió una hacienda cafetalera que coronaba la montaña más alta de Ponce y al plazo de los años erigió la Hacienda Girón, donde disfrutaba pasando los fines de semana. Por esas fechas, Manuel Antonio recibió la inesperada noticia de que una de las mujeres con las que compartía regularmente –aunque no exclusivamente–, Celeste Gelabert, había quedado embarazada. Luego del susto inicial, que aplacó con una maratónica sesión de vino y brandy en su propio restaurante, el Madrileño hizo lo honorable y se preparó vacilante para el matrimonio y la domesticación, ninguna de las cuales se le daba fácil. Cuando Diego llegó al mundo gritando vigorosamente contra todas las injusticias que ya estaba listo para combatir desde su nacimiento, Manuel Antonio conoció por primera vez el amor incondicional. Aquel niño precoz, brillante, testarudo y cariñoso le robó el aliento en cuanto lo vio por primera vez. Ese día llegó eufórico al restaurante y gritó a voces, cual personaje bíblico: «¡Servid vino a todo el mundo! ¡Mi hijo ha llegado!». Fue un alegre incidente que Diego conocía bien, porque desde niño, todos los allegados de su padre se lo narraban una y otra vez.

Atípicamente para un hombre español –o ponceño– de la época, en cuanto Diego aprendió a caminar, el Madrileño comenzó a llevar al niño con él a todas partes; el pequeño Diego entendió rápidamente que debía dar dos pasos por cada paso de su padre para alcanzarlo. Era una escena común ver al Madrileño llegar a su edificio y conducir un día de negocios con Diego a su lado. A los cinco años, Diego podía conversar a un nivel muy por encima de sus años, y cuando llegó al Colegio Ponceño de Varones, ya sabía leer y sumar. También sabía cortar a la perfección un cigarro, los nombres de los empleados de su padre, retenía una considerable cantidad de información sobre la siembra de café y numerosas historias –de dudosa fiabilidad y cuya única fuente era su padre– acerca de la superioridad del vino Rioja sobre cualquier otra región del mundo. Igualmente, se declaraba experto certificado en hormigas y pasaba largas horas en la Hacienda Girón construyendo complejas ciudades con puentes y carreteras que, desafortunadamente, las hormigas ignoraban. Diego, quien no conocía el concepto de darse por vencido, les trazaba delicados caminos de azúcar para obligarlas a entrar en sus creativas ciudades de tierra.

Poco después de la entrada de su hijo a segundo grado, Celeste murió de un agresivo cáncer de mama que acabó con su vida en seis meses. Diego y su padre quedaron desorientados mirando el ataúd de aquella madre tan breve.

Manuel Antonio se dedicó de lleno a sus negocios, a criar a su niño, procurar para él la mejor educación, y a la vez, reanudar su vida de soltero, ahora con el barniz respetable de la viudez. Durante su vida, Diego perdió la cuenta de las *amigas* de su padre que conoció en rápida sucesión. Manuel Antonio nunca se volvió a casar, pero jamás careció de compañía. El Madrileño promovía en Diego cualquier talento, curiosidad o pasión del niño, y ese modo de crianza trajo resultados más valiosos de los que pudo calcular, particularmente porque a menudo se sentía improvisando como padre soltero que era. Corriendo libremente por los cafetales de su padre e interrogando sin cesar a los trabajadores, Diego aprendió íntimamente el negocio del café. Escuchando a su padre en sus reuniones de negocios comprendió cómo se manejaba aquel juego, y bastaba con que el niño expresara el mínimo interés pasajero en un tema para que el Madrileño le colmara de libros y oportunidades de aprender del mismo.

Una vez graduado de sus estudios universitarios, Diego pasó a trabajar con su padre de lleno y en cuestión de meses se ganó por mérito propio el puesto de Director General, mientras canalizaba sus pasiones culturales y humanitarias a través del Ateneo y la política. Manuel Antonio nunca fue más feliz que cuando condujo a su hijo a su primera oficina, cerca de la suya. Sin embargo, padre e hijo sabían que si Diego le hubiera anunciado que quería dedicarse a recoger café en el campo, el Madrileño lo hubiera celebrado con el mismo entusiasmo. Allí radicaba la sabiduría profunda de la paternidad de Manuel Antonio: quería la felicidad libre y total para su hijo, por cualquier ruta que escogiese.

Cuando Diego cumplió 19 años, estando en la Universidad de Salamanca, supo del asesinato de Pedro Albizu en 1965. Diego quedó devastado por la muerte de su maestro, que había admirado y seguido desde que tenía memoria. El Madrileño no vaciló en traer a su hijo de vuelta a Ponce, tramitándole un semestre de sabatica. Fue durante ese semestre de luto para Diego que el joven se conectó por primera vez con el Ateneo de Ponce. Echando mano sin reservas de los cuantiosos y poderosos contactos de su padre, Diego le dio fuerza –y recursos– a la idea ya echada a correr por otros patriotas, de adquirir el edificio de dos plantas de arquitectura ponceña-creole donde ocurrió la Masacre de la RIAP un Domingo de Ramos, poco antes de la independencia de la región, y convertirlo en un museo dedicado a los derechos civiles y humanos, con una sección dedicada a la vida y obra de Pedro Albizu Campos.

Fue un proyecto de amor al que Diego, junto a valientes hombres y mujeres, dedicó incontables horas, culminando en 1988, cuando el Instituto de Cultura de la RIAP adquirió la propiedad histórica en el #32 de la Calle Marina, y lo convirtió en el anhelado museo. Ni Alda ni Diego podían sospechar en su encuentro inicial que la vida los llevaría a inaugurar juntos aquel museo en unos años.

* * * * *

Ese primer encuentro maratónico que empezó en el Hotel Meliá terminó al atardecer con unas copas de vino en la barra de El Prado. Allí, Diego le presentó a Alda a su padre como «la nueva coordinadora de programas y actividades del Ateneo de Ponce». El Madrileño, experto de las grandes ligas en apreciar la belleza, quedó prendado de la mujer tan exquisita que le presentó Diego y le guiñó un ojo a su hijo en aprobación, mientras éste, mucho más serio que su padre en temas de mujeres, giró los ojos, tratando de redirigirlo hacia el tema del Ateneo. Manuel Antonio poseía, entre sus múltiples talentos, un gran sentido del humor y una enorme personalidad. Al poco rato ya tenía a Alda riendo con sus bromas, que le daban más gracia de la necesaria al ver el rostro resignado y colmado de paciencia de Diego ante las ocurrencias de su padre.

—A ver maja, yo estaba seguro de que conocía a todas las mujeres hermosas de Ponce. No puedo creer que no haya conocido a la más bella –le dijo Manuel Antonio mientras ordenaba una nueva ronda de tapas. El comentario, que Alda hubiera considerado objetable en boca de otro hombre, le pareció inofensivo de parte del campechano Madrileño.

—Esa no soy yo. Esa sería mi hermana, Aila –le respondió sonriendo.

—¿Tienes una hermana más hermosa que tú? Imposible –le ripostó Manuel Antonio degustando un chorizo, que Alda sospechaba –correctamente– como artesanal y expresamente importado por el padre de Diego. Nada tenía que ver con los chorizos El Ebro que Cora intentaba someter a la obediencia en su cocina.

—Así es, Don Manuel. Y está a punto de entrar al noviciado. Tan firme es la convicción de mi madre sobre la bellcza de Aila que se arrepintió de bautizarme a mí con el nombre de Alda, que significa «la más bella» en celta.

—Pues sin haber visto a Aila, difiero. Qué mala costumbre tenemos los españoles de sacrificar a los hijos en el altar de la Iglesia sin importar su opinión o vocación. ¿Asumo que es usted de familia española? –dijo el Madrileño, ya entrando en calor. De algún modo percibía que aquella mujer imponente significaría algo importante para su hijo.

—A medias. Mi padre es andaluz pero mi madre es escocesa. Si la llega a conocer algún día no le mencione nada. Se cree muy sevillana ella –dijo Alda, ya bajo los efectos plenos del vino, además de la presencia igualmente deliciosa de Diego.

—No me diga que es usted hija de Cora Carmona –dijo Manuel

Antonio, mientras la miraba directamente a los ojos.

—Así es. ¿La conoce? Mi madre no se mueve en círculos culturales ni empresariales, solo religiosos y de cotilleos, como diríán en Madrid –dijo Alda, sorprendida.

—Justamente. Cada diciembre exige que donemos el almuerzo de la reunión anual de las Hijas Católicas de la Diócesis de Ponce, aquí en el hotel –le dijo el Madrileño, riendo de buena gana.

—Entonces, ya entiende a mi madre y sus opiniones.

—Es por eso precisamente que le hago la donación de la cena todos los años sin rechistar. Es un honor conocerla, Alda. Es usted, señorita Carmona, no solo preciosa, sino inteligente y muy culta, estoy seguro, porque de otro modo no se me ocurre en qué se irá a entretener con mi hijo en el Ateneo –dijo Manuel riendo, y Diego tomó el comentario como señal para terminar con el campo minado que podía ser su padre cuando entraba en confianza con alguien.

Manuel Antonio despidió a Alda con sendos besos en cada mejilla y la promesa de visitarla pronto. Diego caminó con ella hasta la entrada del hotel e hizo un gesto al portero para detener un taxi.

—Gracias Diego, pero no hace falta. Vivo en la Calle Salud, a pocos minutos de aquí caminando.

—Entonces permíteme acompañarte. Ya está anocheciendo –le dijo Diego, encantado de poder extender la presencia de Alda con cualquier excusa.

Llegaron en pocos pasos a la Plaza y giraron a la izquierda cruzando frente a la catedral iluminada como un centinela en descanso. La noche caía suavemente, bajando la temperatura y trayendo consigo una brisa sutil que se mezclaba con el ligero rocío que lanzaban las fuentes de la plaza. En una esquina, un piragüero guardaba sus instrumentos por el día. En una barra de la esquina contraria, el ruido de la máquina de *espresso* se mezclaba con el sonido del cristal de los vasos de cerveza en una alegre cacofonía que celebraba el fin del día en el pueblo.

—Se me ocurre que llevamos horas hablando del Ateneo, de mis planes, de mi vida, y luego mi padre monopolizó la conversación, por supuesto, pero aún sé muy poco de ti –le dijo Diego retomando la conversación con facilidad.

—Sabes mucho sobre mí. Sabes toda mi vida profesional y hasta el nombre de mi madre –contestó Alda, anticipando el próximo giro de la conversación que había tratado de evitar cuidadosamente durante casi toda la tarde.

—¿Y qué más, Alda? –le preguntó Diego, simplemente.

Alda lo miró y decidió apurar el trago amargo.

—Pues como te comenté, acabo de regresar de pasar un tiempo viajando por la costa de California, escribiendo mucho, pero sin nada que mostrar por el esfuerzo. Estoy viviendo por el momento con mi madre, Cora, a quien tu padre conoce. Tengo una niña de cinco años llamada Ainé, que es mi cielo y mi sol. Estoy separada de su padre, quien trabaja en una firma de arquitectos en el sur de California, pero no sé dónde vive ni lo he visto hace más de un año, excepto cuando nos llevó al aeropuerto. Tengo una dirección postal suya, y telefonea de vez en cuando a casa de Cora para hablar con mi hija. A estas alturas, no sé cuánto Ainé lo recuerda –terminó Alda, repasando la letanía más conocida de su vida. Escuchándose, fue como si se enterara por primera vez.

Diego permaneció en silencio y no se obligó a rellenar el momento con banalidades. Su silencio respetaba el dolor de Alda y no intentaba trivializarlo. Por un microsegundo, Alda tuvo un fuerte impulso de besarlo. No recordaba la última vez que alguien la había besado con ganas y peor aún, no sabía si alguien la había besado con ganas alguna vez. Miró hacia adelante para distraerse mientras cruzaban el paseo La Atocha.

—No puedo imaginar tu dolor, Alda –dijo Diego, finalmente.

—Ya lo peor pasó –dijo Alda, dándose cuenta de que, a partir de ese momento, esa aseveración podría ser cierta–. Ya estoy de vuelta en casa. Ahora, gracias a ti, tengo un trabajo en algo que me apasiona, mi hija acaba de comenzar en la escuela, está rodeada de su familia, y te acabo de conocer. No todo está perdido –continuó, justo en el instante en que se detuvo frente a una casa blanca de dos plantas–. Esta es la casa de los Carmona, para servirle, Don Diego Girón. Ha sido un enorme placer... –le dijo sonriendo y tendiéndole la mano, tratando de impartir un gesto profesional a una tarde que había resultado intensamente personal.

Diego miró brevemente hacia los ventanales de celosías de la casa y le pareció ver una silueta, seguramente la de Cora. Tomó la mano de Alda y la besó. Ningún hombre le había besado una mano antes. La idea de todo lo que no había experimentado la atravesó como un espíritu que llega sin invitación.

—El placer y el honor son solo míos, Alda Carmona –le dijo Diego, y el sonido de su nombre de soltera la hizo sonreír nuevamente–. Te espero mañana a las nueve en las oficinas del primer piso del edificio de mi padre. Tenemos menos de un mes para preparar la propuesta ante la Junta de Directores. Que descanses, Alda.

Con eso se despidió caminando acera abajo a lo largo del sendero de adoquines bordeado de árboles de emajagüilla.

CAPÍTULO 12

Santa Mónica, CA

Para la llegada de la década de los 80, Álvaro ya estaba acostumbrado a vivir solo en su apartamento en Santa Mónica, sin más distracciones que la lectura, visitas ocasionales al cine y una que otra salida esporádica con sus compañeros de trabajo. Por lo demás, Álvaro seguía un estricto orden de vida repartiendo las horas de cada día entre el trabajo y las interrupciones necesarias para dormir, comer, llamar a Don Erasto o Irma, y acudir a sus múltiples citas médicas. La partida de Alda y Ainé, aunque lo enfureció y ofendió en su hombría, no interrumpió ni alteró la cadencia de su rutina.

En 1980, el estudio de Frank Gehry había entregado dos proyectos de residencias privadas en Santa Mónica, y se preparaba para iniciar la enorme propuesta del Acuario Marino de Cabrillo en San Pedro. Mientras esperaba por su rol en el nuevo proyecto de Gehry, Álvaro recibió la llamada de Bienvenido Cabral, un simpático arquitecto dominicano con quien había trabajado por un tiempo en Sacramento. Cabral, quien tenía menos talento, pero más ambición y visión que Álvaro, había logrado entrar al equipo de arquitectos de un conglomerado que trabajaría diversos proyectos, producto del cambio en la política que trajo consigo el gobierno de Antonio Guzmán en la República Dominicana, junto a la necesidad de la recuperación en las zonas agrícola tras la sequía de 1975. Guzmán había llegado al poder dos años antes y trabajaba a toda prisa para sacar a la República Dominicana del oscurantismo militar, a su vez estimulando la economía del país mediante la restauración del orden democrático.

Su proyecto de punta de lanza para impulsar la economía rural y la creación de empleos fuera del perímetro de las grandes ciudades se basaba en incentivar el desarrollo agrícola y la agroindustria en general. Esto abrió una enorme válvula de inversión en proyectos a lo largo y ancho del país que requerían de infraestructuras de todo tipo. El trabajo abundaba, le explicó Cabral, y su firma podía beneficiarse del talento de Álvaro para manejar proyectos de gran complejidad en los que intervenían equipos multidisciplinarios de arquitectos, ingenieros, constructores, burócratas y planificadores.

—No conozco a nadie con esa capacidad que tienes para manejar tantas bolas en el aire a la vez. Vente para acá, Álvaro. ¿No te cansaste ya de diseñarle casas a los multimillonarios de California? –le dijo Cabral, detallando los términos de la oferta inicial.

Bienvenido tenía más razón de la que pensaba. La realidad era que Álvaro había caído en una rutina profesional predecible y, aunque no tenía problemas con lo repetitivo de su estructura de vida actual, la idea de un proyecto nuevo, con los retos que podía suponer el aspecto rural de la República Dominicana, se le antojaba una propuesta mucho más interesante que colaborar en otro acuario para los turistas y acaudalados de California. Álvaro le prometió a Bienvenido una decisión antes de que terminara el mes. Como era su hábito antes de tomar cualquier decisión importante, consultó el asunto con Don Erasto e Irma en una accidentada llamada telefónica durante la cual el auricular de los Palacios cambiaba de la oreja de Don Erasto a la de su hermana en un intercambio por *staccato*. Por fin Irma logró el control del aparato y echó a un lado el tema de la República Dominicana.

—A donde deberías regresar es aquí, donde tienes a tu hermana, a tus padres, y a tu mujer, que anda por ahí jugando a la profesional y pavoneándose por el pueblo maletín en mano como si estuviera conduciendo grandes negocios –le increpó Irma.

Si Álvaro notó que Irma se antepuso a sus padres y a su esposa en el orden de importancia, se guardó el comentario.

—No lo vas a creer –continuó Irma jadeante–, pero tiene oficinas en la Universidad y también en las Empresas Girón. La semana pasada salió en la prensa con el alcalde en la última Feria de Cultura que se inauguró en la Plaza, y campea por sus respetos como si no tuviera responsabilidades. Apenas ha venido tres veces a traernos a tu hija desde que regresó el año pasado –se quejó Irma, como si fuera impensable la posibilidad de que los Palacios fueran a visitar a Ainé en vez de esperar a que Alda la llevara.

—No tengo objeción alguna con que Alda regrese a trabajar ahora que Ainé está en la escuela. Incluso me alivia económicamente –dijo Álvaro en un tono seco.

—Me parece increíble que no te importe que Alda ande por ahí contendiendo por sus respetos como si fuera soltera, mientras a ti solo te importa evaluar ofertas de empleo –ripostó Irma.

—Le haces mucha falta a mami. No es la misma desde que te fuiste –cambió de estrategia Irma, intuyendo que el tema de Alda no levanta tanto interés en Álvaro como ella hubiera querido.

—No es la misma desde que Herminio murió y eso no se puede remediar. Santo Domingo está a un salto de Ponce. Puedo visitarlas con frecuencia si acepto el trabajo –dijo Álvaro.

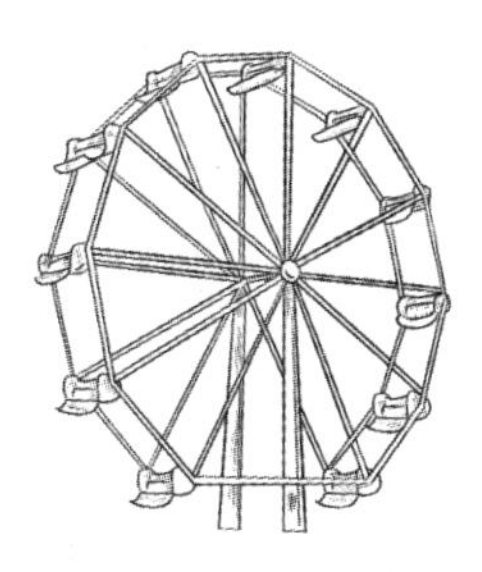

Esa fue la mejor oferta que Irma logró de él. Dos semanas más tarde, y con una impresionante carta de recomendación bajo su brazo, Álvaro entregó las llaves de su apartamento y partió en taxi al aeropuerto de Los Ángeles que lo llevaría a Santo Domingo, donde Bienvenido lo esperaba. En ruta hacia Los Ángeles, el taxi pasó a lo largo del famoso muelle de Santa Mónica. Álvaro levantó la vista del libro que tenía en su regazo y divisó el famoso carrusel de 1920, que a sus ojos era la pieza arquitectónica de mayor valor en el muelle. Cuando se disponía a regresar a la lectura, su vista captó la estampa viva del gentío tomando sol en la playa, ejercitándose y de los niños de todas las edades corriendo por la arena. Se dio cuenta de que se despedía de Santa Mónica sin jamás haber pisado la arena de su playa.

* * * * *

Región Independiente Autónoma de Ponce (RIAP)

La primera vez que Diego besó a Alda fue exactamente el día que Álvaro aterrizó a 354 kilómetros de distancia, en Santo Domingo. El beso fue precedido por un año de una tensión sexual intensa entre ambos que seguía escalando imperturbablemente por las olas de los miedos y la culpabilidad de Alda. Diego pasó ese año de celibato autoimpuesto extrañamente sereno, reconociendo en su inmensa sabiduría que estaría con Alda siempre, de un modo u otro, y que forzar las cosas solo lograría angustiarla, algo que deseaba evitar a toda costa. Alda ya había pasado suficientes penurias en su vida. Su religiosidad y el hecho de que seguía legalmente casada, aunque separada de Álvaro, los hubiera mantenido en el limbo por tiempo indefinido, pero el asunto se resolvió sin vuelta atrás, sin planificación o premeditación. La válvula de escape de tantas ganas puntillosamente guardadas durante un año se resolvió un fin de semana común cuando planificaron visitar la Hacienda Girón. Alda y Ainé eran invitadas frecuentes de la Hacienda, especialmente cuando Manuel Antonio preparaba una paellada.

El verano anterior, Alda y Ainé pasaron días –que se convirtieron en semanas– en el tranquilo ritmo de vida de la Hacienda que parecía tan disociado de la ciudad. Alda pasaba largas horas leyendo y trabajando proyectos para el Ateneo mientras Ainé corría por los cafetales acompañada de Azucena, una perrita callejera que había encontrado en la propiedad y que insistió firmemente en adoptar. Ninguno de los tres adultos presentes se atrevió a llevarle la contraria a la precoz niña, por lo que Azucena se mudó a la Hacienda oficialmente como la primera mascota del pequeño zoológico que terminó conformándose allí con el pasar de los años.

Aquel sábado de febrero, sin embargo, Ainé le rogó a su madre quedarse en casa de Cora de modo que su tía Aila la pudiera llevar a la fiesta de cumpleaños de su nueva mejor amiga—Ainé estrenaba mejores amigas mensualmente. Alda accedió, no sin antes recibir con solemnidad la lista de instrucciones garabateadas que le entregó su hija para cuando viera a Azucena. Sin tener que empacar para la niña, Alda hizo una pequeña maleta de mano para ella y le pidió a Diego que la recogiera en la Universidad, de modo que llegaran juntos a encontrarse con Manuel Antonio en la Hacienda. El atardecer recién comenzaba imponente con sus cien tonos anaranjados cuando llegaron a la hacienda cafetalera.

Diego sirvió dos copas de un *Montepulciano d'Abruzzo* con aroma de zarzamoras y caminó con ellas hasta el balcón principal, donde Alda estaba sentada en una de las muchas mecedoras contemplando la vista espectacular de la Cordillera Central. Diego sonrió al verla arropada hasta la barbilla con un grueso chal. La temperatura de las montañas de Ponce nada tenía que ver con el asfixiante calor del pueblo. Alda lo miró con una sonrisa que era solo para él y que involucraba no solo sus labios, sino que iluminaba sus ojos y todo su rostro. Le dio las gracias mientras aspiró el aroma del vino.

—Mmm... Este no es el Rioja de Manuel –dijo Alda, desplegando algún nivel de apreciación formal de vino gracias a Diego, que trataba el tema como una religión donde se idolatraba el paladar.

—Para nada. Es un *Montepulciano* de una cantidad limitada y de mi propia colección de vinos italianos –le dijo Diego, acercando la copa a su nariz mientras inhalaba las notas tánicas.

—Nunca lo había probado. Es mucho mejor que los de tu padre, pero por favor no le digas cuando llegue. Quiero seguir siendo bienvenida aquí –dijo Alda sonriendo.

—Siempre vas a ser bienvenida aquí. Además, podemos degustar todos los vinos italianos que se nos antojen. Manuel Antonio llamó para dejar recado de que el alcalde va a cenar esta noche en El Prado y ya conoces a mi padre. Llegará temprano en la mañana –le dijo casualmente Diego.

La realización de que estaban completamente solos por primera vez en un año les caló a ambos como una gota de sudor que surca lentamente por la espalda. Alda no dijo nada y tomó otro sorbo de vino.

—Eso no significa que no te voy a alimentar. Mi padre no es el único cocinero de la familia –le dijo Diego dando vueltas al vino en la copa.

Claramente el vino se había convertido en el catalítico de su tensión sexual.

—¿En serio? Pocas veces te he visto cocinar desde que te conozco –le dijo Alda.

—Eso es porque para mi conveniencia, mi padre tiene un restaurante y rara vez tengo que cocinar. Pero tengo algo de talento. De otro modo no hubiera sobrevivido mis años universitarios en Salamanca.

—Interesante. ¿Y cuáles son mis opciones? –le preguntó Alda.

—Con la excepción de un *ossobuco* u otro plato de mayor complejidad, te puedo reparar cualquier cosa –le aseguró Diego.

La cocina de la Hacienda Girón era más grande que la mitad de la primera planta de la casa de Cora, e incluía una enorme isla en la que Manuel Antonio se pavoneaba haciendo chistes mientras cocinaba, una nevera industrial y una cava donde cabían cientos de botellas de vino. Ambos caminaron hasta la cocina y Diego comenzó a recitarle a Alda sus opciones mientras revisaba los ingredientes disponibles en la alacena y la nevera. En algún momento, Alda dejó de escuchar su voz y solo podía ver sus labios moviéndose, los músculos de sus brazos cuando abría gabinetes, y sus manos cuando comenzó a seleccionar ingredientes. Era el mapa masculino más perfecto que había visto en su vida. Quería decirle que no tenía hambre, que por favor la llevara a su habitación a hacer el amor, pero nada en la crianza o personalidad de Alda le hubiera permitido decírselo.

—¿Alda? ¿Te apetece alguna de esas opciones? –le dijo Diego, trayéndola de vuelta a la realidad de la cocina.

—Pasta. La pasta siempre está bien conmigo.

—Pues no se diga más. *Pasta cacciatore* en camino –respondió Diego.

Alda se acomodó en una de las butacas alrededor de la isla

mientras Diego le servía otra copa de vino, y procedió a confeccionar con destreza una salsa de hierbas, cebollas, tomates y vino, a la cual agregó trozos de pollo de su misma finca y, finalmente la pasta al dente, todo coronado de queso pecorino rallado al momento. Mientras cocinaba, Diego le hablaba animadamente de la próxima ronda de charlas culturales del Ateneo, para las cuales Alda había sugerido un cambio radical de temarios y sedes, con los que Diego concurría totalmente. Alda trataba de seguir el hilo de la conversación cada vez con más dificultad; se tomó el último sorbo de vino y se sirvió una tercera copa. Cuando Diego le puso el plato de pasta delante y Alda lo probó, descubrió que muy a su pesar, tenía hambre. No sabía cómo su estómago la podía traicionar con una sensación tan básica como el hambre, cuando había otras más urgentes que estaba tratando de ignorar.

—Bravo –le dijo Alda, acercándose una servilleta a los labios–. Hay que sumarle la gastronomía italiana a tu larga lista de talentos, Diego.

—Pues ahora soy yo quien dice que jamás te he visto cocinar –le dijo Diego sonriendo.

—No tienes más que pasar por casa de Cora cualquier día. Yo cocino todos los días para mi madre y Ainé antes de ir a la oficina.

—¿En serio? ¿Nadie más en tu familia cocina?

—Mi madre cree que cocina, pero en realidad lo suyo es entretenerse masacrando la gastronomía española y mi pobre hermana Aila está tan deprimida en el noviciado, que casi ni come las pocas veces que la veo.

Cuando terminaron de cenar en una mesa frente a la balaustrada del balcón, Diego introdujo a Alda a la *grappa*.

—Uff... Esto es más fuerte que el tequila, y mira que de tequila conozco bastante gracias a mi cuñada –dijo Alda, sintiendo el calor del licor italiano subirse a sus mejillas.

—No, es mucho más suave. No lo tomes de golpe. La *grappa* es un tipo de brandy italiano. Prueba un sorbo y degústalo lentamente, sin prisa. Trata otra vez –le dirigió Diego. En ese punto Alda no sabía de qué hablaba Diego, si de la *grappa* o de otra cosa, pero obedeció. En efecto, el licor bajó como seda tibia por su garganta.

—Ya no debo beber más. No quiero recibir a Manuel Antonio con una resaca –dijo Alda, poniéndose de pie e intentando recoger los platos de postre que quedaban en la mesa.

Diego la detuvo y le tomó la mano. Alda fijó la vista en el suelo. Sin mediar palabra Diego echó a andar hacia su habitación llevando a Alda de la mano. Cerró suavemente la puerta detrás de ambos y, tomando a Alda firmemente por el rostro, la besó con toda la intensidad y la urgencia que puede acumularse en un año de deseos. Alda se sintió cayendo al vacío y no sabía si permitírselo o retractarse. Aún estaba a tiempo, pero, en el fondo, sabía que no lo estaba. Diego la desnudó lentamente, besando cada rincón del cuerpo que iba descubriendo en aquella travesía, y ella hizo lo mismo con él. Nunca había desvestido a un hombre en su vida. Hasta esa noche, Alda desconocía que existían hombres pacientes, que disfrutaban tanto de dar placer como de recibirlo. Diego se tomó su tiempo besándola en descenso. Esto que hacía, nada tenía que ver con sus pocos referentes sexuales. Alda acalló las voces alarmadas en su cabeza y cerró la puerta de su mente, enfocándose solamente en el presente.

Al día siguiente Alda despertó junto a Diego, segura de que no importaba lo que su destino trajera de ese punto en adelante: su lugar estaba allí, con matrimonio o sin él, con la aprobación de su familia o sin ella. El enorme sentido de culpabilidad religiosa que empezó a brotar de su pecho como una flor venenosa también fue derrotado, aunque asomaría su cabeza para torturarle innumerables veces en el futuro. Manuel Antonio llegó a media mañana con Azucena dando brincos a su alrededor, mientras Alda y Diego tomaban café en el balcón. El Madrileño traía noticias. Después de recoger a Ainé del cumpleaños y llevarla a casa de Cora el día anterior, Aila nunca regresó al convento.

* * * * *

Santo Domingo, RD

En la década del 80, la vida nocturna y el entretenimiento social arrancaban los jueves en Santo Domingo. El *Maunaloa Night Club* invariablemente iniciaba sus espectáculos con artistas extranjeros y dominicanos por igual, comenzando el jueves y terminando el domingo, a cupo total todas las noches. El Salón Rojo del hotel Comodoro, sin embargo, actualizaba su cartelera a diario para entretener el flujo de los negociantes que atravesaban la ciudad. Una energía idéntica habitaba en el Hotel Continental en la avenida Máximo Gómez, donde el conglomerado para el que trabajaba Bienvenido le había reservado una suite a Álvaro. El Santo Domingo de los 80 tenía la misma vibración de las ciudades que se sacuden del marasmo y deciden tomar otro rumbo, abriendo con esos cambios el apetito de inversionistas del resto del mundo. La ciudad era la más antigua habitada por europeos de Las Américas, pero en aquellos años se sentía joven. Bienvenido recogió eufórico a Álvaro en el Aeropuerto Las Américas y durante el trayecto en dirección al Continental, aprovechó para actualizarlo sobre el estado del proyecto.

—Aquí está corriendo el billete de verdad, mi hermano. Deja que veas la suite que te puso el Grupo. Esta noche te presento a uno de los personajes más importantes. Nos encontramos con Luis Lópes en el Maunaloa –le dijo Bienvenido encendiendo un cigarrillo, para fastidio de Álvaro, a quien el humo le disparaba el asma.

—¿El Maunaloa? –indagó Álvaro.

—El mejor salón de fiestas de la ciudad, Álvaro. Te queremos impresionar –le contestó Bienvenido, dándole una palmada en el hombro mientras el cigarrillo se balanceaba peligrosamente en su boca.

—¿Un salón de fiestas para hablar de negocios? –le preguntó Álvaro mientras sacudía el humo con una mano.

—Un poco de trabajo, un poco de diversión. Así los vas conociendo. Relájate Álvaro, que ya no estás en *Gringolandia* –respondió Bienvenido, y con eso continuó recitando las virtudes de la vida nocturna de Santo Domingo.

Bienvenido trabajaba para «El Grupo», como se le conocía al conglomerado dominico-español Lópes-Collado, fundado hacía unos años con el propósito de reclamar un buen pedazo de la creciente industria hotelera dominicana, pero que ahora olfateaba otras oportunidades más allá de los salones de fiestas de sus hoteles. «El Grupo» había ganado dos contratos para sendos proyectos, ambos dirigidos a producir infraestructura que siguiera apoyando la recuperación de la agricultura de la nación, que había sido casi liquidada con la sequía masiva de 1975. Los proyectos abarcaban no solo infraestructura crítica –de la que Álvaro sabía mucho, pero le importaba muy poco– sino también instalaciones de vivienda y demás necesidades que tenían los inversionistas y desarrolladores que depositaban millones allí.

Esa parte le interesaba más, y reconoció en aquellos proyectos la posibilidad de diseñar pueblos enteros en un lienzo en blanco. El equipo de arquitectos era considerablemente menor al de los ingenieros, pero Bienvenido no tenía en mente ningún equipo para Álvaro. Lo que su amigo traía a la mesa era la gerencia de manejo de proyectos. Álvaro se movía con facilidad entre los mundos de arquitectos, ingenieros, agrimensores y hasta agrónomos, como si hablara cuatro idiomas fluidamente; esto lo hacía dueño de unas competencias difíciles de encontrar y perfectas para ese ambicioso proyecto. «El Grupo» quería asegurarse de adquirir el talento de Álvaro, y Bienvenido quería garantizar que su amigo, quien en breve sería su jefe, se sintiera en deuda y no le exigiera demasiado en el trabajo. Bienvenido estaba por averiguar lo poco que conocía a Álvaro.

Esa noche en el Maunaloa, mientras un joven talentoso llamado Juan Luis Guerra deleitaba a todos menos a Álvaro, Luis Lópes, representante del equipo, escribió con mucho drama una cifra en una servilleta de papel y se la pasó al arquitecto. Álvaro casi sonrió ante el gesto copiado de una mala película de la mafia, pero lo agradeció porque tampoco escuchaba bien y el volumen de la música no ayudaba. Al leerlo, cerró la servilleta y le dio la mano a Lópes. Bienvenido brincó de su silla y lo abrazó, para horror de Álvaro quien no digería con agrado el contacto físico. Los tres hombres brindaron y con eso, sin saberlo, Álvaro selló su suerte por muchos años venideros. Ese sería su hogar por largo tiempo; luego vendrían otros, hasta su vejez, cuando finalmente regresaría a Ponce, dónde comenzaría el lento descenso hacia el olvido de sus recuerdos.

CAPÍTULO 13

Región Independiente Autónoma de Ponce (RIAP)

Tal fue el empeño y la manipulación de Cora para que su hija menor se convirtiera en una «novia de Jesús» que Aila no tuvo mejor alternativa que entrar al noviciado en 1975, poco después que Alda regresó de California. Exactamente un año más tarde, Ainé llegó como de costumbre al Liceo y su tía, quien realizaba allí su noviciado, ya no estaba. Los amorosos brazos de su tía Aila, que tanto se parecían a los de su madre, era a donde primero corría Ainé a saludar por las mañanas. Ese lunes no la vio por ninguna parte, aunque dos días antes la había llevado a una fiesta de cumpleaños y pese a que lucía preocupada, eso era normal en Aila por aquellos días. Cuando Alda fue a recogerla al colegio en la tarde, le explicó dulcemente, como quien da una buena noticia: «Titi Aila se está tomando unas vacaciones», pero que pronto vendría a visitarla. Ainé, aún en su inocencia, sabía que algo más se estaba cocinando en aquella olla porque había presenciado de antemano las histerias de su abuela y la angustia de su tía.

La desaparición de Aila enfureció a Alda, pero consigo misma. Siempre experta en pulsar el botón de la culpabilidad católica, Alda se reprochaba haber notado la desesperación de su hermana y no haber intervenido, a pesar de que juró mucho tiempo atrás proteger a Aila y Evina de los nefastos hábitos maternos de Cora. Era consciente de que desde que regresó a Ponce, su vida giraba egoístamente en torno a Ainé, Diego y su trabajo.

Luego de recibir la noticia por boca del Madrileño, Diego y Alda llegaron a toda prisa al pueblo, temiendo los efectos que pudiera sufrir Ainé tras la rabieta épica que seguramente tenía montada Cora. Cuando se estacionaron frente a la casa de la Calle Salud, ambos se bajaron del carro y corrieron hacia las escaleras, al tope de las cuales se hallaba la puerta principal de la casa, abierta de par en par. Allí, sentada en un sillón de pajilla abanicándose y conversando, estaba Cora tomando café con Doña Estela. Al fondo se escuchaba tenuemente la misa televisada. En una esquina y de pie, Ainé miraba a su abuela con recelo. Al ver a su madre y a Diego, corrió hacia ellos y se acomodó entre ambos, percibiendo que sus fuerzas aliadas habían llegado.

—Cora… –dijo Alda, mirando a Doña Estela. No podía recordar si por aquellos días era su amiga o su enemiga.

—Hija, gracias por venir. Diego, qué gusto verte. Tan guapo como siempre. Me imagino que se enteraron de la noticia, pero como le decía a Estela, es cuestión de hacer una pausa para que Aila tenga la oportunidad de bajar su ansiedad. Esa muchacha siempre ha sido muy dada al drama. Pero está muy bien en casa de unos buenos amigos por una corta temporada –dijo Cora mirando fijamente a Alda. Alda asintió casi imperceptiblemente.

—Menos mal, Cora. Tú sabes cómo nos preocupamos las amigas. Bueno, ahora que Alda y Diego llegaron me despido. Gracias por el café –respondió Doña Estela.

La mujer salió sin más, en ruta a reportar las últimas novedades a la red de chismes de Ponce, la cual, años más tarde, Héctor Lavoe plasmaría en la memoria popular con su estrofa de *Radio Bemba*. Una vez Doña Estela bajó las escaleras hacia la calle, Diego cerró la puerta, tomó a Ainé de la mano y echó a caminar discretamente hacia el comedor en el fondo de la planta principal. Alda se sentó al lado de su madre en silencio.

—Empecemos desde ya a buscar dónde coños se ha metido la irresponsable de tu hermana, y no descartes nada. Cuando eche mano de ella la voy a acabar. Esta humillación pública ante la Iglesia es imperdonable. Si fuera tú, empezaría por interrogar a Beatriz, que siempre tiene la cuchara metida en todo, aún desde México –finalizó Cora y con eso, se encerró en su habitación dando un portazo.

Alda respiró profundamente y se recostó resignada en el incómodo sofá, con la mirada perdida en las muñecas toledanas de plástico y tela que le sonreían burlonas.

* * * * *

Al Madrileño no se le daba el arte del chisme tan profesionalmente como a Cora, porque no fue hasta el lunes siguiente, cuando Diego y Alda llegaron a El Prado a almorzar con Manuel Antonio y su nueva *amiga* –una viuda simpática llamada Berta–, que los demás detalles de la desaparición de Aila comenzaron a aflorar.

—Que no ha sido una, sino dos las novicias perdidas, según me dice Berta, que se ha enterado de todo. No se los dije ayer porque salieron con prisa. Cuéntales, Berta –dijo Manuel Antonio, pasando el bulto de la conversación a su amiga y refrescando las copas de vino.

—No es posible padre. Es una broma –dijo Diego.

—Tu padre dice la verdad, Diego –dijo Berta, feliz de tener la batuta de la historia–. Aila no regresó al convento el sábado en la noche, como tampoco regresó Margarita Vicens –continuó Berta.

Alda y Diego se miraron y luego miraron a Berta. Alda sintió una carga eléctrica atravesándole pensando en la noche del sábado, y rápidamente bajó la vista.

—No me suena el nombre –dijo Alda.

—Pero por supuesto que sabes quién es Margarita. Visita la casa de Cora de vez en cuando con Aila –le informó Berta.

La próxima carga eléctrica fue de culpabilidad. ¿Cuán removida estaba de lo que pasaba en la vida de su hermana que ni había reparado en sus amistades, en su rutina o en su enorme trauma al estar atrapada en un convento que detestaba? No fue solamente Cora quien le había fallado, ella también le falló.

—Es lógico pensar que están juntas. Como todo el mundo conoce el carácter de tu madre, perdóname Alda, pero la verdad es hija de Dios, –dijo Berta, mirando a Alda– resulta que todos están mirando hacia la casa de los Vicens, donde calculan que las muchachas tienen mejores posibilidades de buscar ayuda o refugio. El papá de Margarita fue el que insistió en que la muchacha entrara al noviciado, pero su esposa, Enid, nunca estuvo de acuerdo. No se atreven ni a salir de la casa, para no tener que enfrentar las miradas y los chismes de la gente –dijo Berta, cesando de hablar por un momento para tomar un sorbo del vino.

—A ver, Berta. ¿Por qué está usted tan enterada de las interioridades de todo esto? –preguntó Alda.

—Enid es mi vecina y una de mis mejores amigas. Esto ha sido muy fuerte para todos –dijo Berta.

—¿Quiénes son todos? ¿Por qué estás hablando en plural? Berta, termina de decirme lo que sabes. Mis nervios no están como para interrogatorios a cuentagotas –dijo Alda, perdiendo la paciencia.

—Aila está bien. Está con Margarita, no te preocupes. Está asustada, pero bien –continuó Berta, mirando a Manuel Antonio, quien se concentró en una croqueta de jamón. Se echó hacia adelante poniendo ambos antebrazos en la mesa.

—Caramba Berta, pudiste haber empezado por ahí –intercedió Diego.

—¿Está en casa de los Vicens? Pues vamos para allá –dijo Alda rápidamente.

—No, no exactamente. No están en la ciudad. Están en la casa de campo de los padres de Enid, por las montañas de la región de Orocovis. Allí están cómodas y la abuela de Margarita las está atendiendo. Todo está bien, Alda –le dijo Berta suavizando la voz. Alda movió su mano y la puso sobre la de Berta.

—Gracias Berta, me ha regresado el alma al cuerpo. Ya veré qué le digo a mi madre para proteger a mi hermana –dijo Alda, más calmada.

—Pues de eso justamente te queríamos hablar, Alda –dijo Manuel Antonio, brincando sin preámbulo en la conversación, ahora que el campo estaba allanado.

—No me digas. Ahora eres tú el que habla en plural. ¿Qué vela tienes aquí? –preguntó Diego a su padre.

—Ninguna, hijo mío, ninguna. Solo funjo como consejero, estratega, y benefactor, si viniera en falta, que voy sospechando que sí. Veréis, a las muchachas hay que protegerlas, como bien dices Alda, y a los Vicens claramente no les interesa que esto se sepa. A ti tampoco, estoy seguro. Si esta información no sale de esta mesa ni de los Vicens, pues eres libre de darle a tu madre la versión más caritativa que convenga para no matarla de alta presión, ni a tu hermana de una zurra. Una vez Cora tenga su historia, estamos todos claros en que regará la información por su red de cotilleos, y todos quedamos felices –dijo el Madrileño triunfal y alzando una copa para brindar.

—No brindemos todavía, padre. Le están pidiendo a Alda que le mienta a Cora sobre su propia hija y le esconda información sobre dónde está… –comenzó Diego, pero Alda lo acalló poniendo su mano sobre su antebrazo, y recostando la mejilla sobre su hombro en un gesto íntimo que nunca había usado en público hasta ese momento. Los ojos de Manuel Antonio y Berta no perdieron detalle, pero se mantuvieron en silencio.

—Diego, tu padre tiene razón. ¿Cuál es la opción? ¿Tirar a mi hermana a los leones? Doña Berta, ¿me ayudaría usted a llegar hasta donde está mi hermana? –dijo Alda resuelta.

—Pues claro, cariño. Nosotros nos encargamos de todo –le dijo Berta con dulzura.

Al día siguiente los cuatro tomaron la ruta que llevaba a la finca de Don Julián, una carretera rural en forma de serpiente coronada de miosotis, bajo el frondoso follaje de verde luz. Siguieron de largo hasta las montañas de Orocovis sin detenerse. Luego de un tortuoso viaje de casi dos horas, llegaron a la casa de los abuelos de Margarita. Alda saltó del auto al ver la delgada figura de su hermana corriendo hacia ella, con su largo cabello libre al viento por primera vez en muchos meses. Las dos hermanas se abrazaron en silencio por un largo rato sin interrupción.

* * * * *

El Madrileño, fiel a su palabra como potencial benefactor, fue más allá de lo que el mismo padre de Alda y Aila hubiera intentado, o sencillamente podido. Haciendo uso de sus numerosos contactos de negocios en Nueva York, logró acomodarlas en una habitación del apartamento de una pareja de confianza en Greenwich Village. Pagó los pasajes de ambas muchachas y le entregó una cantidad generosa de dinero a Aila para que sobrevivieran cómodas en lo que conseguían empleo. Una vez pasada la resaca inicial de adrenalina al presenciar la decadencia del Nueva York de los 70, Margarita entró a la escuela de azafatas de Eastern Airlines y Aila comenzó a modelar para una agencia de segunda categoría en la ciudad que le proveía una entrada razonable y estable de dinero, modelando para catálogos y anuncios televisivos de pasta dental.

Posiblemente, Aila hubiera llegado más lejos en el modelaje si persistía por un par de años, pero el libertinaje, las drogas y la promiscuidad que arropó a Nueva York en los 70 eran tan exógenas a su personalidad de exnovicia, que nunca se pudo sentir a gusto. Cuando Margarita le ofreció ayudarla a entrar en la próxima clase de la escuela de azafatas, Aila no dudó. La historia oficial presentada ante Cora incluyó, irónicamente, reclutar la ayuda de Beatriz, a quien todo este angustioso asunto le hacía muchísima gracia. Puesto que Cora ya sospechaba de ella, bastó una carta de Bea explicando que Aila estaba segura y tranquila en su casa en Ciudad de México, en un momento de *autorreflexión*, palabra que usó por expresa instrucción de Alda. «Despreocúpese Cora, de seguro Aila se transfiere a uno de los conventos de las Carmelitas aquí en la ciudad. Tenga fe», le escribió Beatriz.

Cora repitió esa versión con convicción como un rosario por todo Ponce. Inicialmente, Aila tardó un año en regresar desde que desapareció del convento. Cuando su familia la vio, apenas pudo reconocer a la exquisita criatura que tenían ante sí. Aila llevaba un ceñidísimo uniforme de azafata azul marino de Eastern Airlines, su cabello largo había sido arreglado para un comercial y estaba maquillada delicadamente, resaltando su espléndido rostro. Calzaba tacones altísimos, los cuales la colocaban al nivel de los rascacielos. Se veía extraordinaria. A quien primero abrazó fue a Ainé, y acto seguido colocó en su pequeña mano una cajita de terciopelo azul que contenía un brazalete de oro que la niña guardó entre sus posesiones más preciadas por muchos años. Cuando la exnovicia anunció su boda cuatro años más tarde, Cora juró que Aila era una especie de anticristo menor que había llegado a la tierra con la única misión de hacerla rabiar.

* * * * *

Para los tiempos de la boda de Aila, Alda y Diego celebraban su décimo aniversario y vivían juntos en la casa que él había comprado para su pequeña familia de tres. Se trataba de una propiedad de estilo resurgimiento español, amplia y soleada, coronada de trinitarias de los colores más estridentes, en el tope del Paseo de la Cruceta en el sector El Vigía, desde donde se podía ver y caminar al Castillo Serrallés. Esa fue, finalmente, la casa que contuvo la niñez de Ainé. Allí Diego le enseñó a conquistar una bicicleta. Allí corría libremente con Azucena por los jardines, y eventualmente con sus cachorros. Allí creció, por fin, viendo feliz a su madre. Cora, por supuesto, siguió parloteando a quien preguntara que la residencia oficial de Alda era en la Calle Salud, pero diez años más tarde, a pocos le importaba el asunto. Los tiempos habían cambiado. Alda y Diego se convirtieron en historia antigua en Ponce, y quienes único mantenían vivo el fuego de su coraje eran los Palacios. La ausencia persistente de Álvaro, sin embargo, no ayudaba a la causa de sus enojos. La mitad del pueblo estaba seguro de que a estas alturas Alda era viuda.

Aún así, Irma no descansaba –ni descansaría nunca– en su afán de interrumpir la dicha de Alda, que a sus ojos era totalmente inmerecida y una afrenta al honor de su hermano y su familia entera. En su trastornada mente, la justicia divina no podía permitir que Alda y Beatriz fueran felices. Cuando divisaba a la pareja en público, a menudo los increpaba alzando la voz y tratando de humillarlos, y en más de un establecimiento la tuvieron que sacar por la fuerza. No conforme, refirió los negocios de los Girón al Ministerio de Hacienda, que no encontró nada irregular, pero cuya investigación le robó sustánciales energías y recursos a los Girón, quienes tuvieron que someterse a una auditoría.

El asunto estuvo a punto de salirse de control cuando una tarde, Irma apareció por el colegio de Ainé e intentó llevársela en su auto. Ainé, a quien esa tía extraña y de aspecto tortuguesco le ponía los pelos de punta, se negó a entrar en el vehículo. Cuando Irma la agarró por un brazo con fuerza para obligarla a abordar, la niña comenzó a gritar. La seguridad del colegio llegó en un santiamén. Desde ese momento y hasta que Ainé partió hacia la Universidad, Diego le asignó un chofer que fungía como guardaespaldas de nombre Güisín, quien se convirtió en un entrañable amigo y autoproclamado maestro de salsa de la niña. Güisín era un individuo de profesión desconocida y de la entera confianza del Madrileño, a quien en el pasado le había resuelto más de un problema. Alto, flaco, con el cabello eternamente engominado, un rostro alargado de protuberante barbilla y minúsculos ojos verdes a los que no se les escapaba nada, el chofer tenia un pintoresco auto *«punto ocho»* de cuatro puertas de color negro con asientos rojos, en honor a los colores de la bandera nacional. Cuando Alda vio a semejante personaje llegar a la mansión del Vigía tocando claxon y reventando las bocinas con salsa gorda, miró azorada a Diego comenzando a protestar, hasta que vio los monumentales abrazos que compartieron el pintoresco chofer con Manuel Antonio y Diego.

—Sé lo que estás pensando Alda. Tranquila. Ainé no puede quedar en mejores manos cuando no esté con nosotros –dijo Diego.

—Caramba, amor mío, ¿no había en los récords de contactos de los Girón algo un poco más… formal? Este tipo tiene pinta de gánster –le dijo Alda, mirando a Güisín de reojo detrás de sus gafas y bajo su elegante pamela negra.

—En todo caso, es nuestro gánster y para neutralizar a la desajustada de Irma y a los Palacios hace falta una persona que tenga calle, no un fino mayordomo escocés, mi amor. Confía en mí. Quiero ver a Irma siquiera intentar volver a hostigar a Ainé en presencia de Güisín –le respondió Diego.

Alda asintió, no muy convencida, imaginando la llegada de Ainé en aquel espeluznante vehículo al colegio, las clases de *ballet* y sevillanas o las de natación. El chofer, guardaespaldas y maestro de salsa se convirtió en la sombra de Ainé cuando la niña no estaba con Alda, Diego, el Madrileño o alguno de los Carmona. La hacía reír hasta las lágrimas con su colorido lenguaje, que para Ainé era casi un dialecto, y su costumbre de llamar a la gente con un silbido profesional capaz de lacerar tímpanos. En los viajes buscando y recogiendo a Ainé de sus múltiples clases y actividades extracurriculares, la introdujo al repertorio musical extenso de salsa de la región.

—Nena, óyeme, que me huele que a ti te han criado con música de órgano, con lo mucho que tu santa madre te lleva a misa. Resulta que has nacido en la meca mundial de los más importantes cantautores de salsa, y eso es tema sacro, que hay que estudiar mejor que las castañuelas esas que cargas. Escucha y aprende de Güisín –entonces procedía a cantar una estrofa para que Ainé identificara al cantante.

—*De La Cantera de Ponce vengo yo, con este ritmo caliente*.

—Pete *«El Conde»* Rodríguez.

—Excelente. Dime sobre esta: *no has de verme llorar, yo te lo juuuuuro...y sabré sonreír si a tu lado me tocara pasar.*

—Yolanda Rivera y la Sonora Ponceña.

—¡Muy bien! ¿Y qué hacemos cuando se menciona a la negra más bella del Caribe y a la Sonora?

—Nos persignamos –respondió Ainé, y ambos hacían la señal de la cruz al unísono, bajo la expresa orden del chofer de no repetirlo frente a Alda.

CAPÍTULO 14

Región Independiente Autónoma de Ponce (RIAP)

La década de los 80 galopaba con fuerza acompañada de su colorido delirio musical y cultural. Nada importaba que no fuera John Travolta, Michael Jackson, Madonna, la moda reinterpretada en estridencia o el temor a la Guerra Fría.

La noticia insólita de que su hija exnovicia, exmodelo y exazafata ahora tenía pretensiones de boda, desató en Cora un drama digno de un exorcista practicante. Mientras vociferaba que por culpa de Aila el alma colectiva de la familia «se fue al carajo», se negó a recibir a su hija, quien se tuvo que alojar en El Vigía con Alda, Diego y Ainé durante la visita, mientras Alda corría de una casa a la otra, cual diplomática experta, ejecutando malabares entre la resistencia y el bando reaccionario.

En una de sus visitas posteriores, Aila llegó con su prometido, un silencioso y solemne profesor de Derecho de nombre Frederic

Steward. Lo conoció mientras viajaba de Nueva York al Aeropuerto Internacional de la RIAP, invitado por el Colegio de Abogados. Su flemática personalidad se esfumó ante el espectáculo que era Aila, y la invitó a salir tímidamente mientras le pedía otro *scotch* con la excusa de hablarle. Le propuso matrimonio antes de cumplir el año de conocerla. El evento de la boda de Aila en 1985 giró más en torno al epicentro que era Alda que de la misma novia. Mientras Aila llegaba a un acuerdo con la línea aérea y el novio organizaba la mudanza de ambos a Ponce, Alda se encargó de todo el montaje de la boda: desde la exquisita recepción en el Club Náutico hasta el último mechón de Ainé peinado a la perfección.

A los diez años y en su primer traje largo color celeste, Ainé desfiló en la boda intentando lanzar pétalos de rosas con gracia, pero para su frustración, las flores volaban como cuando lanzaba maíz a las gallinas en la Hacienda Girón. Los dotes de Alda eran dignos de una controladora de tráfico aéreo. Ya para los años 80, reunir a la familia Carmona requería de un complejo y sutil plan que involucraba diversos arreglos de estadía, transportación y logística, distintos pasaportes y varios puntos de partida alrededor del mundo. Alda, al igual que Ainé, tenía doble pasaporte, el de la RIAP y el canadiense; la familia entera conformaba un cóctel de pasaportes, según las gestiones y circunstancias de cada uno.

Cuatro de los hijos e hijas de los Carmona reclamaron la ciudadanía española por la nacionalidad de Don Julián, y dos de los varones vivían en España. Algunos tenían la ciudadanía de Canadá y la abuela Cora aún cargaba con su pasaporte del Reino Unido, aunque durante el resto de su vida nunca regresaría a Europa. Para hacer el asunto más complejo, Arturo, el primer hermano varón de Alda, se había casado con una exuberante pintora negra brasileña, Marena, de la escuela modernista de Tarsila do Amaral, y claro está, contaba con el pasaporte de ese país al igual que sus dos hijas. El único pasaporte que los unía a todos era el oficial de la Región Independiente Autónoma de Ponce, repartido con orgullo por un pintoresco mandatario que no tuvo paralelo en la pequeña república que abarcaba todo el sur de la isla caribeña, desde las pequeñas islas de Vieques y Culebra al este, hasta el pueblo de Rincón en el extremo oeste que casi toca con la República Dominicana. Los conflictos existenciales y perpetuos de la vecina región no autónoma del norte importaban poco a los nacidos en la RIAP. Parafraseando al gran Tennessee Williams, cuando dijo que en una lejana nación del norte «solo califican como *ciudades* Nueva York, San Francisco y Nueva Orleans, lo demás es una masa de ciudades grises y sin personalidad que se parecen todas a Cleveland», los nacidos en la RIAP solían repetir la idea afirmando: «Ponce es Ponce. Lo demás es estacionamiento».

La rabia de Cora había amainado ligeramente con los años, pero no se había extinguido. En un momento de rara sensatez, decidió que era más sabio redirigir la furia contra su hija menor hacia la persuasión para que, al menos, se casara en una gran boda católica en la catedral que borrara de la memoria colectiva el recuerdo del «pecado» de Aila. Para su fastidio y frustración, Aila se negó de plano a someterse a una boda por la iglesia, a confesarse y mucho menos a acudir a una «orientación marital» dictada por un sacerdote célibe, el cual, si algo le había enseñado su tiempo en el noviciado, de célibe posiblemente no tendría más que el voto de castidad.

Aila calculaba que el tiempo escabroso en el noviciado era una dosis suficiente de religión para durarle toda la vida. Frederic Steward, un típico *WASP*, tampoco era protestante practicante, así que, ante el frente unido de los novios, ni siquiera el espectáculo de Cora con peineta y mantilla murmurando rosarios para que la novia cambiara de opinión, surtió efecto alguno. A pesar de todo, la boda no terminó simulando un plenario de las Naciones Unidas, sino una de las ocasiones más felices de la niñez de Ainé.

La boda se pautó para el 6 de octubre de 1985 en el majestuoso salón principal del Club Náutico de Ponce, rebosante de rosas y orquídeas blancas, mirando hacia las aguas bravas del Mar Caribe bajo una romántica e incesante lluvia. Cuando Aila entró desfilando del brazo de Don Julián, todos los presentes –menos Diego–, pensaron que una novia más exquisita jamás había desfilado por aquellas tierras amigas del mar. En un momento de la noche, Alda se sentó a descansar los pies y Diego aprovechó para sacar a Ainé a bailar. Ainé lanzó un pequeño grito de deleite, salió corriendo al centro de la pista de baile y comenzó a girar alrededor de Diego con el ramo de dama de su madre en mano. Alda recordó que más de diez años atrás había guardado como un tesoro la memoria de Beatriz y Marcos como una referencia de amor, por si algún día le tocaba a ella. En ese momento perfecto, viendo a Diego y Ainé bailando felices, se dio cuenta de que finalmente le había tocado.

* * * * *

En la madrugada del día siguiente, el 7 de octubre de 1985, el terreno del Barrio Mameyes, no muy lejos de El Vigía, donde vivían Diego, Alda y Ainé, comenzó a ceder bajo el impresionante castigo de una onda tropical. En cuestión de segundos, vomitó un manto mortal de lodo y piedras que se tragó a cientos de almas. El número real de fallecidos nunca se supo.

CAPÍTULO 15

Región Independiente Autónoma de Ponce (RIAP)

La tragedia de Mameyes sacudió a Ponce y a todos los rincones del mundo a donde llegó la noticia, dejando una pesada estela de dolor que mezclaba el espanto, la incredulidad y la impotencia en forma colectiva. Ese mismo día, el Primer Ministro declaró un Estado de Emergencia, activando al Servicio Militar Activo para organizar la ayuda necesaria en términos de la transportación y el rescate. Los Girón, los Carmona y hasta los Palacios se lanzaron a socorrer a las víctimas frenéticamente. Para sorpresa de todo el mundo, Doña Ignacia salió temporalmente de su estupor y coordinó una de varias cocinas comunitarias que mantuvo comida caliente para los rescatistas corriendo las 24 horas. Cora se lanzó a ayudar a través de la Iglesia, y Diego, Manuel Antonio y hasta los recién casados fueron físicamente al área del desastre, brindando apoyo a los sobrevivientes que buscaban desesperadamente a los incontables desaparecidos.

La tragedia no se circunscribió a Mameyes: también en el sector El Tuque en Ponce, 15 personas murieron ahogadas, y en la autopista, un puente se desplomó, provocando la muerte de 30 personas que no se percataron de la ausencia del tramo en la oscuridad y cayeron al vacío. Todo el mundo presenciaba aquel horror apocalíptico sin saber por dónde comenzar. Alda, con sus talentos excepcionales para coordinar iniciativas de comunidad, fue destacada del Ateneo y trasladada a la oficina del alcalde, donde dedicó 18 horas al día a organizar los recursos que disponía el ayuntamiento y la región, los cuales no estaban ni remotamente preparados para aquella desgracia humana. La pesadilla de Mameyes hubiera sido difícil de manejar en cualquier escenario, pero para empeorar la situación, Ponce atravesaba una aguda crisis política en la Casa Alcaldía. Justo antes de la tragedia, en 1984, el Gran Jurado del RIAP acusó al alcalde, que tanto gustaba de almorzar opíparamente en El Prado, de una extorsión millonaria con fondos públicos.

El sucesor del alcalde caído en desgracia no fue formalmente acusado, pero sí fue nombrado conspirador en el caso. El panorama no podía lucir más gris para la orgullosa república, que ahora se encontraba de rodillas. Alda se lanzó en cuerpo y alma a convertir al ayuntamiento en el centro de operaciones que debía ser, mientras los políticos se preocupaban por dar entrevistas a periodistas, velando a sus espaldas de mayores investigaciones. Alda sirvió como enlace de los esfuerzos regionales, y luego internacionales, que llegaron brindando asistencia, inicialmente construyendo refugios temporales y luego levantando toda clase de infraestructura de rescate. Entendiendo la magnitud del golpe psicológico colectivo de aquel Armagedón, Alda reclutó ayuda psicológica y social que facilitaron las estudiantes de la Escuela de

Trabajo Social de la Universidad Nacional Autónoma de Ponce para intentar manejar el impacto de aquella aterradora experiencia.

Entre los grupos internacionales que se organizaron para dar una mano en aquel infierno de muerte y lodo, se hallaba una delegación de República Dominicana. Cuando Alda revisó la lista de nombres en la misiva que anunciaba su llegada casi supo, antes de leerlo, el nombre de Álvaro Palacios.

* * * * *

Álvaro se unió de inmediato al grupo de voluntarios dominicanos cuando supo de la trágica noticia en su ciudad. Don Erasto e Irma relataron la espeluznante escena de cientos de personas buscando con sus propias manos a sus seres queridos entre el manto macabro de fango que lo cubría todo. No solo República Dominicana, sino México, Francia, Cuba, España y Venezuela enviaron alivio económico, humanitario y equipo complementario. Álvaro fue destacado de inmediato para trabajar en el análisis de alternativas de transporte al área de desastre de los equipos y la maquinaria que se necesitaban. Los grupos de rescate enfrentaban un reto enorme para entrar en la zona de deslizamiento porque la carretera era muy estrecha para mover equipo pesado. La inestabilidad del terreno era tan aguda que cuando los helicópteros sobrevolaban el área, causaban desprendimientos adicionales leves.

Alda miró aquella carta por largo tiempo. Cuando terminó de releerla, la dejó en el escritorio de su oficina adyacente a la del alcalde, bajó las escalinatas y salió a toda prisa de la Casa Alcaldía. Le bastó cruzar una acera para llegar a la calle Villa, al edificio del Hotel

Girón, donde saludó rápidamente al portero y procedió a correr hasta las oficinas del Madrileño, adonde llegó jadeando. Manuel Antonio y Diego la miraron extrañados, sin entender qué pasaba. Alda se dio cuenta de lo melodramática que debía lucir y se esforzó por normalizar su respiración.

—Hola Manuel Antonio. Hola Diego. Tienen a varios abogados trabajando aquí, ¿verdad? ¿Creen que alguno me pueda hacer la papelería para tratar mi divorcio? ¿Hoy mismo? Puedo esperar, gracias –dijo sofocada.

Con eso se sentó en su antigua silla de trabajo y se comenzó a abanicar, inconscientemente imitando al dedillo el ademán de Cora cuando se impacientaba.

* * * * *

Alda llevaba sobre once años sin ver a Álvaro, y la distancia le había ayudado a acomodarse cómodamente en una burbuja que existía de espaldas al hecho de que seguía legalmente atada a él. Rara vez pasaba un día sin que su profunda religiosidad se lo reprochara. Entre las dos rutas que tenía ante sí para ofender a la Iglesia católica, prefería divorciarse que vivir con Diego en aquel feliz pero irregular y precario arreglo. No todas sus motivaciones eran religiosas. Ansiaba ser la esposa de Diego de un modo que la abochornaba. Quería saber que legalmente eran el uno del otro, ahora y en su vejez. A pesar de ser una mujer de una determinación feroz, no había evolucionado sobre esos roles sociales: soñaba con ser la Sra. Alda Girón. Cada vez que se lo mencionaba a Bea en sus maratónicas conversaciones telefónicas, casi podía sentir a su cuñada volteando sus ojos en exasperación.

Le dolía pensar en todo lo que Diego había renunciado por ella. Alda le dejó saber muy temprano en la relación que luego del nacimiento de Ainé, le sería casi imposible concebir nuevamente y que no podría darle hijos propios. En respuesta, Diego la besó y le contestó que él sí tenía una hija propia, llamada Ainé. Pero no encontraba paz. Una vez tuvo los papeles del divorcio, que se tramitaron con sorprendente rapidez en el tribunal, los guardó en un sobre manila en su oficina en la Casa Alcaldía y se sentó a trabajar, y a esperar.

Una semana después, se encontraba en la oficina del alcalde repasando los detalles de una delegación de Panamá que llegaba esa tarde a Mameyes y que el ejecutivo municipal debía recibir. Conseguir la atención del alcalde no era tarea sencilla, y Alda tenía un arte particular para enfocarlo. Esa mañana, sin embargo, sus estrategias no estaban funcionando, y ya se imaginaba teniendo que asistir personalmente a cubrir las responsabilidades del alcalde una vez más.

—Ya son las 11:50, Alda. Vamos a cruzar a El Prado a almorzar con el Madrileño y me sigues contando allá –dijo el Alcalde, poniéndose una chaqueta de lana que nadie en Ponce hubiera usado con excepción de los seres privilegiados que nunca transitan fuera del aire acondicionado.

—Me quedo coordinando esto, pero vaya usted –le dijo Alda, calculando que seguramente avanzaba más sin su presencia.

—Como quieras. Quédate aquí mismo y usa mi oficina, que tienes diez carpetas abiertas encima de mi escritorio. Yo saludo a Manuel y a Diego de tu parte –y sin más, salió de la oficina.

Alda se puso de pie, caminó hasta la silla del alcalde, se sentó y tomó un bolígrafo para comenzar a iniciar los documentos más urgentes de la pila de papeles que debían ser tramitados con urgencia. Tanto ella como el alcalde sabían que, de otro modo, muy poco salía resuelto de aquella oficina. Alda respiró, se recostó de la silla, y exhaló cerrando los ojos a la realidad por un instante. La enormidad de aquella tragedia a menudo la paralizaba momentáneamente. La puerta de la oficina del alcalde se abrió y Doña Rocío, la secretaria encargada del calendario del alcalde, asomó la cabeza, siempre coronada de un casco de cabello fijado con tanta laca que ni las lluvias incesantes de aquellos días podían penetrar.

—¡Alda! A ti misma buscaba. Me imaginé que estabas aquí porque el alcalde salió. ¿Se fue a almorzar? –preguntó.

—Para ser la encargada del calendario, el alcalde se le pierde con alarmante frecuencia, Rocío –dijo Alda retomando el bolígrafo.

—Ya me di por vencida. Siempre que no lo veo asumo que está en El Prado. Tienes visita. No está en tu calendario, pero le hice pasar al vestíbulo y… –Rocío no terminó.

Álvaro apareció detrás de ella y entró sin esperar a ser invitado. Alda lo miró atónita. Lo había estado esperando en una cita inevitable, pero el hombre que tenía delante de sí apenas recordaba la estampa del Álvaro que vio por última vez en California. Su pelo se había tornado totalmente blanco, y su rostro y antebrazos, al descubierto por su almidonada guayabera de manga corta, estaban repletos de manchas y lunares típicos de las pieles pálidas abusadas por la continua exposición a los rayos solares. Había aumentado un poco de peso, y Alda notó que esas libras se concentraban solo en su torso, al igual que sucedía con Irma. Caminaba ligeramente encorvado y su respiración era tan laboriosa que se escuchaba lastimosamente a través de la enorme oficina. Álvaro apenas estaba en sus 50 años y lucía 70. Alda hizo un esfuerzo por recuperarse rápidamente.

—Está bien Rocío, no te preocupes. El señor es parte de la delegación de la República Dominicana. Sal y cierra la puerta –dijo Alda, sin ponerse de pie.

Álvaro no se acercó a ella, sino que comenzó a caminar en círculos por el espacio, observando sin prisa los detalles arquitectónicos coloniales del ilustre edificio de 1840. Sin mirarla, comenzó a hablar como si se hubiesen visto el día anterior.

—¿Sabías que este edificio tiene una de las historias más macabras entre las alcaldías del mundo? Era una cárcel y estas oficinas eran celdas hasta finales del siglo XIX. Aquí en el patio interior se realizaban fusilamientos –dijo bizarramente Álvaro, ya plantado frente a Alda, quien lo miraba sin expresión alguna.

—Toma asiento. ¿Quieres algo de tomar?

—Has llegado lejos Alda, eso te lo tengo que conceder. Aquí estás en la silla del alcalde, sin duda tomando decisiones importantes. Vives con mi hija en una mansión en El Vigía con un hombre más joven que tú. Tu nuevo suegro es un hombre poderoso en el pueblo y me cuentan que eres la nueva matrona del movimiento cultural de Ponce. ¿Dónde tenías escondidos esos talentos? –le preguntó Álvaro cruelmente, mientras resumía su inspección del recinto. Alda había guardado la leve esperanza de que aquella conversación, postergada por más de una década, fluyera con algún grado de dignidad; claramente no sería el caso. Álvaro seguía siendo Álvaro, a pesar de su decrepitud.

—No estaban escondidos. Nunca estuviste en casa, así que no podías enterarte. Pero sí, te admito que las cosas han cambiado –dijo Alda–. Ahora, por ejemplo, tengo guardaespaldas a mi disposición. Y todavía hacemos rondas de fusilamiento los domingos, por si te interesan –le dijo en un tono seco, y mirándolo directamente a los ojos sin titubear. Álvaro la observó, recalibrando a aquella mujer que se parecía a su esposa, pero que no sonaba ni remotamente como la recordaba.

—No hará falta Alda, no te preocupes. Tampoco hace falta el perro guardián que lleva y trae a Ainé a todas partes. Te ves muy bien. No te ha pasado un día por encima –contestó Álvaro cambiando de tema. Alda no dijo nada.

—¿Y cómo está Ainé? –preguntó por fin Álvaro.

—Está en la casa en El Vigía. El Liceo cedió parte de sus instalaciones a la delegación de rescatistas e ingenieros de España. Nadie tiene cabeza para dar o tomar clases en el pueblo.

—Ainé me ha contado en nuestras conversaciones telefónicas que le gusta mucho vivir allí con Diego y contigo. Me dice que hasta una perra tiene. Se me escapa el nombre. Esta estampa de domesticación clandestina sin la aprobación de tu Iglesia no me la esperaba. Te debe consumir viva el que no te puedas casar con él –dijo Álvaro en una voz monótona y sin inflexión. Alda sabía que era la familia Palacios, y no su hija, la que se encargaba de reportar cada detalle de su vida a Álvaro.

—No es tan difícil mi domesticación clandestina, como la llamas. Casi todo Ponce te da por muerto, Álvaro. Recibo todas las consideraciones propias de una viuda –le espetó Alda sin miramientos. Álvaro la miró levantando una ceja, un gesto odioso que había olvidado de él. Se obligó a no antagonizarlo más.

—Pero me alegro de que hayas venido –dijo Alda, finalmente poniéndose de pie –. Por el bien de Ainé vamos a aprovechar que estás aquí y resolver los asuntos pendientes entre nosotros. Tengo los papeles del divorcio aquí conmigo. Te los entrego o podemos concertar una cita entre nuestros abogados –culminó.

Con su rostro prematuramente envejecido, Álvaro la miró con lamento, y por algún motivo esa mirada le recordó el entierro de Herminio hacía muchos años.

—Lo que había que resolver entre nosotros se resolvió un 29 de diciembre cuando nos casamos. Puedes seguir tu vida. Sé que tu opinión de mí es que soy poco más que un cavernícola, pero, aunque no lo creas, sé que era de esperar que una mujer de tus talentos y belleza intentara rehacer su vida. Pero esta vida, Alda, es el conjunto de las decisiones que tomamos, con sus respectivas consecuencias. Los errores siempre se pagan. Nunca son gratuitos. No vale la pena vivir tratando de deshacer lo ya hecho –dijo Álvaro, como quien explica algo obvio.

—Por supuesto que se puede deshacer lo hecho. Nos bastan dos firmas en los papeles que tengo preparados. Por Dios, Álvaro, si hasta tus propios padres están divorciados –dijo Alda, y en ese instante se dio cuenta de su error estratégico en traer a Doña Ignacia y a Don Erasto a colación.

—Lo de mis padres es distinto. Mi madre no está bien y lo sabes.

—Tú tampoco lo estás Álvaro, y también lo sabes –ripostó Alda abarcando por primera, y última vez, la pesada mole de la depresión y tristeza perennes que Álvaro cargaba a cuestas. Álvaro la miró y caminó hacia un elegante ventanal que ofrecía una vista hacia la Plaza y vislumbró el paisaje nublado de aquel mediodía de octubre.

—Eres demasiado romántica y fantasiosa para tu propio bien. La vida es esencialmente sufrimiento. Tu misma religión te lo enseña –dijo Álvaro, aún dándole la espalda mientras seguía mirando hacia la Plaza.

—No podía faltar una cita del padre de la filosofía del pesimismo de su más devoto alumno –le dijo Alda, haciendo referencia a la admiración de Álvaro por el filósofo alemán Arthur Schopenhauer y sus postulados sobre el dolor perpetuo de la vida.

—El pesimismo y tus creencias religiosas no están tan lejos, Alda. Tu religión es tan pesimista que te carga con pecado antes de siquiera abrir los ojos al mundo –le dijo, volteándose para mirarla–. Tu gran problema es que eres de esas personas que solo encuentran aceptables las relaciones y los amores idealizados, que nada tienen que ver con este mundo cabrón en el que vivimos.

—Yo no quiero un amor idealizado. Quiero un amor correspondido.

—Todos pensamos que queremos eso, pero al final del día, si lo piensas desapasionadamente, la mayoría de los amores trae más miseria que felicidad. La inmensa mayoría de la gente vive sufriendo por culpa del amor. Más que de amores correspondidos, el mundo está lleno de amores innecesarios. Qué le vamos a hacer, señora Palacios –dijo Álvaro en voz serena.

Con eso dirigió su mirada hacia Alda una vez más y fue cerrando la puerta tras de sí. Le tomó a Alda unos segundos caer en cuenta de que había aguantado la respiración hasta que lo vio salir.

* * * * *

Alda y Diego tuvieron su primera discusión que desembocó en una pelea abierta esa misma tarde. Cuando Alda llegó a la casa del Vigía, Diego la esperaba fumándose un cigarrillo en la terraza de la planta principal. Nunca era buena señal cuando Diego fumaba. Por algún motivo, ese hábito que detestaba era del que echaba mano cuando estaba frustrado o molesto. Azucena y su estela de retoños la anunciaron dando brincos y ladrando. Una vez saludó a la jauría y besó a Ainé, los envió a jugar al patio y se acercó a Diego. Por saludo, le tomó la mano y le narró, casi palabra por palabra, su conversación con Álvaro. Durante una década, Diego había mantenido infinita paciencia ante la inacción de Alda en tramitar su divorcio, pero tenía demasiadas frustraciones acumuladas sabiendo que su familia era, ante los ojos de la ley, una familia ajena. Lo que en un principio dejó pasar como un formalismo innecesario para enfocarse en la felicidad que había encontrado en Alda y Ainé, le pesaba más con cada año que pasaba.

—¿Y eso es todo? ¿Álvaro dice que no y nadie más tiene voz ni voto? Puedes recurrir a los tribunales luego de tantos años de separación. Podemos ir ambos a hablar con Álvaro nuevamente. Hay alternativas, Alda, por Dios. ¿O es que en realidad no te quieres divorciar? –le dijo Diego, visiblemente alterado.

—Por supuesto que me quiero divorciar. No sé cómo se te ocurre pensar lo contrario –le contestó Alda, tratando de no llorar.

—Se me ocurre por el dato de que llevamos años en esta situación donde estás sacrificando nuestro futuro, la seguridad de Ainé y francamente, mi felicidad y la tuya por tu fanatismo religioso. No entiendo cómo una mujer de tu inteligencia puede sacrificar su vida y la vida de otros por un dogma cruel que sentencia a los seres humanos a vivir en infelicidad –en el instante en que dijo la última palabra, Diego supo que había cruzado un umbral con Alda del que no habría regreso.

Sabía que acababa de herirla profundamente y por primera vez, y sin embargo, no veía otra forma de hacerla reaccionar ni de cómo seguir tragándose su propia decepción. Se sentía vulnerable al saber que tendría que aceptar lo que Alda decidiera o no hacer. Vivir sin ella no era una opción para él. Alda lo miró con sus enormes ojos, bajó la vista y salió de la terraza de la casa hacia su interior. Salió por la entrada principal y echó a andar por el paseo que desembocaba en pocos minutos en la cruceta del Vigía. Se acercó a la enorme cruz rodeada de jardines de trinitarias y al mirador que ofrecía a sus pies la ciudad en toda su grandeza, pulsando con vida, mientras ella desde arriba, observaba desconcertada y vacía, sin poder imaginar porqué Dios tardaba tanto en ayudarla. Entonces escuchó la voz lacerante de Álvaro en su cabeza: *«La inmensa mayoría de la gente vive sufriendo por culpa del amor. Más que de amores correspondidos, el mundo está lleno de amores innecesarios»*. Como un ave de rapiña, le atravesó por la mente la duda de si era ella el amor innecesario que Diego no merecía.

CAPÍTULO 16

Región Independiente Autónoma de Ponce (RIAP)

El Carnaval Ponceño, que se celebra anualmente en febrero, es de orígenes tan antiguos que no se conoce con certeza cuándo comenzó la tradición de sus sandungueros demonios danzantes conocidos como los vejigantes. Académicos de la cultura e historia de Ponce colocan sus orígenes hace 250 años. Lo cierto es que, durante su carnaval, Ponce se abraza en una fiesta delirante con ciudades hermanas que celebran simultáneamente los suyos en diversos rincones alrededor del mundo, como Venecia, Río de Janeiro y Nueva Orleans con su *Mardi Gras*.

El carnaval de febrero de 1988 fue recordado como uno de los más rutilantes y lucidos, en buena medida porque coincidió con los 18 años de Ainé. El itinerario de celebraciones pautado para el fin de semana arrancó el viernes 14 de febrero con una decadente gala en El Prado, al que asistió todo el que importaba en los círculos políticos, culturales, religiosos y empresariales de Ponce. El Madrileño, que nunca necesitó excusa para montar una buen festejo, se lució con una celebración que duró tres días para su única y adorada nieta. El espectacular edificio neoclásico del antiguo Hotel Bélgica fue decorado desde la azotea hasta la acera con cientos de hileras verticales de luces doradas. De los largos balcones horizontales de nueve arcos en la segunda planta, correspondientes a las habitaciones del actual Hotel Girón, colgaban guirnaldas de fresias blancas y amarillas. Tres orquestas tocaron esa noche: una para complacer los gustos de Manuel Antonio, otra para complacer los gustos de Alda y Diego, y una para la inevitable música de los 80 que Ainé sentenció como imprescindible. Así, la noche entrelazó en diversos momentos las notas disímiles de la danza, Frank Sinatra, el jazz latino y Madonna.

La entrada principal en la calle Villa, abría a una majestuosa recepción de pisos de diseño cuboides clásico tridimensional en blanco, negro y gris, y candelabros de cristal checo. El recinto se abrió completo uniéndose en un gran salón de fiestas –con la sola excepción del área de oficinas–, y fue decorado sin escatimar en detalle alguno. El Hotel Girón, con alfombra roja y una fila de porteros en formación militar, recibió fragante esa noche de carnaval a los 300 invitados con salones rebosantes de rosas blancas en honor a Ainé, y orquídeas *Phalaenopsis* color borgoña, haciendo honor a Ponce, y al vino tinto, pero esa parte Manuel Antonio se la guardó.

Para la ocasión, Ainé, quien ya a esa edad exhibía el agudo sentido de estilo de su madre, ordenó un vestido largo de cremoso satén color marfil. Ignorando la hipérbole *fashionista* estridente de esa época, Ainé abrazaba los mismos gustos clásicos de Alda, cuyas selecciones sartoriales se veían tan actuales en sus fotos de los 50, como de los 80.

Ainé hizo su entrada esa noche resplandeciente del brazo de Diego, y luciendo de algún modo angelical, y simultáneamente sofisticada. Su escolta de la noche era el segundo hijo varón de Beatriz, su primo, Rogelio Palacios, quien hablaba con un *slang* mexicano tan marcado que a Ainé se le hacía difícil entenderlo, pero quien la divertía muchísimo y bailaba muy bien. De bateadores alternos tenía a Ignacio y a Erasto Jr., los otros dos hijos de Beatriz y el fallecido Herminio. Alda le había preguntado meses antes si tenía algún a*migo especial* que le interesara invitar como su pareja, pero Ainé respondió diciendo: «Nadie con quien quiera dañar mis fotos y arrepentirme en el futuro». De vez en cuando, Ainé la sorprendía con comentarios tan preñados de madurez que Alda envidiaba no haber pensado así a su edad.

Sin embargo, la sensación de la estelar noche fue Alda Carmona, quien llegó luminiscente detrás de su hija. Alda tenía 47 años y nunca había lucido más hermosa en su vida. La felicidad, había descubierto, era un maquillaje indeleble. Llegó enfundada en un traje finamente drapeado y ceñido estilo sirena, color hueso y de un solo hombro sobre el cual lucía un broche de diamantes y perlas que Diego le había regalado para esa noche. Diego no se quedó atrás, y lució guapísimo en una etiqueta clásica de un solo botón que el diseñador Dimitri había popularizado en los 80. Cargaba unas gemelas de platino con las siglas «MG» en cada muñeca que habían pertenecido a su abuelo paterno, y se le vio brindando con abundantes copas de Veuve Clicquot, viviendo esa noche como si se tratara de la boda que nunca tuvo con Alda. De ahí en adelante, Alda comenzó a usar un discreto aro dorado en el dedo anular izquierdo a juego con el que también comenzó a usar Diego.

Entre los invitados especiales que ocuparon ese fin de semana las suites del majestuoso segundo piso estaban Beatriz y Marcos, llegados de Ciudad de México con sus seis hijos e hijas; Sonsoles, la única hermana viva del ya fallecido abuelo materno de Ainé, Julián, y quien viajó de Sevilla; la misma Cora, quien vivía cerca del hotel pero insistió en hospedarse para poder bajar las elegantes escaleras del edificio realizando una entrada triunfal a la fiesta; las dos hermanas de Manuel Antonio, procedentes de Madrid y su *amiga* de ese momento, una elegante y delgadísima viuda ponceña de nombre Violeta –que le recordaba a Alda a la recién fallecida Wallis Simpson, la Duquesa de Windsor–, y Jean Ferris, la entrañable amiga de Alda, con quien Ainé había recorrido la costa de California cuando tenía apenas tres años.

Jean, fiel a su palabra, se había retirado hacía cinco años. Alda no logró convencerla de mudarse a la ciudad capital de Ponce y en vez, vivía en un camper parecido al recordado *Boogie Oogie* en un terreno que había adquirido frente a la Playa Stella en el pueblo de Rincón, donde la comunidad de *surfers* armonizaba con su alma de *hippie* californiana. Para Jean, vivir lejos del mar era como vivir sin oxígeno, y en el hermoso pueblo de expatriados de todas partes, cerca de Alda y Ainé, llegó finalmente a su hogar, el único que conoció tras la muerte de James.

«Rincón is better for me, dear» le dijo a Alda, explicándole sus planes de, eventualmente, construir un pequeño hospedaje playero en el terreno. A Alda poco le importaba con tal de tener a su amiga cerca, y Jean se convirtió en huésped frecuente del hotel, de la casa en El Vigía y de su preferida, la Hacienda Girón, adonde le encantaba llegar con sus tres salchichas, retoños de los tres originales con los que Ainé pasó tantas horas jugando en California. La noche de la fiesta, por fin logró un aparte con Alda cerca de una de las barras más alejadas de las orquestas.

—*A toast!* –le dijo a Alda haciendo señas a Bruno, el camarero, para que le sirviera dos copas de champaña.

—Esta noche merece algo más nostálgico para brindar, querida Jean –contestó Alda, y le pidió a Bruno que les sirviera dos *martinis,* como aquellos que degustó con su amiga en los improvisados *happy hours* en la casa rodante, viendo atardeceres en la costa californiana mientras rumiaba y escribía sobre su desesperante infelicidad.

Aquello se sentía tan lejano, y a la vez inquietantemente cerca, como a menudo se sienten los capítulos inconclusos de la vida. Ambas mujeres se miraron con infinita ternura. Alda siempre supo que ella era el amor de la vida de Jean luego de la muerte de su adorado James, y que ese amor era tan desprendido que nunca se lo apalabraría, sabiendo que los afectos románticos de Alda discurrían por otros lugares. Alda también sabía que Jean era feliz con aquel arreglo que le permitía estar cerca de ella, sintiéndose parte de su familia y siendo testigo de la felicidad de Alda y Ainé, mientras vivía su historia paralela. Fue uno de los amores más puros que Alda conoció porque nunca requirió nada, excepto la certeza de que el ser amado era feliz.

–*You look so beautiful, my dearest* – dijo Jean sonriente, y luciendo inusualmente elegante en un vestido largo negro, el cabello recogido y maquillada por la misma Alda–. No sabes todas las nostalgias que me acompañan esta noche. Qué mucho has caminado desde que te tuve llorando en mi *RV* casi por un año.

—*¡Boogie Oogie!* ¡Cómo lo extraño! El sucesor no tiene el mismo encanto. Ese año contigo fue lo único que me permitió sobrevivir aquel momento. Eso y tus *happy hours*. Nunca te conté todo lo que me dijo Álvaro la última vez que lo vi, aquel día en la Alcaldía –dijo cambiando de tema sin transición.

—No me digas que hubo más de lo que me contaste.

—Fue algo que no entendí en ese momento, y quizás no entiendo aún, pero creo que es lo más íntimo que me ha revelado Álvaro desde que lo conozco. Me dijo que la mayoría de los amores trae más miseria que felicidad y que no aceptarlo es vivir alejado de la realidad, que el mundo está más lleno de amores innecesarios que de amores correspondidos. Me lo dijo cuando se negó a firmar los papeles del divorcio –le dijo Alda, mordiendo una aceituna del *martini*.

—Depende de su definición de amor innecesario, supongo. Si innecesario para él es sinónimo de no correspondido, pues tendrá sentido para él, pero esa definición es muy miserable para encapsular el amor. Hay amores no correspondidos que sencillamente son. No requieren de permisos o repagos para existir –le dijo Jean, hablando más de sí misma que de Álvaro. Alda puso una mano sobre la de Jean y la apretó.

—Entonces eres de la escuela de Albert Camus, quien escribió que no ser amado es una simple desventura; la verdadera desgracia es no amar.

—No sé quién es ese Camus, pero me suena a que sabe de lo que habla –contestó Jean, terminando su *martini*.

—Álvaro piensa que nunca lo amé, ni siquiera al principio, y no sé si tiene razón. En cualquier caso, fue un amor innecesario por el que otros han tenido que pagar además de mí misma –dijo Alda tomando otro sorbo, y cerrando los ojos al escuchar la romántica melodía de *Estando Contigo* de Don Felo Rosario Goyco, que replicaba una de las bandas y que Danny Rivera había rebautizado en los 80 como *Madrigal*.

—Puede ser, pero si pudieras editar tu historia y eliminar ese capítulo de amor innecesario, ¿quién te hubiera garantizado los capítulos subsiguientes de Ainé y Diego? –preguntó Jean, como siempre, tan clara como el agua del Lago Tahoe.

Diego apareció en la barra y le extendió el brazo a Alda, señalando la pista de baile. Alda sonrió, le dio un beso en la mejilla a Jean y lo acompañó. Unos minutos más tarde, el cielo se iluminó con un espectáculo de fuegos artificiales lanzados desde la azotea del edificio, mientras miles de ponceños en la plaza se confundieron con los invitados de la fiesta en un aplauso de luz y música para Ainé.

* * * * *

La majestuosa fiesta, que terminó al amanecer, fue recordada además por la inusual cantidad de resacas que produjo entre sus invitados. Al día siguiente, se celebró una cena al aire libre en los jardines de la casa de El Vigía con una larguísima mesa vestida de vaporosos manteles, arreglos de tulipanes –un verdadero proyecto importar desde Ponce– y candelabros con elegantes velas por todos los jardines. La recepción se preparó para las 50 personas más allegadas de la familia y amistades de Ainé, y fue seguida de un pasadía el domingo para un grupo heterogéneo de invitados que no coaguló bien para nadie, excepto para el Madrileño, quien fue dejado sin supervisión con la lista de comensales, lo que dio paso al resultado correspondiente. Para el pasadía en la Hacienda Girón, Manuel Antonio mandó asar un lechón a la varita que sirvió con morcillas, paella y generosas cantidades de rioja y sangría. En ese punto, Alda y Diego solo eran capaces de tomar agua e intentar hidratarse.

Al maratónico fin de semana de celebración habían sido invitados todos los Palacios, Álvaro incluido, quien recibió el fino sobre de papel veneciano con la invitación formal por correo en sus oficinas en Santo Domingo. Por respuesta, envió a Ainé una tarjeta de felicitación genérica con su firma. El único representante de la familia Palacios fue Don Erasto, quien acudió a la fiesta en el hotel y al pasadía en la Hacienda Girón comportándose muy civilizadamente. Los años y los golpes de la vida tenían ese efecto de ablandar hasta los caracteres más obtusos.

Alda y Diego aprendieron a manejar con extrema delicadeza la inusual situación familiar en la que irremediablemente creció Ainé. Tan pronto comenzaron las preguntas de la niña sobre Diego, Álvaro, los Palacios y cómo se conjugaba todo eso, Alda le explicó en lenguaje sencillo una versión digerible de la realidad que se convirtió en un tejido de punto delicado al que seguía añadiendo detalles según aumentaba la capacidad de Ainé de manejarlos. Alda y Diego nunca se interpusieron entre Ainé y el contacto que quisiera o no tener con los Palacios. Güisín la llevaba periódicamente tanto a casa de Ignacia e Irma, como a la de Erasto, sin dejarla sola. Según Ainé fue creciendo, ella misma disminuyó las visitas a la retirada casa de Ignacia, que la deprimía; además de que siempre que veía a Irma, recordaba el desagradable incidente cuando intentó llevársela del Liceo. Sin embargo, con el tiempo, cayó en una rutina con Erasto que duró hasta que se fue a la universidad.

A aquellas visitas dos domingos al mes, Ainé siempre llegaba cargando con varios paquetes de cigarrillos Salem y baterías para el radio portátil de Don Erasto. Nunca pudo descifrar el misterio de porqué su abuelo paterno no usaba el cable externo para conectarlo a la electricidad cuando estaba dentro de la casa, pero quizás tenía que ver con las frecuentes siestas que tomaba Erasto en el patio, debajo del árbol de uva playera donde caía en las tardes roncando, radio portátil en el regazo.

La casa de Erasto, en la Calle Torre, era silenciosa y fresca, cobijada bajo la sombra de varios árboles de uva playera. Ainé descubrió que le agradaba detenerse allí de vez en cuando a hacer sus tareas o trabajar en los muchos proyectos extracurriculares que coleccionaba para robustecer su récord académico. A pesar de su popularidad, Ainé era una ratona de biblioteca y el bullicio de las oficinas de su abuelo, o el entra y sale de Alda y Diego con sus mil actividades en la casona de El Vigía la distraían constantemente. Así, poco a poco, comenzó a adquirir forma una improbable relación con Don Erasto, basada en hacerse compañía silenciosa y aceptarse mutuamente. Don Erasto disfrutó más de ver crecer a Ainé de lo que jamás disfrutó viendo a sus propios hijos, que no fueron más que un ruido de trasfondo en su vida.

Los Domingos de Resurrección eran las únicas citas imperdibles entre Don Erasto y Ainé. En esos domingos, Erasto, engominado y enfundado en una almidonada guayabera blanca de manga larga, iba con su nieta a la misa de la catedral, para luego llevarla a comprar el indispensable helado de *Los Chinos* de Ponce. Todos esos Domingos de Resurrección, Ainé regresaba a la casa de El Vigía con dos o tres pollitos pintados de rosa eléctrico, violeta o verde que le regalaba Erasto en una bolsa de papel de estraza con huequitos para que los pollitos respiraran. Ainé insistía en que se criaran libres por los jardines, y así los pollos, y eventuales gallinas y gallos, se fueron acumulando hasta hacer inservibles los meticulosos jardines. Con los años, Alda tuvo que intervenir y trasladar la gallinera multicolor a la Hacienda Girón.

Era en casa de Don Erasto donde Ainé hablaba dos veces al mes por teléfono con Álvaro. Sus temas giraban casi exclusivamente sobre el trabajo académico de Ainé y detalles del proyecto que Álvaro tuviera entre manos en el momento. Alda y Diego eran temas que ninguno de los dos abarcó con el otro jamás. A falta de mayores detalles que aquellas conversaciones crípticas con su padre y las muy esporádicas visitas de Álvaro a Ponce, por lo general durante las Navidades, Ainé se fue tejiendo una imagen de él que rellenaba con fantasías que servían de masilla en los huecos donde no tenía información. Con el tiempo, en su mente Álvaro empezó a ser menos un padre ausente e indiferente y más un excéntrico arquitecto que ayudaba a salvar vidas en Mameyes o construía ciudades rurales en la República Dominicana.

Alda y Diego observaban a Ainé romantizar la ausencia de Álvaro con creciente preocupación, sabiendo que tarde o temprano se golpearía contra el arrecife implacable de la realidad de su padre biológico, pero sin poder hacer mucho al respecto. Aquel proceso fue profundamente doloroso para Diego, quien se consideraba el único padre de Ainé. No importaba cuánto Alda y Manuel Antonio le explicaran que era una etapa normal y pasajera, Diego se sentía vulnerable al no ser su padre legal. Fue una cruz que cargó toda su vida, la cual Alda nunca se perdonó.

Un año antes, a los 17 años de Ainé, Diego y Alda se habían sentado con ella para discutir las universidades que le interesaban. Ainé les había dejado saber en repetidas ocasiones que el alma mater de Diego, la Universidad de Salamanca, era una de sus primeras opciones. Esa tarde, sin embargo, les comunicó que no estaba segura y que quería visitar a Álvaro en Santo Domingo antes de decidir. Aún con la angustia que aquello le causó, el mismo Diego la acompañó, conducido por un compungido Güisín, hasta el Aeropuerto Internacional de la RIAP al inicio del verano y la despidió con un fuerte abrazo a la entrada de los terminales.

Un mes más tarde, exactamente cuatro semanas antes de lo planificado, Ainé regresó a Ponce. Cuando entró por la puerta de la casa de El Vigía besó a su madre y a Diego, y abrazó a Güisín, quien la había recogido del aeropuerto. Acto seguido y sin decir una palabra, se retiró a su habitación seguida de una larga estela de perros, toda prole de Azucena. Esa noche no bajó a cenar. Al día siguiente, desayunando con Diego y Alda en la soleada terraza, ya libre de pollos, les comunicó que seguiría adelante con su trámite de admisión a Salamanca y que deseaba estudiar literatura, «al igual que mi madre y mi padre», dijo, posando una de sus manos sobre el brazo de Diego. Nunca les ofreció detalles de lo que pasó en República Dominicana.

CAPÍTULO 17

Salamanca, España

La carrera universitaria de Ainé en Salamanca fue uno de los períodos más felices de su vida. Propensa a auto infligirse ataques de ansiedad alrededor de su rendimiento académico, Ainé se encontró manejando los requerimientos brutales de la universidad con más tranquilidad de lo que hubiera esperado y al poco tiempo se relajó lo suficiente como para empezar a disfrutar del proceso. Ainé aprovechó esos años para viajar extensamente, primero por España –visitando a su tía abuela Sonsoles en Sevilla y a las hermanas de Manuel Antonio en Madrid–, y luego por Europa. Álvaro también se encontraba cerca durante esos años, ya que se había reencontrado con su mentor, el célebre arquitecto Frank Gehry, quien por aquellos días trabajaba en lo que sería en 1997 su *magnus opus*, el Museo Guggenheim de Bilbao.

El concepto arquitectónico del museo había expandido sus tentáculos incorporando elementos ya existentes en la ciudad, como puentes y áreas públicas. Fue para esta integración del museo con la infraestructura de la ciudad que el grupo de Gehry reclutó a Álvaro, cuyo trasfondo y competencias en esta área no tenía paralelo, luego de su extensa experiencia en la República Dominicana. Años más tarde, el resultado de esa visión de Gehry, del ayuntamiento y sus mecenas fue bautizado como «El efecto Bilbao» para describir cómo una ciudad podía revitalizarse económica y turísticamente con inversión en la cultura y la arquitectura.

Sin embargo, durante sus años universitarios, Ainé solo visitó Bilbao en una ocasión y prefería pasar sus vacaciones en Italia con Diego y Alda. Durante tres de los cuatro años que Ainé estudió en Salamanca, Diego y Alda rentaron una pequeña villa de tres habitaciones en el diminuto pueblo de Sala Comacina, con una vista de ensueño frente al Lago de Como en Lombardía, al norte de Italia. Llegaron hasta allí por una serie de eventos particulares que partieron del hecho de que Alda soñaba con visitar la Ciudad del Vaticano. En cuanto Ainé partió a estudiar a Salamanca, Diego organizó un viaje a Italia, a modo de estrategia preventiva «antisíndrome del nido vacío» para ambos.

Alda se enamoró instantáneamente de Italia, el país que llegó a ser uno de los grandes amores de su vida. Después de su primera visita, quedó convencida de que cualquier intento por crear algo relativo al arte, ópera, historia, arquitectura, moda, gastronomía, vinos o diseño en general siempre sería un esfuerzo finalista después de Italia. Diego, cuyo padre opinaba exactamente lo mismo, pero sobre España, ni lo discutió. Alda pasó semana y media visitando cada rincón del Vaticano, admirando embelesada la Basílica de San Pedro, la Capilla Sixtina, los vastísimos museos, los impresionantes jardines y el famoso Castillo *Sant'Angelo* frente al Río Tiberio, donde los pontífices se escondían para evadir dramas históricos, ejecutar a sus detractores o sencillamente encarcelarlos, particularmente durante la Inquisición.

Mentes brillantes, científicas y filosóficas, como la de Giordano Bruno, terminaron terriblemente torturadas, dato histórico que Diego comenzó a narrarle, para rápidamente hacer silencio cuando vio la cara de reprobación de Alda. La tolerancia de Alda a críticas o datos no halagüeños sobre su Iglesia era muy limitada. Por respuesta Diego, que se entretenía mucho haciendo bromas del fanatismo religioso de su pareja, la llevó de sorpresa a almorzar a la piazza del *Campo dei Fiori* donde fue ejecutado Bruno, y que exhibía una gran estatua en su honor en el centro. Alda tornó los ojos ante la gracia que aquello le daba a Diego, pero lo perdonó en cuanto probó la primera bola de queso burrata que se deshizo en su boca como natilla.

Alda también descubrió tiendas de artículos religiosos, no para turistas, sino para la gente que realmente vive y trabaja en esa ciudad-estado: los sacerdotes y las monjas. Con la misma fascinación y reverencia que había entrado a la boutiques en la Vía Condotti, Alda entró a aquellos establecimientos repletos de hábitos de todas las órdenes, sotanas, casullas de colores, polos sacerdotales, capirotes, cíngulos, escapularios y medallas de todo tipo. Caminó largo rato por aquel lugar desempacando los recuerdos de cuando Aila fue obligada a entrar en el noviciado y el dolor que aquel capricho de Cora desencadenó. Al final compró un estuche de píxide para guardar las hostias consagradas que todavía llevaba a los enfermos al menos una vez al mes a distintos asilos en Ponce.

Luego de una semana en la Ciudad Eterna, Alda le anunció a Diego que su parte favorita de Roma era Trastevere, cerca del Vaticano, con su rica historia que data del siglo XIII, y según Alda, la meca de los mejores restaurantes escondidos de la ciudad. En los 90, Trastevere era área de trabajadores, que aún no se había transformado en el barrio bohemio y turístico que sería años más tarde.

—¿De verdad? Hubiera pensado que preferías los establecimientos alrededor de las escaleras españolas, Vía Condotti o los Jardines Borghese –le dijo Diego mientras se deleitaba con su segundo *espresso* del día en Antico Caffè Greco. El venerable establecimiento era el café más antiguo en Roma. Desde que abrió sus puertas en 1860, Antico Caffè Greco atrajo a una exquisita y heterogénea mezcla de intelectuales y escritores, entre ellos el poeta John Keats, Hans Christian Andersen, Orson Welles y Mark Twain. Allí, Alda y Diego se sentían rodeados de viejos amigos que habían conocido en sus respectivas bibliotecas universitarias.

—Si, esas áreas me encantan, pero creo que tengo que sacarte de estos barrios burgueses y mostrarte lo que es una genuina comida romana de la casa –le dijo Alda sonriendo, mientras tomaba una mano de Diego y se la colocaba en su propia mejilla, un gesto que repetía con frecuencia, como recordándose que Diego era real y era suyo.

—*Non credo, il mio amore* –le contestó Diego, quien nunca desperdiciaba una oportunidad para hacer reír a Alda–. Mis raíces burguesas están bien establecidas por el Madrileño y no sé si psicológicamente puedo manejar otra área de Roma que no sea esta. Me siento a gusto en los barrios de los diletantes de las letras y el buen café.

Alda se echó a reír y esa risa, en el trasfondo de aquella hermosa mañana romana, sonó a los oídos de Diego como razón justa para cualquier sacrificio. Alda lo besó con labios que sabían a canela, a lápiz labial y a café. Para Diego, heredero de una hacienda cafetalera, el tema del café era tan sagrado como para Alda la moda. En consecuencia, mientras pudiera disfrutar del café italiano, estaba dispuesto a explorar cualquier callejón recóndito de Roma.

—Cierto que no es el área más elegante, pero me fascina su historia y la actitud de los locales, que se consideran los únicos romanos genuinos. Me recuerdan a los ponceños –le informó Alda, mostrándole en el mapa de la ciudad dónde quedaba Trastevere. Dos hombres italianos salieron del establecimiento admirando sin disimulo a Alda, algo a lo que ya Diego y la misma Alda se habían acostumbrado, porque ocurría un sinnúmero de veces al día con casi cualquier mujer en Roma, y muy particularmente con las que eran dueñas de una belleza excepcional.

—Te hago una oferta. Vamos allí a almorzar y me llevas a la *Accademia Nazionale di Santa Cecilia*, donde estudió Ennio Morricone –negoció Diego, quien vivía obsesionado con el compositor más prolífico de la historia de la cinematografía mundial, y quien había nacido y estudiado en ese barrio.

Caminaron sin prisa a lo largo del Río Tiberio. Alda se veía sensacional con su cabello suelto, un sombrero de fieltro y un vestido tejido de manguillos y coloridos patrones de Missoni, que marcaba cada curva de su cuerpo. Diego, luciendo como un local con su propio sombrero italiano Borsalino, la hubiera seguido al fin del mundo. Cruzaron a la Piazza del Popolo y siguieron en dirección al sur por la Vía di Ripetta, atravesando el Tiberio a la altura del Castillo *Sant' Angelo* y continuaron hasta llegar al *rione* 13 de Roma: Trastevere. A través del sublime recorrido por la ciudad, Diego había flotado detrás de Alda sin reparar en la dirección, como en su niñez había seguido a su padre por las calles del pueblo de Ponce: con la seguridad de que quien iba delante suyo tenía la ruta clara.

Alda se había hecho un mapa mental de Roma con sorprendente rapidez, y solo mirando ocasionalmente por encima de sus enormes gafas negras el mapa que llevaba en la mano, condujo fluidamente a Diego de un área a otra de la ciudad. Una vez se adentraron en Trastevere, entrando por la Piazza Santa María, Alda giró al este y condujo a Diego hacia una serie de callejones de adoquines. Navegando por las milenarias calles con sus alpargatas, se detuvo frente a lo que parecía una residencia privada con las puertas de su sala y comedor abiertas, extendiéndose hacia la calle como brazos ávidos invitando a comensales.

Adentro había un pequeño recinto con cuatro mesas para cuatro personas cada una, manteles típicos de cuadros rojos y blancos y al frente, una nonna vestida de negro esperando los agraciados mortales que degustarían su *bistecca* del día. Cuando vio a Alda sonrió y se le acercó besándola ruidosamente en ambas mejillas, para sorpresa de Diego.

—*Vieni, vieni cara. Siediti. ¿Questo è tuo marito?*

—Sí, *nonna* Antonella –le dijo Alda, y ambas fijaron sus ojos en Diego, quien, sin saber qué decir, les dio su mejor sonrisa de galán imitando el ademán del Madrileño, a quien aquello se le daba mejor que a él.

—*Sei fortunato. È molto bello.*

—*Sono d'accordo* –le contestó Alda, siguiendo a la *nonna* Antonella quien los condujo a una de las mesas, les colocó delante dos vasos de cristal, una botella de vino de la casa, y un menú que no consistía más que del único plato del día, escrito con lápiz en un papel blanco. La menuda abuela desapareció hacia lo que presumiblemente sería la cocina. Alda se quitó las gafas y su sombrero y le sonrió a Diego.

—Tengo varias preguntas y no sé cuál es más importante. Imagino que la primera es cuándo aprendiste a hablar italiano, y luego dónde estamos, seguido de quién es Antonella y por qué la conoces. También quiero saber la opinión de Antonella cuando le dijiste que soy tu marido, que fue lo único que capté –le dijo Diego, cada segundo más maravillado con la faceta italiana de Alda.

—Veamos –respondió Alda, sirviendo un vaso de vino tinto bastante sedimentado e igualmente sabroso para Diego, y uno de agua para ella–. No hablo italiano, solo lo más básico, pero te voy a dar un truco: es relativamente fácil de entender en general, a menos que te toque una palabra como *melanzana* que no te da ninguna pista sobre berenjena, en cuyo caso solo asiente y di que sí. Estamos en el restaurante de Antonella, que como ves, es el comedor de su casa. Los clientes de Antonella son trabajadores de cuello azul de la zona, y ella hace un menú de un plato por día que es lo que escribió aquí. No importa lo que sea, tiene manos santas. Antonella opina que tengo suerte porque eres muy guapo, con lo que concurro, y agradezco que no sepa que además eres más joven que yo porque temo que hubiera aplaudido públicamente.

En eso Antonella irrumpió en el comedor con dos ensaladas simples de lechuga y tomates, tan rojos y jugosos que parecían manzanas, y solo precisaban de un poco de aceite de oliva y vinagre.

Casi de inmediato, reapareció trayendo una canasta con fragante pan artesanal con romero que sirvió junto a un plato pequeño con aceite y sal para mojar el pan, y una cazuela conteniendo cuatro primorosos *Carciofi alla Romana,* alcachofas a la romana. Diego cerró los ojos mientras las saboreaba para grabar la explosión de sabores que salía de la cocina de Antonella. A las famosas alcachofas romanas le siguieron sendas *bistecca*, o jugosos filetes de ternera, que se deshacían bajo el cuchillo. Para acompañar las *bistecca*, Antonella produjo dos platos de delicada pasta cabello de ángel preparada al *cacio e pepe*, con queso y pimienta. Los ingredientes y recetas que usaba Antonella eran sencillos y mezclados a la absoluta perfección.

Tan absorto estaba Diego comiendo y bebiendo, que le tomó un rato recordar la pregunta que Alda no había contestado.

—Esta tiene que ser la mejor comida que he probado desde que llegamos a Roma, hace una semana y como cinco kilos atrás. ¿Cómo conociste a Antonella? –le preguntó Diego mientras engullía otro pedazo de ternera.

—La conocí aquel día que fui a la tienda de artículos religiosos donde compré la píxide para guardar las hostias consagradas.

Diego y Alda habían acordado sacar unos ratos para explorar distintas áreas de la ciudad cuando resultó evidente que Alda se tomaría largo tiempo en explorar cada rincón del Vaticano. Diego la dejó a sus anchas mientras él pasaba horas caminando por el Foro Romano o admirando la majestuosa Biblioteca Vallicelliana, fundada en 1565, y cuyas torres interminables de libros y documentos históricos fascinaban a Diego, particularmente la sección dedicada a la música.

Esos días, caminaban por senderos distintos en las ruidosas calles romanas que vibraban con vida propia, hasta que se encontraban eufóricos al final del día para cenar y contarse sus respectivos descubrimientos en la ciudad. El día que Alda conoció a Antonella había salido del Vaticano y echado a andar hacia el sur, en vez del norte de la ciudad, donde estaba el Hotel Roma Cavalieri, el histórico alojamiento que Diego había escogido porque ofrecía una vista excepcional de la Basílica de San Pedro, la cual quería que Alda pudiera ver a toda hora.

Alda se dejó perder aquel día por las calles de Trastevere en el trance típico de cuando se descubre por primera vez un entorno fascinante. Buscando una *trattoria* o una barra donde tomar algo, se topó con Antonella esperando a sus primeros comensales del día. Cuando Antonella vio a Alda subir por el estrecho callejón en dirección a su diminuto restaurante le pareció ver a una Sylvia en *La Dolce Vita de Fellini*, pero con cabello oscuro. Con su talento usual para conectar instantáneamente con la gente, Alda le sonrió y le dijo *«Buongiorno»*.

Antonella la tomó del brazo, la sentó en una de las mesas, y procedió a alimentarla como Dios manda, porque aquella mujer hermosa no parecía que comía suficiente pasta ni tomaba suficiente sol. Las mujeres hablaron mucho y se entendieron poco, pero Alda logró comunicarle que antes de partir de Roma, regresaría con su esposo, Diego. Ese día, cumplió su promesa a Antonella. Diego la miró embelesado durante el relato preguntándose cuán aburrida hubiera sido su vida si Alda no hubiera entrado en ella colmándola de aquellas historias absurdas y fascinantes.

—Entonces ya tienes una amiga en Roma –le dijo Diego, tomando la botella sin etiqueta y sirviéndose más vino mientras Antonella retiraba los platos.

—Por supuesto. La primera de muchas. La hubiera tenido antes, pero no hablo el idioma.

—Este día no se puede poner mejor.

—Hombre de poca fe. Por supuesto que sí... –y justo cuando Diego pensaba que Alda sugería una tarde de sexo, llegó Antonella con dos grandes pedazos de tiramisú hechos en casa.

El éxtasis de Diego fue total.

* * * * *

Al día siguiente, Alda regresó al Vaticano para visitar la extensa y siempre repleta tienda de recuerdos y objetos religiosos, ubicada a la izquierda de la inmensa Piazza San Pedro. El lugar ofrecía una infinita e ingeniosa variedad de artículos con la imagen del Pontificio –desde un vaso para tragos de *whisky*, cartas de juegos, gorras y camisetas, hasta un delantal con el rostro del prelado– que le hacía competencia a la ubicuidad de la estampa de Mickey Mouse en Disneylandia. Varias monjas atendían frenéticamente a los impacientes peregrinos que hacían turno para llevarse a casa un fragante rosario hecho de rosas secas, un sello o una moneda conmemorativa del Papa.

Alda sacó de su bolso una lista de regalos y procedió a seleccionar rosarios y abanicos para Cora, postales, botellas para llenar con agua bendita, y algunas piezas de cerámica para sus hermanas y Beatriz. Con sus tesoros en una canasta, se dispuso a encontrar el regalo más difícil; el de Ainé, quien abrazaba cada vez más la visión agnóstica de Diego y se alejaba del fervor católico de su madre.

Mientras hojeaba un libro sobre las obras de Gian Lorenzo Bernini en los Museos del Vaticano, sintió un agudo dolor en el abdomen parecido a un calambre fuerte de menstruación. Su rostro palideció en un instante. Lentamente puso su canasta en el piso, llevándose una mano al vientre en un ademán protector. Desesperadamente, buscó a su alrededor algún lugar donde sentarse, pero la tienda apenas podía contener al gentío de peregrinos y turistas.

Se recostó contra un anaquel mientras buscaba un pañuelo para secarse el profuso sudor que le cubrió el cuerpo y el alma en cuestión de segundos. Entonces sintió el inicio cruel de un hilo viscoso y obsceno bajando pausadamente de sus entrañas que empezó a surcarla entre las piernas. Alzó la vista aterrorizada y sus ojos se posaron sobre un Cristo crucificado a la venta por 60 mil liras italianas. La sangre pintada que le brotaba de los pies y la corona de espinas le parecieron un paralelismo insoportable. Nuevamente se preguntó, como aquella tarde en El Vigía, por qué su Dios la abandonaba cuando más lo necesitaba. Buscó con la mirada alguien que la pudiera ayudar, cuando sintió una mano firme en su brazo.

—*Are you feeling unwell?* –Era una monja carmelita de ojos azules y compasivos, en un claro acento canadiense que le recordó a su lejana niñez. Alda le tomó la mano y la apretó con urgencia.

—Estoy embarazada de apenas un mes. Creo que estoy perdiendo al bebé –le contestó Alda en inglés. La monja la miró y asintió haciéndose cargo. Sin perder un instante, la condujo detrás de los mostradores y abrió una puerta que conducía a un almacén de mercancía. El ruido de afuera se interrumpió abruptamente cuando se cerró la pesada puerta detrás de ambas.

—Soy la Hermana Sarah. ¿Cómo te llamas? –le preguntó. Sarah

no debía pasar de los 40 años, pero tenía el aspecto prematuramente avejentado de muchas monjas.

—Alda –contestó llorando en silencio.

—Alda, siéntate aquí y respira profundo. Enseguida regreso con personal de enfermería, que está muy cerca. No me tardo –le dijo Sarah, saliendo de prisa.

A los pocos minutos regresó con la enfermera, una monja española de nombre Josefa que tenía cara de haberlo visto todo, y entre ambas, condujeron a Alda a la clínica de emergencias contigua al almacén. La clínica estaba mejor equipada de lo que se hubiera esperado de un lugar que, más que nada, atendía a turistas deshidratados que se derretían bajo el sol esperando por horas para entrar al Vaticano. Mientras la examinaba, Alda comenzó a experimentar otro fuerte calambre y Josefa se apresuró a proveerle toallas sanitarias y ropa interior limpia. Le instruyó ir al baño de inmediato. «Imagina que tienes un período muy fuerte. Tu cuerpo sabe qué hacer, hija», le dijo la sabia monja en un pronunciado acento andaluz muy parecido al de su padre, Julián. Sarah comenzó a traducir, pero Alda le hizo un gesto indicando que entendía español.

Se puso de pie poco a poco, asistida por Josefa y Sarah, y caminó hacia el baño. Allí, en una clínica adyacente a un ordinario y polvoriento almacén del Vaticano repleto de *souvenirs* hechos en China, Alda perdió la esperanza de un hijo de Diego. Algo tan desesperadamente anhelado se fue, como dijo Josefa, como un episodio de menstruación pedestre. Sintió dolor en un lugar inefable y recóndito en su alma que ni sabía que existía. La angustiosa realización de que Diego seguía pagando caro su amor por ella, y que jamás lo haría padre, la golpeó como un marrón. Sabía que este era su castigo, y sabía que Dios esperó a tenerla allí, en el Vaticano, para llevarse al hijo de Diego.

Al igual que cuando estuvo embarazada de Ainé, Alda se había guardado la noticia milagrosa de su preñez por las mismas razones que lo hizo antes: sabía que sus posibilidades de éxito eran escasas y no quería ilusionar a sus seres queridos antes de los tres meses. Le había sorprendido menos un embarazo a los 48 años –después de todo, Cora tuvo a su última hija, Aila, a esa misma edad– que el hecho mismo de haberlo logrado luego de las advertencias médicas de que otro embarazo sería casi imposible. Y ahora estaba allí, en un baño ajeno, en un país extraño, despidiéndose de aquel efímero milagro tan deseado.

Alda se bañó como pudo en la minúscula ducha, echó a la basura su ropa interior manchada y se vistió nuevamente usando la sencilla ropa interior de algodón blanco –sin duda de monja– que Josefa le había suplido y que agradeció infinitamente. Se miró al espejo y se vio pálida, pero igual. Nada en su exterior delataba la pérdida irreparable que acababa de sufrir. Se recogió el cabello, se arregló el vestido de verano que llevaba y que milagrosamente había salido ileso del episodio, y salió al cubículo de exámenes donde la esperaban las dos monjas.

Josefa le hizo varias preguntas, y le dio un frasco pequeño con unas pastillas de antibióticos. La enfermera le indicó: «Todo en orden, mujer. Con un embarazo de apenas cuatro semanas, la recuperación física es cosa de nada. Descansa el resto del día y nosotras le rezamos al alma del angelito». Alda asintió, sintiéndose miserable. Cuando Josefa se retiró, miró a Sarah con inmensa gratitud.

—Gracias por todo, Sarah –le dijo, tratando de sonar tranquila.

—Afortunada soy yo, que pude ayudarte. Aquí tienes tu bolso. Sécate las lágrimas y tómate esto. Ya terminé mi turno y me gustaría llevarte a tomar un café o acompañarte a tu hotel a que descanses –le dijo Sarah, colocando una pequeña píldora blanca en su mano.

—¿Qué es?

—Un ansiolítico suave. La madre Josefa los esconde como si fueran una droga prescrita, pero es lo que necesitas ahora. Los antibióticos también. Aquí tienes agua. Espérame unos minutos para avisar en la tienda que me retiro por el día –le dijo Sarah.

A los diez minutos regresó cargando un bolso del establecimiento que le entregó a Alda. Ahí estaban todos los regalos que había seleccionado para su familia.

—Gracias Sarah, pero no me dio tiempo de pagar por esto. Debo regresar a la tienda.

—No te preocupes. Es un regalo de mi parte y del resto de las hermanas. Vamos. Te acompaño a donde vayas, Alda.

Las dos mujeres salieron a la gigantesca Piazza San Pedro y la iridiscencia del sol les obligó a cerrar los ojos. Alda aún no quería enfrentar a Diego y le dijo a la monja que deseaba un café. Sarah se le colgó del brazo y echó a caminar con sentido de dirección. Alda caminó a su lado, perdida en sus propios pensamientos de culpa y decepción. La condujo a un callejón recóndito cercano al Vaticano al que claramente, no llegaban los turistas. Entraron a un café apropiadamente llamado *La Tonaca del Prete* –La Sotana del Cura–, donde Alda era la única laica en un mar de hábitos de toda orden imaginable. Docenas de curas y monjas hablaban a la vez mientras luchaban por la atención de los baristas. Sarah localizó una mesa vacía donde dejó a su nueva amiga, rápidamente regresando con dos cafés y dos cannoli.

—Nada como un cannoli de mascarpone para reconfortar el alma –le dijo Sarah, quien no perdió tiempo en probar el suyo y suspirar–. Nunca he tenido un rapto religioso pero imagino que debe ser algo como un cannoli.

A su pesar Alda sonrió.

—Y yo acá pensando que me dirías que la fe o la oración serían el remedio.

—Soy una monja práctica. A veces un rosario ayuda. Otras veces… un cannoli. ¿De dónde eres Alda?

—Nací en Canadá, pero vivo en el Caribe.

—¡Yo también! Soy canadiense, quiero decir. Nunca he tenido la dicha de ver el paraíso del Caribe. ¿Qué te trae a Roma? –le preguntó Sarah, acercándole el segundo plato de postre y animándola a probarlo.

—Siempre soñé con venir al Vaticano. Soy Ministra de Eucarística; llevo la comunión a los enfermos y ancianos de la ciudad donde vivo. También soy exmaestra de catecismo y he administrado varias casas parroquiales.

—Madre de Dios. Eres más monja que yo, y por mucho.

—Créeme que lo he pensado intermitentemente casi toda mi vida. Mi madre escogió a mi hermana menor para entregarla a un convento y los resultados fueron catastróficos. Me casé. Otro desastre. Ahora finalmente soy feliz al lado de un hombre maravilloso. Tenemos una hija brillante y buena, aunque algo materialista y menos espiritual de lo que yo quisiera. Ya dejé de jugar con la idea de dedicar mi vida a Dios.

—Entonces no entiendes del todo lo que significa dedicar tu vida a Dios. Vivo con 127 monjas, diez de ellas en el piso de mi residencia. Muy pocas hacen o les interesa hacer la mitad de lo que haces tú. No las culpo. La mayoría no escogió estar aquí. Los curas son peores. Ni te imaginas las cosas que pasan por los rincones oscuros de esta Iglesia tan adepta a barrer las cosas debajo de la alfombra –dijo Sarah bajando la voz–. Vives más entregada a Dios de lo que piensas, a juzgar por lo que me cuentas. Dios no es cruel, ni vengativo, ni tiene el ego tan grande como lo pinta la Iglesia. Esos son defectos humanos que proyectamos en la divinidad, ¿sabes?

—Intelectualmente lo sé. En la práctica es más difícil.

—En la práctica todo es más difícil. Mira mi caso. Me apasiona el trabajo y el servicio comunitario y siendo mi familia tan católica, pensé que este era el camino. Y ya me ves, vendiendo maracas, imanes y sacacorchos con la estampa del Papa en una tienda para turistas.

—¿No sientes vocación?

—Siento mucha vocación por las enseñanzas de Jesús, y pasión por la justicia social y la protección de los más débiles. Es solo que no veo mucho de eso por los pasillos del Vaticano. Aquí la moneda de transacción diaria es el poder, no el servicio. Además, realmente no pensé muy detenidamente antes de meterme en una organización donde, como mujer, valgo más o menos lo mismo que los souvenirs que vendo. Siento darte la mala noticia, pero créeme; soy una fuente de adentro –le dijo Sarah, terminando su cannoli y mirando con ganas el de Alda, que apenas había probado.

Alda permaneció silenciosa y miró hacia afuera por la vitrina del local. Sarah decidió cambiar de tema. Aparentemente la realidad que estaba presentando de la Iglesia católica la perturbaba casi tanto como

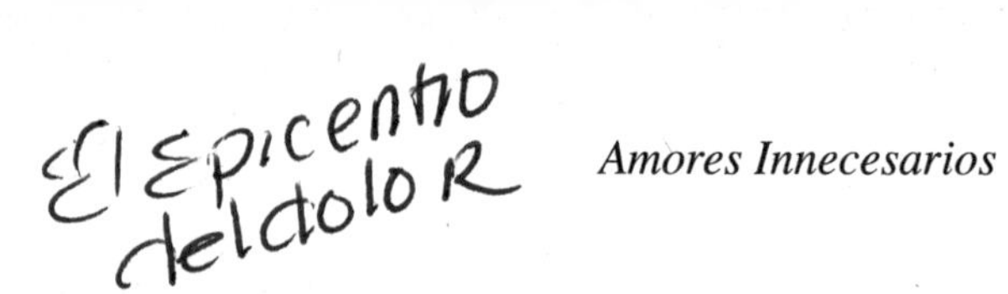

su malogrado embarazo. Puso su mano sobre la de aquella mujer vestida de tristeza.

—Lo que ocurrió hoy es terrible, Alda. Lo siento tanto. Pero si ya tienes una hija y quedaste embarazada, igual te embarazas de nuevo. Tu hija y su padre, ¿se llevan bien? –preguntó Sarah, pensando que desviaba la conversación hacia temas más seguros sin saber que cada vez se acercaba más al epicentro del dolor de aquella desconocida. Alda la miró como si no comprendiera la pregunta, y en cuestión de fracciones de segundos su rostro se suavizó.

—Mi hija, Ainé, y su padre, Diego, se adoran y se admiran mutuamente. Ella se parece mucho más a él que a mí. Estudia en el *alma mater* de su padre, tiene sus mismas ideologías y gustos, y son una fuente constante de felicidad el uno para el otro –dijo Alda, y comenzó a llorar en silencio.

Sarah la dejó desahogarse. Al rato salieron del lugar y caminaron el corto trecho hacia una pequeña capilla al fondo de un jardín interior con una hermosa fuente en el medio.

—¿Dónde estamos? –preguntó Alda, perdiendo momentáneamente su agudo sentido de dirección.

—Esta es la capilla del edificio donde vivo. Nadie la usa a estas horas. Ven.

Alda entró y se sentó en un banco. Sarah se acercó al altar, encendió una vela, se sentó al lado de Alda, y sacó dos rosarios de rosas secas del bolso de compras que llevaba cargando desde el Vaticano. En silencio, ambas comenzaron a rezar, Alda rogando por el alma de su hijo y por el perdón divino, y Sarah rogando porque su nueva amiga se perdonara a sí misma, que era, en su opinión, la única absolución que realmente necesitaba. Cuando terminaron, Alda sintió la necesidad de alargar la presencia de la hermosa alma de aquella monja que no la juzgaba y le aliviaba el agobiante peso que cargaba.

—Sarah, debo regresar al hotel donde me hospedo con mi esposo. Me gustaría invitarte para que lo conozcas, y así me das ánimo. No sé cómo enfrentarlo.

—Claro mujer, con gusto. Pero si Diego es como me lo describes, solo le interesará consolarte.

Alda comenzó a recorrer de regreso el camino andado y no dijo nada. Sarah entendió claramente su silencio.

—Diego no sabía del embarazo, ¿verdad? –preguntó. Alda le confirmó asintiendo.

—No te preocupes. Sabrás cómo manejarlo. Estaré contigo. Mira, por ahí empieza la fila para tomar un taxi. ¿Dónde te estás hospedando?

—En el Hotel Roma Cavalieri.

—¡Ja! Ahora te acompaño con más ganas. Me muero por ver ese hotel. Dicen que desde ahí se ve la Basílica de San Pedro.

El entusiasmo casi infantil de Sarah la hizo sonreír levemente.

Ya anochecía cuando llegaron al opulento hotel, y con Sarah deteniéndose a mirarlo todo como una niña que entra a una juguetería por vez primera, tardaron unos buenos 20 minutos en llegar a la terraza del restaurante y a la barra en lo más alto de la propiedad. Desde allí, se desplegaba una majestuosa vista iluminada del *duomo* de la icónica basílica. Diego estaba en la barra degustando un Barolo, como era su costumbre a esa hora mientras esperaba por Alda. Cuando la vio acercarse con una monja, se le iluminó la mirada, y Sarah pensó que jamás había visto tanta devoción amorosa en el rostro de un hombre.

—*Amore mio,* que bueno verte. Te extrañaba –y la abrazó como si no la hubiera visto desde hacía mucho–. ¿Una nueva amiga? Hola, soy Diego Girón. Es un placer conocerla, hermana, y gracias por acompañar a mi amada esposa hasta aquí.

Sarah tardó unos segundos en reaccionar ante aquel rostro cándido y encantador. En un instante comprendió la tragedia que supondría perturbar aquella felicidad y se sintió en la necesidad inexplicable de protegerlos a ambos.

—*The pleasure is all mine,* Mr. Girón –contestó Sarah extendiendo la mano.

De inmediato, Diego cambió a inglés, le pidió que lo llamara Diego, y se enfrascó en una amena conversación con la monja. Alda permaneció en silencio, sin saber qué hacer. Durante el tiempo que llevaban en Roma, había evitado beber alcohol con la excusa de que la pesada dieta italiana de pastas, carnes y quesos, le tenía el estómago alterado. En ese momento, y habiéndose despedido de su embarazo, lo único apropiado que se le ocurría era beber, y no precisamente un vino. Mientras Diego y Sarah conversaban, le hizo una seña al camarero y pidió un coñac, que según su padre, lo curaba todo.

—¿Coñac? Qué raro en ti, *amore*. ¿Ya está mejor tu estómago? –Alda asintió tomando un sorbo sustancial y mirando hacia el *duomo* iluminado del Vaticano, evitando la mirada de Diego.

Sarah, quien degustaba una copa del Barolo de Diego, la miró

recordando los antibióticos, pero decidió que Alda seguramente necesitaba más el trago que la medicina.

—¿Y qué tal el día? ¿Cómo lo pasaron hoy? –preguntó Diego.

Ambas mujeres se miraron y Sarah sonrió levemente, con una tristeza que solo Alda pudo captar.

—Fue un día hermoso, Diego –dijo de pronto Sarah, y ella misma se sorprendió al escuchar su voz y no la de Alda, a quien iba dirigida la pregunta–. Conocí a Alda en la tienda de regalos del Vaticano. Mira todo lo que compró. La invité a un café fuera del área de turistas y me contó de su devoción religiosa, de ti y de la hija de ambos. Luego la llevé a la capilla de mi residencia y ahora estoy aquí, con ustedes, frente a esta vista gloriosa y feliz de haberlos conocido. Hay una palabra para lo que vivimos hoy...

—¿Serendipia? –ofreció Diego.

—Eso. Hoy fue un día de serendipia, y siempre lo recordaré con cariño.

—Conocer a Alda siempre provoca ese sentimiento.

—Lo digo en realidad por este vino que estoy probando, y del que quiero otra copa –contestó Sarah. Diego echó una carcajada y Alda no tuvo más remedio que reír también.

Al final, fue una monja canadiense de opiniones fuertes y corazón justiciero quien proveyó a Diego la única versión de aquel día que escucharía. Alda se juró protegerlo contra viento y marea de cualquier dolor futuro, si estaba en su poder. Diego nunca supo del embarazo de Alda.

* * * * *

La amistad de Alda Carmona y Sarah Collins sobrevivió los próximos capítulos convulsos de la vida de la monja, quien también llegó a ser una gran amiga y colaboradora de Ainé. Fue además una protagonista clave en el éxito de la futura carrera de la hija de Alda. Unos meses después de su encuentro con Alda, Sarah se despidió de la Iglesia católica para siempre. Ya en esa década de los 80 no fue posible esconder por más tiempo el escarnio de los miles de casos de sacerdotes pedófilos que se destaparon en el mundo y que se documentaron desde tan atrás como en la década de los 60.

Sarah regresó a su natal Canadá donde visitó a los Carmona-Girón siempre que la familia pasaba una temporada en el apartamento que, años más tarde, comprarían Alda y Ainé en Montreal. En esa ciudad se convirtió en una ferviente activista a favor de los derechos de las víctimas de la Iglesia católica y fundó su organización, *The Collins Project*, que proporcionaba ayuda psicológica y legal para las víctimas y sus familias. Muchos eran ya adultos, y nunca se atrevieron a hablar antes del crimen que sufrieron hasta que Sarah les dio la oportunidad de hacerlo. Todas las provincias canadienses empezaron a vomitar el veneno de caso tras caso, uno más increíble que otro. Los números eran inimaginables; la impunidad y la indiferencia de la Iglesia eran desgarradoras.

En los 90, Sarah Collins comenzó a colaborar con un equipo de investigadores e investigadoras de *The Boston Globe* que se dieron a la tarea de documentar aquel escándalo a nivel global que era, en efecto, el secreto a voces mejor guardado del siglo XX. Luego del *Boston Globe*, Sarah hizo lo propio con otro equipo de periodistas investigativos, en este caso del periódico canadiense *The Gazette*, y fue una pieza fundamental en llevar al equipo de reporteros por todos los oscuros vericuetos canónicos de la Iglesia, así como los esquemas de rotar a los sacerdotes acusados de parroquia en parroquia exponiendo a más menores. Los ayudaba a formular preguntas finamente calibradas a la jerarquía católica para colocarla contra la pared y los acompañó a entrevistar a cientos de víctimas, que se abrieron a hablar con una exmonja de un modo que no hubieran podido con periodistas.

Sarah compartió todo este proceso con Ainé, quien le proveyó valiosa ayuda conectándola con abogadas, donantes para la organización y mujeres escritoras que investigaban otros crímenes de la Iglesia igualmente ignorados, pero que involucraron a monjas.

Las historias publicadas del equipo de *The Boston Globe* ganaron el Premio Pulitzer en el 2003. Al año siguiente, *The Gazette* se alzó con todos los principales galardones de la Asociación Canadinse de Periodistas en un histórico evento que se televisó en el país y en el exterior. Sarah Collins fue invitada a subir al proscenio con los periodistas a recibir los premios, y en ese momento inefable, miró entre público que los ovacionaba hasta encontrar a Alda, Diego y Ainé quienes aplaudían y lloraban simultáneamente. Sabía que el inicio de aquel camino difícil de encontrar su propósito de vida se aceleró el día que conoció a Alda, y vio en ella todo el despiadado dolor de las culpas y pecados que las religiones imponen sin compasión sobre sus hijos e hijas.

El año siguiente, Sarah Collins escribió un bombazo a nivel mundial que tituló «La Guerra de la Iglesia contra la Niñez». Ainé editó y publicó el libro en consorcio con la casa editora más poderosa de Canadá. Sarah le envió una copia autografiada, pero Alda nunca pudo leer el libro más allá de la amorosa dedicatoria: la exmonja le dedicó su obra a las víctimas que aún buscaban justicia, al equipo de *The Boston Globe y The Gazette*, y a ella. Nunca lo leyó, sabiendo que no podría digerirlo, y temerosa del impacto que tendría en su fe saber el detalle de los trapos sucios de su Iglesia.

Tuvo mil peleas y discusiones con Sarah y Ainé sobre el libro, pero al final, nunca interrumpió su amor, amistad y admiración por aquella exmonja, que prefería la justicia a los rosarios, y la compasión a las misas.

* * * * *

Milán, Italia – Lago de Como, Italia

Luego de tres semanas en Roma, y tras despedirse de Sarah, Alda y Diego partieron, primero rumbo a Asís, parada obligada para Alda, quien veneraba la figura de San Francisco, luego a Florencia, ciudad que Diego adoró y donde pudo tomar vinos toscanos a sus anchas, y eventualmente a Milán.

En los tramos de la travesía que recorrieron en tren, Alda retomó su costumbre de escribir libreta tras libreta con sus pensamientos y preocupaciones. A veces escribía detalles cotidianos de su viaje, a modo de terapia. Otras, se dirigía directamente a Dios reclamando ayuda y fortaleza. También le escribía con frecuencia a su hijo que nunca nació y que en su mente bautizó con el nombre de su padre, Julián; el sonido de la voz sureña de la monja-enfermera Josefa le recordaba el rostro sereno de su padre, y durante aquel momento sobrecogedor, fue un hilo de salvación para su cordura.

Al llegar a Milán, la capital italiana de la moda, Alda logró finalmente distraerse de sus convulsos pensamientos que la arrastraban una y otra vez de regreso a aquel baño en el Vaticano. Diego la acompañó de boutique en boutique con amorosa paciencia; una noche, ambos bailaron hasta la madrugada en un concierto al aire libre que se escenificó frente a la Catedral de Milán.

Cuando la estadía estaba por terminar y se preparaban para cruzar hacia el oeste en dirección a Venecia, Diego le comentó que el *concierge* del hotel le había dicho que no podían irse de Lombardía sin visitar el Lago di Como. Alda, que mientras más veía de Italia, más quería ver, alentó a Diego a desviarse brevemente por algunos días y llegar en tren hasta la ciudad de Como al pie de los Alpes, muy cercana a la frontera con Suiza.

En cuanto llegaron y vieron por primera vez el deslumbrante lago en forma de la letra «Y», decidieron permanecer allí por el resto del viaje. Inicialmente, se alojaron en el venerable hotel *Villa D' Este*, con sus diez hectáreas de jardines y las habitaciones más decadentes de Como con vistas al lago. Cada mañana, Alda y Diego caminaban a lo largo de la ruta Greenway, que les permitía bordear el lago y descubrir pueblo tras pueblo a pie. Aquella actividad diaria fue un bálsamo para la tristeza de Alda, que olvidaba por ratos, y cuyo regreso sentía como un golpe intenso en el pecho.

Muchos de los poblados que se encadenaban como un collar de perlas eran diminutos, con apenas 200 o 300 habitantes. Fue así como llegaron a Sala Comacina. A diferencia de otros pueblos más turísticos alrededor del lago, como Bellagio o Tremezzo, Sala Comacina era un enclave tranquilo de locales y retirados, donde todo el mundo se conocía y socializaba alrededor de la iglesia y del mercado al aire libre dónde vendían pasta recién cortada y los vegetales e ingredientes más frescos imaginables. Alda se sintió en casa de inmediato.

Una tarde en la que Diego se retiró al salón de lectura del hotel, Alda tomó un taxi para llegar al pequeño pueblo, que quedaba en la misma costa del lago. Luego de caminar por un rato, descubrió un hermoso restaurante a orillas del lago donde todos los comensales parecían conocerse. Alda se acomodó en una mesa y ordenó el pescado del día, un *branzino* de un sabor tan delicado que se desvestía poco a poco en el paladar. En unos minutos ya estaba hablando con los locales, entre los cuales había varios británicos retirados que ayudaron traduciendo la conversación entre los italianos y Alda.

Se despidieron intercambiando números de contacto; Alda llegó eufórica a *Villa D'Este* con varias tarjetas de presentación de servicios de renta de propiedades a corto y largo plazo. Encontró a Diego predeciblemente leyendo en una de las magníficas áreas de estar de los jardines barrocos del hotel.

—¿Crees que Manuel Antonio pueda prescindir de tus valiosos servicios como vicepresidente por un tiempo más? –le dijo Alda al oído mientras le besaba el cuello. Diego no sabía exactamente qué se traía Alda entre manos, pero sabía que su respuesta sería que sí.

CAPÍTULO 18

Lago de Como, Italia

Fue a Villa Bella –como Diego bautizó la casa frente al lago–, a donde Ainé llegó en el verano de su tercer año universitario en 1991, con su primer novio, aunque nunca se refirió a Daniel Eleizalde con ese término de cariño. Alda recibió a Ainé y a Daniel eufórica, como la excelente celestina que había sido siempre.

Preparó con cuidado cada detalle de las dos habitaciones de huéspedes donde acomodó a cada uno. Si ocurría algún cambio en los arreglos de las habitaciones durante la noche, Alda era una firme creyente en que lo que no sabía, no le tenía que afectar. A sus 20 años, Ainé había desplegado muy pocos intereses románticos. Frente a las tranquilas aguas del Lago de Como, que brillaban en las tardes como escondiendo luces de Navidad bajo sus aguas, el tema había sido frecuentemente disectado entre Diego y Alda, quien añoraba tener nietos.

Mientras colocaba un arreglo de magnolias y azaleas sobre un mueble de la entrada, Alda miró una foto enmarcada de ella y Ainé, con el lago de fondo, ella de frente sonriendo, y Ainé a su lado con la cabeza posada en el hombro de su madre, mientras un rayo de sol se colaba entre ambas en la imagen. De todas sus oraciones y ruegos, la más frecuente era que Ainé no sufriera el dolor inefable de un amor innecesario como lo padeció ella hasta el día que conoció a Diego. Aún ahora sentía que seguía pagando las consecuencias, como bien había predicho Álvaro aquel día en la Alcaldía de Ponce. Alda se sacudió los pensamientos melancólicos de la cabeza y sonrió. Esta visita de su hija con su primer amor, era la mejor noticia que había recibido en mucho tiempo.

* * * * *

Región Independiente Autónoma de Ponce (RIAP)

Durante su adolescencia en Ponce, Ainé había echado mano socialmente de su excelente surtido de primos paternos y maternos, prefiriendo siempre a los tres hijos varones de Beatriz a quienes visitaba con frecuencia en México y viceversa. Aunque sucumbió una que otra vez ante la insistencia de algún pretendiente, las exploraciones sociales que Ainé dejó ver en público nunca pasaron de una salida al Teatro Fox Delicias. Casi sin variar, luego de esas esporádicas salidas, Ainé se despedía del infortunado marchante, atravesaba la Plaza Las Delicias, cruzaba a la Calle Villa y se sentaba en la barra del Restaurante El Prado a intercambiar chistes con su abuelo, con Güisín, y con el camarero, Bruno Santos.

Bruno, compinche de juerga de su chofer, coleccionaba historias impublicables de todos los cantantes ponceños famosos que habían pasado –y se habían embriagado– en su barra. Contando historias de Héctor Lavoe, su favorito, siempre terminaba tarareando a Ainé: «*Y para qué leer, un periódico de ayer. Tu eres el diario, la prensa, radio Bemba, radio Bemba*», haciendo honor en esos versos a la famosa radio del chisme muy real de Ponce.

—Cielo –le decía Alda en un gesto suyo que combinaba un beso en la cabeza de Ainé mientras aspiraba su aroma–. ¿Por qué no trajiste al muchacho que te llevó al cine? Así lo conocemos Diego y yo.

—¿Para qué, mami? No lo voy a pasar mejor con él que con ustedes. A ver Bruno, cántale a mami la mejor canción de salsa que se estrenó en el mundo para la época cuando nací –le contestaba Ainé, riendo de antemano.

—*Tu amor es un periódico de ayer, que nadie más procura ya leer* –comenzó a entonar Bruno, a coro con Güisín. Alda suspiró, volteó los ojos y cambió el tema.

Antes del ingreso de Ainé a la Universidad de Salamanca, casi todos los domingos, Alda salía de la misa de las once de la Catedral Nuestra Señora de Guadalupe y escoltaba a su madre hasta la vieja casa de la Calle Salud, a menudo acompañada de Evina y Tomás. Era un pequeño ritual semanal con Cora al que Diego respetuosamente renunciaba, habiéndose declarado agnóstico ante las Carmona hacía tiempo. Cora, a quien le pesaban los años de rabietas, no se lo hubiera perdonado en otros tiempos, pero con Diego se le aflojaban las rodillas y nunca podía guardarle corajes por mucho rato. Con el pasar de los años, Cora se impuso la tarea de rezar rosarios expresamente dirigidos a salvar el «alma de Diego».

Uno de esos domingos, cuando Ainé ya se preparaba para viajar a Salamanca a comenzar sus estudios universitarios, la matriarca de los Carmona le increpó a Alda, con su aspereza usual:

—A ver, ¿cuál es el problema de Ainé, que nunca me ha traído a la casa a un pretendiente?

—No lo puedo creer. A la verdad que es usted increíble Cora, y le digo Cora porque en este momento no me sale decirle madre. ¿No era usted la que nos tenía en servicio obligatorio de rondas entre hermanos para evitar pretendientes? –le dijo Alda indignada, aunque en el fondo trataba de aplastar a la pequeña parte de ella que pensaba igual que Cora. Detestaba cuando se pillaba haciendo algo que le recordaba a su madre.

—Por eso mismo lo digo. Porque soy una veterana condecorada de ver a medio Ponce detrás del culete de mis siete hijos e hijas –le ripostó Cora.

—Los culetes –dijo Alda, corrigiendo en automático a su madre.

—¿Qué?

—Nada Cora, nada. Ainé no tiene ningún problema. Es una niña juiciosa y seria, y gracias a Dios no la veo encaminada a repetir mi error de casarme por impulso.

—Pero si yo no hablo de casamientos. ¿Alguien aquí dijo casamiento? En este punto yo me conformo con verla con un amigo, aunque sea del otro lado de la plaza. No puede ser que el hombre de la vida de Ainé sea un cascarón viejo, Bruno, el camarero ese de El Prado, con quien se la pasa cantando salsa. Habrase visto cosa igual.

—Cora, Ainé ha crecido sobreprotegida por Diego, por mí, por usted, por todos nosotros. En cuanto llegue a España y se exponga a otras experiencias, ya verá como se interesa en alguien y nos trae a un galán europeo –le contestó Alda, mientras la voz imaginaria de Beatriz, siempre presente cuando menos la quería, le susurraba: *¿En serio Alda? ¿Todavía estás con esos cuentos de galanes y mujeres rescatadas?* Alda acalló a la Beatriz imaginaria en su cabeza.

—Pues ojalá sea solo juicio y no que se haya traumado con todo este lío tuyo de Álvaro y Diego que nunca se ha resuelto –le dijo Cora, conociendo el punto exacto de dolor de Alda.

Alda no pudo responder. Temió que si emitía una sílaba en respuesta se echaría a llorar frente a su madre, y eso sí que no se lo perdonaría. Le dio un beso de aire a Cora y echó a andar de vuelta a la plaza, preguntándose si su madre tocaría fondo algún día en su habilidad de herir en las partes más resentidas del corazón, las que nunca podían sanar porque una misma no dejaba de tocar la herida.

* * * * *

Daniel Eleizalde fue un bálsamo para los Carmona-Girón ese verano de 1991 en Villa Bella en el Lago di Como, y Alda no perdió un minuto en escribirle extensas cartas a Cora contándole de las maravillas de Daniel, el esperado galán europeo predicho y casi convocado por ella.

Cuando el Madrileño se enteró, por boca de Cora antes que de su propio hijo, le masculló:

—¿Eleizalde? Que galán europeo ni que hostias, mujer, si ese es un vasco. Los vascos no son españoles, y menos europeos. Ellos mismos se lo dirán. Se lo digo yo, que sí soy europeo.

—Qué pesadísimo es usted Manuel Antonio, por Dios. ¿Dónde carajos imaginan usted que nací yo? –le ripostó Cora.

—¡Ah! Cierto. Se me olvida. Es que a usted, lo de fina dama ponceña se le da muy bien.

Ambos se gozaban cada incidencia del primer romance de Ainé, aún en medio de sus garatas. Aquel verano Ainé pasó semanas enteras mostrándole a Daniel sus rincones favoritos alrededor del lago mágico. Lo exploraron deteniéndose en *trattorias* a lo largo del camino y por la extensa red de transbordadores que conectan los pueblos que se despliegan a lo largo del lago como concursantes de belleza. Otro día, tomaron el bus en Sala Comacina que los depositó 45 minutos más tarde en Lugano, territorio suizo, solo para perder el último de la noche y tener que regresar a Sala Comacina caminando y pidiendo aventones.

En esas extensas caminatas, Ainé y Daniel hablaron por horas ininterrumpidas como suele ocurrir cuando dos mentes afines se conectan simulando piezas de rompecabezas, cuando todo es nuevo y se tiene todo el tiempo en el mundo para examinar cualquier tema con el abandono de la inmortalidad. Parte de la atracción que sentía Ainé por Daniel tuvo que ver inicialmente con que el joven tenía un profundo sentido nacionalista hacia su País Vasco, al igual que Ainé lo sentía con su tierra. Aunque nunca había sido obligada, Ainé compartía apasionadamente el pensamiento independentista y hostosiano de Diego, y llevaba con mucho orgullo la autonomía de su región.

Para esa época, ya la ETA había anunciado un cese de la violencia total, unilateral e indefinido con España, pero eso en modo alguno había mermado el sentimiento patrio vasco. Los vascos eran una raza brava y orgullosa, muy parecida a los ponceños, y eso funcionó para

Ainé como un afrodisíaco. Habiéndose graduado de literatura de la Universidad de Deusto en Bilbao, Daniel trabajaba en su doctorado en Salamanca mientras era profesor asistente, y desde que divisó a Ainé en la Biblioteca General Histórica del recinto, comenzó a caer en el hábito de observarla detenidamente cada vez que la divisaba.

Aquella joven seria, inusualmente elegante y bien vestida para ser estudiante, de espejuelos y pelo severamente recogido en la nuca como una bailarina, le pareció interesantísima. La oportunidad de abordarla surgió por casualidad en un pobremente asistido conversatorio sobre el simbolismo en el teatro de Alejandro Casona. Cuando distinguió a la joven saliendo del auditorio mientras encendía un cigarrillo a la salida, se le acercó.

—No ligó bien ese conversatorio ¿no? Me perdieron en el análisis del simbolismo detrás del simbolismo del pañuelo de Angélica en el agua –la abordó Daniel, torpe y condescendientemente. Ainé lo miró sin contestar de inmediato mientras exhalaba el humo del cigarrillo.

—Eso es porque el simbolismo, como concepto en la literatura, significa todo y nada. No se puede encapsular en una sola idea de simbolismo las muchas esferas de la actividad y el pensamiento humano. Por eso el agua puede ser purificación en la teología cristiana y la muerte en la historia de Casona. Por ahí va el asunto, profesor –le dijo Ainé sonriendo levemente, pisando el cigarrillo y echando a caminar. Daniel inmediatamente se retiró a reagrupar sus tropas de seducción. Ainé no sonaba tan joven ni inocente como parecía.

La segunda vez que tuvo la oportunidad de verla fue en un cóctel en la casa de Generoso Lara, un profesor amigo del tío de Ainé, Marcos Gerena, quien había decidido celebrar por todo lo alto su retiro a las aguas azules de las Islas Canarias. Mientras el anfitrión hacía una lastimosa imitación de Cole Porter al piano, Daniel divisó a Ainé, *scotch* en mano, admirando una excepcional reproducción del Ofelia de John Everett Millais, cuyo original pertenecía al Museo Tate en Londres.

—Me recuerda a La Dama del Alba –le dijo Daniel. Ainé se volteó y lo miró, retornando su vista al cuadro donde Ofelia languidecía en el agua, y se sonrió levemente. Progreso, pensó Daniel.

—No había conectado a Shakespeare con Casona, pero, en fin. ¿Qué lo trae por aquí profesor, además de seguir observándome en mi hábitat? –le dijo Ainé sin rodeos.

—¿Cómo? –dijo, confundido.

–Siempre que lo percibo en mi órbita me está observando. En el recinto, en el salón, y ahora en actividades extracurriculares. ¿Me debo preocupar? –le dijo Ainé con toda seriedad. Para su enorme fastidio Daniel se ruborizó hasta las orejas.

—Para nada… claro que no... –comenzó a excusarse cuando escuchó a Ainé estallar de risa y extenderle la mano.

—Ainé Palacios Carmona-Girón, estudiante de Literatura y profesional en el arte de hacer ruborizar a hombres mayores –le dijo a modo de presentación.

—Ni tan mayor, que no te puedo llevar más de tres o cuatro años –protestó Daniel.

—Decrepitud en ciernes –le dijo Ainé, entregándole su vaso para que le sirviera otro trago. Daniel brincó de inmediato a servirlo.

Esa noche, en su diminuto apartamento, Daniel tuvo la sesión de sexo mas intensa, ruidosa, sudorosa, olímpica y jadeante de su vida con Ainé. Cuando despertó, deshidratado, Ainé ya no estaba en el apartamento. No dejó una nota o su número telefónico por ninguna parte. Daniel tardó tres días en poder hablarle nuevamente, y cuando lo hizo, su desesperación ya le había bajado suficientes escalas a su ego como para acercarse a aquella mujer fascinante, con otra estrategia. La convenció de empezar nuevamente con una cita más tradicional, que incluyera un filme y una cena. Al final, tuvo que conformarse con un angustioso e interminable documental sobre Federico García Lorca y otra maratónica sesión de sexo, esta vez en el apartamento de Ainé, considerablemente más grande y cómodo que el suyo.

Poco después, Ainé desapareció para las vacaciones de Semana Santa sin dejar ningún mensaje. Cuando Daniel la vio al regreso, solo la intensa intuición de que la espantaría irremediablemente evitó que le pidiera matrimonio para que no se fuera nunca más. Desde entonces se hicieron inseparables. Cada uno descubrió en el otro una fuente inacabable de temas en común que los mantenía entretenidos descubriendo sus mentes, cuando no estaban descubriendo sus cuerpos. Ainé sabía intuitivamente la fórmula de tener sexo sin inhibiciones ni tapujos, y a la vez, de un modo casi impersonal que Daniel encontraba intensamente erótico.

Un jueves a finales de agosto de 1991, cuando Ainé y Daniel ya habían regresado de veranear en Villa Bella, y se preparaban para iniciar el semestre en septiembre, Daniel llegó a su apartamento con una copia de *El Castillo*, la obra inconclusa de Frank Kafka, por la cual había escuchado a Ainé preguntar en un par de librerías. Del reproductor de CD de Ainé brotaba la suave cadencia de la voz de Caetano

Veloso cantando una interpretación de *Get Out of Town* de Cole Porter. El registro de referencias musicales de Ainé, que también había heredado de Diego, era tan amplio y heterogéneo que Daniel descubría a un artista nuevo cada vez que la visitaba.

Si Ainé pasaba una temporada en Italia con sus padres e iba a una ópera a la *Scala de Milán*, de regreso escuchaba Parsifal por semanas. Cuando regresaba de Ponce, abrazaba al timbal de Tito Puente hasta que los vecinos se quejaron porque el venerable edificio donde vivía Ainé –en la parte vieja del pueblo, muy cerca de la universidad–, se escuchaba como un perfecto putero. Por respuesta, Ainé cantaba a todo pulmón, en arranques de amor por Ismael Rivera:

Matarón al negro bembón
Hoy se llora noche y día
Porque al negrito bembón
Todo el mundo lo quería...

Si no hubiese sido porque Don Diego Girón pagaba por adelantado y nunca cuestionaba algún cargo extra, el casero ya le hubiera dicho un par de cosas a la muchacha.

—Tengo un plan para este fin de semana. ¿Qué tal si me acompañas a Bilbao y conoces mi ciudad? No es la gran cosa ahora mismo. Parece un paciente abierto sobre la mesa de operaciones con las construcciones que hay por todos lados, pero igual te va a fascinar. Es el cumpleaños de mi *aita* y también se celebra esta semana nuestra fiesta anual en Bilbao, la *Aste Nagusia*. Podemos ir a San Sebastián a comer *pintxos* y cruzar al País Vasco francés. Hay un tren a las 16:00 horas,

¿qué te parece polita? –le dijo Daniel, con el pleno conocimiento de que el padre biológico de Ainé trabajaba en las obras del futuro Museo Guggenheim de Bilbao, y haciendo la elección consciente de no mencionarlo. Ainé hizo silencio y siguió ojeando el libro de Kafka como si no lo hubiera escuchado. Cuando levantó la vista, le sonrió con un gesto angelical que nada tenía que ver con sus talentos eróticos.

—Me parece una idea fantástica, Daniel. Tengo mucha curiosidad por conocer a tu *aita* y a tu *ama*. En fin, a tu familia. ¿Cómo se dice familia en vasco?

—Familia –le contestó Daniel y la besó en la nariz–. Te recojo a las 15:00 horas –y salió del apartamento para empacar antes de que Ainé se arrepintiera, aunque ella ya no lo escuchaba.

En su mente, una mano invisible había bajado el volumen de la sedosa voz de Veloso, y en su lugar solo podía escuchar la estridente música caribeña del Maunaloa en Santo Domingo.

CAPÍTULO 19

País Vasco

El paciente en plena intervención en una mesa de operaciones con el que Daniel Eleizalde comparó a la ciudad que lo vio nacer, era la metáfora perfecta para describir el Bilbao de la década de los 90. Bilbao era por aquel entonces una ciudad industrial gris y crucificada en metal, maltratada por la historia, las guerras, el cemento, el franquismo, y las inclemencias de la Costa Vasca que la corona al norte. Sin embargo, la ciudad ya vibraba preñada de promesas mientras se transformaba en una oruga que en 1997 daría paso al esplendor del Museo Guggenheim y una revitalización tan contundente que fue acuñada como un fenómeno arquitectónico, cultural y social.

La familia Eleizalde vivía en un pequeño piso en la calle Iparraguirre Kalea, con un balcón desde el cual se distinguía un terreno aplanado cercano al río del Nervión donde unos pocos años más tarde desvelaría el psicótico y genial *terrier* de 13 metros cubierto de flores de colores del escultor Jeff Koons y que era parte de las muchas obras e instalaciones externas del museo, que albergaba arte tanto en su interior como en su entorno.

El patriarca de la familia, Don Osorio, recibió a su hijo y a Ainé con varios vecinos, ya entonados tras numerosas noches de juerga en el *Aste Nagusia*, y con música, vino *txakoli*, abrazos y ruidosos besos. Ainé se mareó momentáneamente con aquel tiovivo de actividad y quedó irremediablemente enamorada de Bilbao y su gente.

La menuda y encantadora madre de Daniel abrazo a Ainé y le dijo efusivamente:

—Bienvenida, *neska*. ¡Soy Ainés!

—Gracias. ¿Cómo? No, yo soy Ainé.

—Lo sé, y yo Ainés –dijo la madre de Daniel riendo de buena gana.

—Pero mi nombre es celta –le dijo Ainé confundida.

—Y el mío es vasco, de origen griego, que significa casta y pura –le explicó Ainés.

—De lo cual Ainés no tiene ni una virtud ni la otra, se lo garantizo, señorita –dijo Don Osorio interviniendo.

Daniel rió anticipando la inevitable promoción educativa sobre el gran misterio de la etnia vasca que seguramente Don Osorio no podría evitar brindarle a Ainé.

—Eso te ilustra la maravilla del euskera. Somos tan antiguos en la Península Ibérica que nadie sabe cuándo ni de dónde venimos. Nuestra lengua es la única pre europea que aún sobrevive y se habla. Somos una raza muy especial, señorita –le dijo Don Osorio.

—Le comprendo. De donde vengo, Ponce, la gente guarda sentimientos muy similares –le dijo Ainé.

Los siguientes dos días fueron un ramillete de colores, sabores y música, todos nuevos para Ainé. La ciudad se vistió del azul intenso de las festividades, y las horas pasaron al son de música de Kepa Junkera y de bandejas de pintxos. El domingo, Daniel los condujo a todos a San Sebastián, día que Ainé marcó en su memoria, segura de que nunca había comido tanto en su vida. El tapeo de barra en barra y de *pintxo* en *pintxo* terminó con los cuatro viendo el atardecer en la playa, cerca del carrusel *Belle Époque* de San Sebastián.

Ainé estaba contenta, dorada –una rareza en ella que no se permitía broncearse por lo pálido de su piel– con su largo cabello suelto, otra rareza, y con un sencillo traje blanco de hilo con el que Daniel la hubiera llevado al altar esa misma tarde. De regreso en Bilbao, la noche caía, y la madre de Daniel se retiró a su habitación mientras él se excusó para darse una ducha. Don Osorio abrió una botella de vino blanco y se sentó junto a Ainé en el balcón del piso mientras le ofrecía un vaso.

—No puedo beber más, Don Osorio –dijo Ainé bostezando, pero aceptando el vaso.

—Claro que siempre te puedes tomar la penúltima –le dijo el viejo vasco y chocó su vaso con el de ella. Ambos degustaron el sabor ácido y alegre del *txakolí* mientras miraban calle abajo donde se levantaba el caparazón del Museo como un gigantesco muñeco de metal.

—Me comentó Daniel que tu padre es uno de los arquitectos que intervienen en ese museo. Ha de ser un personaje interesante –le dijo Don Osorio.

—No sé si interesante es la palabra adecuada para describir a Álvaro. Peculiar y brillante, eso sí –le dijo Ainé.

—Pues esa descripción me suena interesante. ¿Cuándo lo viste por última vez? –le preguntó con un desenfado y naturalidad que Daniel jamás hubiera podido conjurar para abarcar el tema.

—Pues lo que se dice verlo, lo veo un par de veces al año. Él viaja a Ponce en las Navidades y a veces también para el cumpleaños de su hermana.

—¿Por qué no visitas a tu *aita* en el museo?

—Solo lo he ido a visitar una vez a uno de sus proyectos, en República Dominicana hace tres años, y no es una experiencia que estoy ansiosa por repetir –dijo Ainé con voz soñolienta.

—*Aditzaile onari, hitz gutxi*¨ –le dijo Don Orosio en Euskadi. Ainé lo miró sin comprender–. Es un refrán popular vasco que reza: «Un buen oyente necesita pocas palabras».

—Es usted un lince, Don Osorio. Todo un lince –le dijo Ainé sonriendo y tomando otro sorbo del vino blanco vasco.

* * * * *

República Dominicana

Ainé aterrizó en Santo Domingo en el verano de 1987, ocho meses antes de su memorable fiesta, y luego de que Alda hiciera los arreglos con Álvaro para que la recibiera. Por dirección, Álvaro solo proveyó la del Hotel Continental, diciendo que allí vivía, lo cual le pareció extravagante, una característica que no podía asociar con Álvaro, cuya tacañería era legendaria. Si a Álvaro le pareció extraño aquel impulso de Ainé de visitarlo, se lo reservó.

Ainé emergió de aduanas medio desorientada, con un ron cola que una promotora le puso en la mano. Avanzó hacia la salida donde un panal de personas se empujaba en ansiedad de ver a sus seres queridos salir de aquel océano humano. Miró a su alrededor y no vio a Álvaro. No fue hasta que se dispersó un poco la muchedumbre que lo divisó recostado de una columna cercana, leyendo un libro de bolsillo. Ainé caminó y se le paró de frente, aún con el ron cola en la mano. Álvaro levantó la vista, se ajustó los espejuelos y sonrió.

—¡Miren quién está aquí! ¡Hola Ainecita! –le dijo abrazándola torpemente, como se abrazan las personas que no están acostumbradas a hacerlo, y usando un diminutivo que Ainé detestaba.

—Estás cada vez más preciosa. ¿Y eso? ¿Ron Barceló? Bienvenida a Santo Domingo –dijo tomando la maleta de Ainé y echando a andar con ella detrás.

Álvaro, en efecto, tenía una suite corporativa de dos habitaciones y una amplia sala a su disposición en el Hotel Continental, aunque compartía el privilegio con otros ejecutivos del Grupo. Ese día, cenando con Ainé en el elegante restaurante del hotel, le explicó que pasaba mucho de su tiempo trabajando en la región agrícola de Azua, a unas dos horas de Santo Domingo. Allá tenía una casa, le dijo, pero la región no ofrecía ningún tipo de entretenimiento para una adolescente. Por tanto, había coordinado para que Ainé tuviera a su disposición a Carmela Rosa, una encantadora y avispada chofera de la confianza de Bienvenido Cabral, quien llevaría a Ainé a donde se le antojara cuando él estuviera en Azua trabajando. Álvaro hasta le ofreció una pequeña mesada para sus gastos, que Ainé aceptó en silencio, guardándose el dato del fajo de billetes que le había puesto en la mano Diego antes de partir, y que haría sonrojar lastimosamente a la humilde mesada de Álvaro.

Ainé tenía toda la intención de visitar a Álvaro en su lugar de trabajo. A eso, y no a otra cosa, había viajado a Santo Domingo. Quería saber si su inclinación por la literatura no era más que un reflejo infantil del amor que sentía por Diego y Alda, o si en los extraordinarios talentos de su padre podía encontrar otra pasión. Quizás lo suyo no era ni la literatura ni la arquitectura sino el macramé o leer el Tarot, pero por algún sitio tenía que empezar a averiguar.

En cualquier caso, se dijo Ainé, tenía dos meses, dinero y el arma secreta de complicidad y entretenimiento que resultó ser Carmela Rosa. Podía esperar y pasarla bien mientras encontraba la oportunidad o la excusa de ir con Álvaro a Azua.

* * * * *

En toda su corta vida, Ainé nunca había conocido a alguien con más vitalidad, ritmo, sensualidad y alegría por vivir que Carmela Rosa. La guapa dominicana, natural de La Romana, era uno de esos seres iluminados que nace con una apreciación total cada minuto de su existencia. Su apetito voraz por la vida era un tipo de hambre que Ainé nunca había sentido y del que se quería contagiar.

Cuando Ainé conoció a Carmela Rosa tenía 17 años y su chofera 24. Carmela Rosa era la única hija de una familia de clase media, y se había graduado recientemente de la Facultad de Humanidades y Artes de la Universidad Santo Tomás de Aquino, la más antigua de las Américas. Mientras buscaba cómo poner en buen uso su educación, una compañera de estudios la conectó con Bienvenido Cabral, quien la unió al grupo de choferes que llevaba y traía a los hombres importantes del Grupo, que a su vez se comportaban como insufribles dueños del universo. Sin embargo, la paga era buena, las horas flexibles y las dos o tres veces que uno de los susodichos dueños del universo se apendejaba demasiado y se prospasaba con ella, Carmela Rosa no había vacilado en resolver el asunto con un buen manotazo. Aunque de mojigata no tenía un pelo, si tenía unos gustos muy particulares a la hora de meter a alguien en su cama, y arquitectos de la edad de su padre no eran exactamente su tipo.

—Conmigo ya ni intentan esa vaina. Del más que hay que cuidarse es del Bienvenido Cabral ese. Hay que embalarse si lo ves. Anda siempre ajumao por ahí, detrás de las mujeres. Pero la verdad es que a tu papá nunca lo he visto en los incendios de estos diablos. Tu papá me luce un hombre serio –le dijo Carmela Rosa mientras se adentraba en un barrio de restaurantes típicos, lejos del esplendor del Continental.

—Si, eso no se le puede quitar –le contestó Ainé.

—Mira, aquí venden unos yaniqueques que te vas a chupar los dedos –dijo, estacionando en otro maravilloso rincón gastronómico al que los turistas no llegaban.

Álvaro salía a Azua los jueves por la tarde y regresaba al Continental los domingos por la noche para cenar con Ainé, contarle sobre sus proyectos y caer rendido en su habitación roncando tan fuertemente que las paredes retumbaban.

Todos los jueves en la tarde, cuando Carmela Rosa veía a Álvaro salir con su chofer hacia Azua, se encaminaba a la piscina del hotel, donde invariablemente encontraba a Ainé en una silla reclinable, con

sus enormes gafas negras Wayfarer al estilo de Audrey Hepburn, y luciendo el bikini azul eléctrico más pequeño producido en República Dominicana. El bikini era un chiste privado entre ambas, y señalaba que Álvaro se había marchado a Azua. Cuando Álvaro estaba en el Continental, Ainé usaba un *maillot* negro más recatado.

—Pareces una de esas focas polares blancas bebés –le dijo Carmela Rosa parándose frente a Ainé.

—Me estás bloqueando el sol, con el que estoy tratando de broncearme precisamente para no parecer una foca polar –le dijo Ainé sonriendo.

—Tú no te bronceas; te pones como langosta. Vámonos, que el arquitecto Palacios ha salido oficialmente del recinto, y tú y yo tenemos cosas que hacer –y echó a andar hacia los ascensores del hotel seguida de Ainé.

Una vez en la habitación, procedieron a cambiarse de ropa. Carmela Rosa intercambió su uniforme por unos ajustados pantalones de terciopelo negro, una sensual blusa holgada y escotada de lentejuelas, con los obligados tacones y aretes de argolla. Ainé intercambió su bikini por uno de varios vestidos que su padre nunca había visto y que no tenía intención de llevar en su maleta de regreso a Ponce. Para esa noche seleccionó uno de lame, corto y escotado, color verde esmeralda. Se soltó el cabello y se pintó los labios, imitando a Carmela Rosa a cada paso.

Cuando salieron de la habitación y cruzaron la recepción del hotel, ambas caminando con el escudo de seguridad que da la belleza, nadie asoció a las jóvenes con la hija del Arquitecto Palacios y su chofera. Durante esas noches, tenían cuidado en no usar el auto asignado a Carmela Rosa, y en vez abordaban taxis de una sala de fiestas a otra hasta el amanecer, en lo que parecía una carrera para obtener una licenciatura en estudios prácticos sobre merengue y el requinto de la bachata.

Ambas despertaron al siguiente mediodía con el rímel corrido y tomando grandes cantidades de agua, tiradas en la cama tamaño King de Ainé. Por lo regular desayunaban hamburguesas con papas fritas con café –«La grasa absorbe el alcohol» según la biblia de sabiduría popular de la juerga de Carmela Rosa–, se bañaban, reparaban los daños de la noche anterior, se pintaban las uñas la una a la otra y se preparaban para la próxima noche. En retrospectiva, Ainé sabía que Carmela Rosa y ella tuvieron mucha suerte. Festejando y bailando en todo tipo de barras –elegantes o de barrio–, por Santo Domingo en pleno 1987, las chicas probablemente esquivaron mil peligros danzando a su alrededor.

Fue en Santo Domingo, alejada de Ponce, de la historia de Alda y Diego, de los ojos siempre presentes de Cora, Manuel Antonio y los Palacios, y con la conveniencia de tener los fines de semana sola, que Ainé empezó a ejercitar el músculo de la independencia. Fue también en Santo Domingo donde descubrió su sexualidad, y encontró que era algo que disfrutaba enormemente, sin requerir de mucho romance o atadura. Esa filosofía tenía el sello de aprobación de Carmela Rosa.

No fue hasta que ambas amanecieron asustadas en un apartamento en Costa Verde con dos chicos cuyos nombres no recordaban, y tuvieron que salir en puntillas, caminando silenciosamente para no despertarlos escapando de allí, que decidieron quedarse un par de días descansando de la juerga, comiendo y viendo televisión en la habitación de Ainé.

—¿Qué tal si nos damos masajes en el spa? Hacen uno con piedras calientes, dice aquí. No sé si eso me guste. ¿Prefieres que te dé el masaje un hombre o una mujer? –decía Carmela Rosa mientras leía el menú de masajes del spa tumbada en la cama de Ainé.

—Me da igual. Me he dado masajes con ambos. Mi madre, Alda, es una fiel creyente de los beneficios de los masajes. Jura que sustituyen el ejercicio. Oye Carmela, ya llevo casi un mes aquí y no he visto nada de la vida de mi padre excepto los pasillos y restaurantes de este hotel –dijo Ainé tumbándose boca abajo a su lado.

—¿Y qué quieres ver, exactamente? ¿Sus oficinas? ¿Las oficinas de los tipos del Grupo? ¿O Azua y la ruralía? No te lo recomiendo, amiga, de verdad –le dijo Carmela Rosa.

—A eso vine. A descubrir lo que hace, lo que le apasiona, si es que le apasiona algo, antes de decidir que voy a estudiar. Carmela, llévame a Azua, por favor –dijo de pronto Ainé.

—¿Pero tú estás loca? Eso me costaría el trabajo –le dijo Carmela Rosa regresando la vista al menú de masajes.

—No chica, no te pondría en esa posición. ¿Tienes manera de conseguir otro vehículo que no sea el que tienes asignado? –insistió Ainé, sabiendo que era cuestión de tiempo que Carmela Rosa accediera.

La mañana del jueves siguiente, Carmela Rosa intercambió su vehículo por un «concho» o carro público de un amigo, que accedió a la transacción a cambio de usar el carro corporativo a gusto, una buena propina y la ilusa esperanza de que Carmela Rosa saliera con él algún día. No sería el único que saldría decepcionado de aquella aventura.

A las 15 horas en punto, Ainé se despidió de Álvaro, quedando con él para la cena usual del domingo en la noche. Ambas jóvenes bajaron por las escaleras del hotel directamente hasta el estacionamiento, sin pasar por la recepción, abordaron el «concho», y lo estacionaron en la avenida frente al hotel, de modo que pudieran ver claramente quién salía y entraba del estacionamiento. Cuando Álvaro salió 15 minutos más tarde hacia Azua, Carmela Rosa y Ainé lo iban siguiendo a una distancia prudente.

* * * * *

En la década de los 80 la infraestructura de la zona rural de República Dominicana distaba mucho de lo que llegó a ser en el siglo XXI. Las condiciones de las carreteras que conectaban la región sur con el suroeste y la zona de la frontera sur variaban desde lo razonablemente transitable hasta lo caótico. Muchos de los tramos no eran más que caminos de tierra y piedras. A la media hora de haber partido hacia Azua, Ainé y Carmela Rosa se dieron cuenta que el «concho» en el que iban no estaba equipado para las inclemencias de aquellos caminos rurales, y comenzaron a preocuparse. Dicha preocupación no llegó a mayores despliegues de histerias porque estaban intensamente concentradas en sobrevivir aquellos caminos polvorientos y no perder de vista el vehículo de Álvaro. No se escuchaba un respiro entre la tensión de ambas.

Dos horas más tarde, ya al ocaso y luego de alcanzar el otro lado de la Bahía de Ocoa, las muchachas exhalaron aliviadas al llegar al pueblo. El vehículo de Álvaro siguió de largo y se adentró en un camino un poco más al oeste que desembocó en una pequeña zona residencial con cuatro casas amarillas de cemento, sencillas pero amplias. Carmela Rosa estacionó el vehículo algo retirado del carril de tierra que llevaba a las casas. Las manos le temblaban visiblemente cuando finalmente soltó el volante.

A pie, se acercaron lentamente a la vivienda donde el vehículo de Álvaro se había estacionado. Lo observaron bajarse y decirle algo al chofer. Las dos jóvenes se dieron cuenta de que el conductor no era el chofer de Álvaro, sino Bienvenido Cabral. Mientras Álvaro y Bienvenido aún hablaban animadamente, la puerta de entrada de la casa se abrió, y una mujer que lucía un poco mayor que Carmela Rosa salió con un niño de unos tres años colgando de la cadera y una niña más grande. La niña salió corriendo y abrazó a Álvaro por la cintura. Cuando él se volteó para atender a la niña, sus ojos conectaron con los de Ainé, paralizada, mirándolo postrada bajo un enorme árbol de cajuil, cuyas ramas encorvadas parecían intentar protegerla de aquella escena.

Ainé permaneció allí solo unos segundos, pero en su memoria, estuvo varada por horas. Cuando sintió la cálida mano de Carmela Rosa en su hombro, se volteó sin decir palabra y caminó de regreso al vehículo. El camino de vuelta a Santo Domingo en el «concho», que parecía dueño de su propia nube de polvo, fue más precario que la ida por la oscuridad. En un momento del trayecto, Carmela se detuvo en una gasolinera, llenó el tanque y de algún modo se las ingenió para regresar con dos cervezas Presidente y dos *pastelillos* de pollo.

—Come algo, Ainé. Llevamos horas sin probar bocado. Aquí tienes un pastelillo de pollo.

—Empanadilla de pollo.

—Qué vaina. Como sea. Come algo, por favor –le dijo Carmela Rosa, aliviada de escucharla, aunque fuera para hablar de regionalismos idiomáticos. Ambas comieron en silencio y retomaron la carretera.

Cuando llegaron al hotel, Ainé se duchó y al salir, le pidió a Carmela Rosa que la ayudara a empacar, dejándole en herencia sus vestidos, tacones y accesorios de fiesta, que serían sus únicos recuerdos felices de aquel viaje. Mientras Carmela Rosa empacaba en silencio, Ainé llamó al conserje del hotel y le solicitó cambiar su pasaje aéreo de regreso para la mañana siguiente. Una vez tuvo confirmación, marcó el número de la oficina de Diego y le proveyó la información del vuelo. «Sí, estoy bien. Yo también te quiero mucho. Salúdame a mami y al abuelo Manuel. Bendición». Siempre le pedía la bendición a Diego como un reflejo automático y absurdo en ese caso, siendo ambos agnósticos.

Una vez todas las gestiones pertinentes para su regreso a Ponce fueron hechas, se sentó en la cama y empezó a llorar, sin emitir ruido alguno. Carmela Rosa la abrazó, compartiendo el espanto de su amiga y deseando poder dar marcha atrás y jamás haber accedido a llevarla a Azua. Cuando terminó de llorar, Ainé caminó hacia la caja fuerte de su habitación y le entregó a Carmela Rosa el remanente del fajo de billetes que le había dado Diego.

—Este dinero te comprará suficiente tiempo para pensar en lo que quieres hacer en el futuro. Eres inteligente, tienes una excelente educación y el corazón más noble que he conocido en mucho tiempo. No desperdicies tus talentos sirviéndole de chofera a estos tipos.

—¿Pero te has vuelto loca tú? No puedo aceptar ese dinero. ¿A cuenta de qué, Ainé?

—A cuenta de que no sé si perderás tu trabajo luego de esto, pero míralo como un fondo de inversión en tu talento. Lo tienes, y de sobra, amiga –le dijo Ainé abrazándola, y desde ya extrañándola.

Carmela Rosa fue la primera amiga de la incipiente adultez de Ainé, y con quien descubrió que tenía la capacidad de vivir una versión más alegre de la vida, porque su amiga le había dado el regalo de verlo todo a través de sus ojos. Al día siguiente, Ainé se levantó muy temprano, se vistió y salió con su maleta hasta la sala de la suite. El amanecer rompía glorioso a través de los grandes ventanales de cristal de la habitación. Allí, en la semioscuridad, estaba sentado Álvaro en una de las butacas como una silueta fantasmal, igual a la de su hermana cuando rompió noches hacía años en la casa de Beatriz.

—Siento mucho lo que pasó, Ainé, pero no es lo que piensas –dijo Álvaro en una voz inusualmente baja.

—No importa lo que pienso, Álvaro. Solo quiero irme de aquí y llegar a mi casa –le dijo Ainé, más agotada que furiosa tras una noche sin sueño.

—A mí me importa lo que pienses. La mujer que viste se llama Casilda. Tiene dos hijos de un matrimonio anterior que terminó muy mal. Cierto, vive conmigo en Azua, pero no hay una relación física entre nosotros. Solo nos acompañamos, conversamos, le ayudo con los niños, pero nada más. Todo es... distinto aquí. Era tan difícil con Alda –le dijo Álvaro, mirando el amanecer de tonos anaranjados que se desplegaba como una enorme danza líquida en el cielo. Ainé también lo miró, y su color le produjo una profunda nostalgia por su casa en El Vigía, por el amor y la compasión de Diego, por su abuelo Manuel Antonio, y hasta por las cantaletas de Cora. Pero sobre todo, tuvo nostalgia por los brazos perpetuamente cálidos de su madre.

—Tienes razón. No es lo que pienso. Es más triste. Si a ella le das compañía, afecto básico y hasta te importan sus hijos, tiene mucho más de lo que mi madre y yo recibimos de ti. No te preocupes. Estamos en un sistema cósmico de relevos paternos, donde tú le crías los hijos a Casilda y Diego crió la tuya. Queda en armonía, después de todo –y para la gran sorpresa de Álvaro, Ainé se acercó y lo besó en la mejilla, despidiéndose de aquel padre que conocía desde siempre y del que no sabía nada.

—Tenías razón sobre aquella teoría de los amores innecesarios que una vez le dijiste a mi madre cuando ocurrió la tragedia de Mameyes –le dijo Ainé, mientras Álvaro continuaba inmóvil en la butaca.

—¿Te lo contó?

—No exactamente. Escuché parte de una conversación que tuvo con Diego al respecto. No siempre tienes la razón, Álvaro, pero cuando la tienes, la tienes –le dijo Ainé, y con eso salió de la suite, cerrando la puerta suavemente tras de sí.

* * * * *

Carmela Rosa lloró como una Magdalena cuando dejó a Ainé en el aeropuerto.

—Cónchole, que mucho te voy a echar en falta –dijo, pasándose un pañuelo por los ojos, empeorando los ríos de rímel. Se abrazaron por largo tiempo y prometieron mantenerse en contacto.

Nueve años después, y luego de varios intentos literarios, Carmela Rosa escribió una hermosa novela erótica titulada *Las Reinas del Maunaloa*, que seguía las aventuras de dos chicas durante su despertar sexual en el Santo Domingo de los 80. La novela se convirtió en un *bestseller* y eventualmente se adaptó a una miniserie televisiva. Ainé Palacios Carmona, para entonces presidenta de la Editorial Vena Creativa, publicó el libro y negoció los derechos para la serie. Carmela Rosa vivió el resto de su vida sin problemas económicos, se despidió de sus días de chofera, contrató a un hombre para que la llevara a todas partes, y una vez al año, en el aniversario del día en que conoció a Ainé, nunca falló en acudir al Maunaloa para brindar en silencio por aquella amistad que le cambió la vida.

CAPÍTULO 20

Región Independiente Autónoma de Ponce (RIAP)

En el mes de diciembre de 1991, Ainé, Daniel, Diego y Alda se encontraron en el Aeropuerto Barajas en Madrid, para volar juntos a Ponce a pasar las Navidades como solo la diminuta república las sabía celebrar. Habiendo expuesto a Daniel a sus padres en el Lago de Como –habiendo el joven profesor pasado la prueba con honores–, Ainé se sintió cómoda invitándolo a conocer al resto de su excéntrica familia.

Daniel sabía que la familia de Ainé era afluente. Bastaba ver el exquisito apartamento de su novia en Salamanca, su vestimenta o la villa en Como para darse cuenta de lo obvio. Pero nada pudo preparar a Daniel para el esplendor del Hotel Girón, la casa en El Vigía, y finalmente, la corona del reino que era la magnífica Hacienda Girón. Daniel no sabía si Ainé había hecho el cálculo, pero a menos de que Alda milagrosamente tuviera o adoptara otro hijo con Diego, su novia se encaminaba a ser la heredera única de un considerable imperio económico.

El 25 de diciembre, Manuel Antonio, quien había hecho las paces con la idea del joven vasco, organizó una fiesta de Navidad que duró 14 horas, y a la cual entraron y salieron no menos de 250 invitados a lo largo de la tarde y la noche. Daniel se deslumbraba cada día más con el carisma de aquella familia irregular y fascinante. En Diego y Alda encontró a dos interlocutores idóneos para hablar de los temas de literatura que le apasionaban, y hasta acompañó a Alda a una actividad del Ateneo de Ponce, donde ya no trabajaba, pero pertenecía a la Junta de Directores al igual que Diego.

Los Carmona-Girón recibieron el 1992 con una celebración en el Hotel donde coincidieron no menos de dos exparejas del Madrileño, sin contar a su actual novia, otra elegante viuda de nombre Elena. Diego, quien por aquellas alturas no era capaz de recordar todos los nombres de las novias de su padre, adoptó la costumbre de llamarlas a todas con un genérico «querida».

—Mientras los hombres de este pueblo sigan muriendo y dejando a mi abuelo a cargo de las viudas de la ciudad, no veo posibilidades de que el Madrileño siente cabeza. Pobres mujeres –le dijo Ainé a Daniel, tomando dos copas de champaña de la bandeja de un mozo.

—Manuel Antonio es mi héroe, y mira que nunca pensé decir eso de un español –le contestó Daniel riendo y ya relajado por los tragos de la noche. Ainé lo miró extrañada al escucharlo aplaudir la conducta mujeriega de su abuelo, pero lo dejó pasar.

Después del brindis de la media noche y los fuegos artificiales, Ainé y Daniel condujeron hasta la Hacienda Girón, donde se estaban quedando a insistencia de Daniel, que estaba enamorado del lugar.

Ainé cayó rendida en la cama y se durmió instantáneamente.

Daniel aprovechó para caminar a solas por la desierta casona de la Hacienda, que rara vez estaba en silencio sin su tumulto de actividad constante. Se detuvo frente a la extensa cava de Manuel Antonio y Diego, entró en ella y seleccionó con desenfado una botella de Vega Sicilia, el clásico vino español de Ribera del Duero. Sin saber o importarle que la botella que seleccionó costaba sobre mil dólares, la abrió y comenzó a beber directamente de la misma mientras admiraba los extensos sembradíos de café, iluminados solo por la luz de la luna. Allí, estrenando las primeras horas de un nuevo año, visualizó un futuro en aquel cálido lugar preñado de exuberante belleza, tan distante del ruido de la construcción constante en Bilbao.

Para el almuerzo del día siguiente, Alda le quitó la batuta de la organización al Madrileño y organizó un festín en una larga mesa al aire libre en el patio de la casona, donde los comensales ejecutaron la maroma de comer, beber, hablar, e intercambiarse botellas de vino y platos en todas direcciones en una extraña danza armoniosa. Luego, Ainé llevó a Daniel a conocer su menagerie personal, bajando por un camino bordeado de árboles de pomarrosa y quenepas que Ainé iba comiendo por el camino.

—Como extrañaba las quenepas. Bueno, a los hijos y nietos de Azucena ya los conoces. Aquí tienes a mis conejos, allá está mi cabra, Tita, que no se lleva con nadie excepto conmigo, y mi gallinero que tengo gracias a mi otro abuelo, Erasto. Vamos a bajar al establo y te presento a mi yegua, Yugi, y a mi burro –le decía Ainé, mientras se movía de área en área acariciando y besando a sus animales. Tita caminaba a su lado con actitud de guardaespaldas.

—Que me imagino se llamará Platero.

—Por supuesto, no faltaba más –le respondió Ainé, riéndose de su propio cliché. El burro, en efecto, se llamaba Platero en honor a la obra lírica de Juan Ramón Jiménez. Daniel se acercó a Ainé y la besó en la cabeza, embriagado de aquel lugar del que no quería partir.

—¿Te imaginas en un futuro una boda aquí? Sería incomparable –dijo, ante los ojos de claro escepticismo y desconfianza de la cabra Tita.

—¿Boda? La única boda que visualizo aquí es la de Alda y Diego, si Álvaro le da el divorcio algún día a mi pobre madre, o del Madrileño, si ocurre un milagro y sienta cabeza. No tengo una boda en mis planes inmediatos, cariño. Sabes bien que me sobra evidencia de lo poco que significa ese papel. La pareja más feliz que conozco, mis padres, nunca se han podido casar. Mira, mami nos está llamando para el postre. ¿Has comido arroz con dulce alguna vez? El de Alda es de premio –dijo Ainé mientras se adelantaba a regresar al área del almuerzo.

No notó que Daniel se quedó inmóvil unos segundos antes de retomar el camino detrás de ella.

* * * * *

Madrid, España

Ainé se graduó de la Universidad de Salamanca en la primavera de 1993 con un grado en Literatura y un grado menor en Negocios. Agotada de la intensidad de los meses finales de su carrera universitaria, declinó la invitación de Diego y Alda de celebrar en el lago, y en vez, organizó ella misma una pequeña fiesta en su apartamento en Salamanca al que asistieron sus padres, sus primas Frida y Kala quienes estudiaban en Madrid, Daniel, y un puñado de amistades del Departamento de Literatura. Para la ocasión, Alda le regaló a su única hija unas pantallas de diamantes estilo dormilona que Ainé usó casi a diario desde ese momento en adelante. Diego, emocionado, le entregó una cajita blanca con una cinta verde.

—No me digas que vas a empezar a llorar –dijo Ainé, abrazando con fuerza al hombre noble que tenía el orgullo de llamar su padre.

—No empezar, continuar, porque no he parado –le dijo Diego. Ainé abrió la cajita y adentro había un llavero de plata en forma de cabeza de león, en honor a Ponce, con un par de llaves–. Una te la envía tu abuelo. Es la llave del antiguo piso de Manuel Antonio en Madrid. Las segundas llaves son para un regalo que hay abajo para ti.

Ainé soltó un grito de felicidad y corrió al ventanal hasta divisar el Opel blanco con un gran lazo verde que la esperaba cuatro pisos abajo. La reacción de Ainé le recordó a Diego cuando la invitó a bailar hacía tantos años en la boda de su tía Aila. Otra lágrima amenazó con bajarle por el rostro cuando sintió la mano de Alda en la suya, y ese familiar beso en el cuello.

—¿Y a mí? ¿Qué me vas a regalar? Espero como mínimo una nueva luna de miel.

Diego sonrió y dio gracias silentes por la bendición de aquellas dos mujeres en su vida. El Opel y el piso en Madrid respondían a que Ainé había aceptado comenzar a trabajar en el proyecto de Casa

Todas, una propuesta que combinaba un refugio –total o parcial– para mujeres víctimas de violencia de género, una oficina de capacitación laboral, una de trabajo social y terapia, un programa de literatura y artes libres, y un centro de cuido de niños bajo el modelo Montessori.

Era, por mucho, el proyecto más avanzado en su categoría en la Península Ibérica y en Europa, ya que el modelo de Casa Todas operaba bajo la premisa de que un refugio de por sí únicamente proveía un remedio temporero que, si bien era necesario, debía combinarse con otras herramientas complementarias para que lograra soluciones permanentes en la vida de las mujeres. Ainé quedó encargada de los programas didácticos, la reorganización administrativa y los esfuerzos de buscar fuentes alternas de fondos, para superar el gran reto de proveer servicios ininterrumpidos a través de las altas y bajas de donativos y asignaciones monetarias a las fundaciones.

Pero en la realidad del día a día del proyecto, todo el mundo tenía que hacer de todo. En más de una ocasión, Ainé utilizó el piso de Manuel Antonio para albergar algunas mujeres cuando el refugio estaba en su tope. Trabajaba 16 horas al día y muchos fines de semana, a menudo no cobraba para no recargar las finanzas del proyecto, casi no tenía vida social y nunca había sido más feliz en su vida. Daniel encontraba todo aquello descabellado y absurdo.

—Ayúdame a entender, Ainé. Tienes muchas opciones aquí mismo en España, en Ponce, en donde quieras. ¿Por qué escoges trabajar en un albergue de mujeres maltratadas donde no te pagan casi nada? –volvió Daniel con la misma discusión que habían tenido ya demasiadas veces.

—Porque sin ese albergue esas mujeres duermen en la calle, o peor, no sobreviven. Este concepto, el de la empatía, no es de gran complejidad. No sé por qué no lo comprendes. No todo en la vida se mide a base de dinero –le contestaba Ainé, hastiada de la misma pelea.

La relación había comenzado a erosionarse, de manera pausada, pero consistente. En retrospectiva, Ainé marcaba el regreso a Salamanca después de las Navidades en Ponce como el momento en que Daniel comenzó a cambiar de un modo imperceptible que nadie, excepto ella, hubiera podido detectar. Sabía que su comentario sobre el matrimonio lo había decepcionado, y quizás lo debió abordar de otra manera, pero Daniel siempre supo de su trasfondo familiar, y del hecho de que ella era producto precisamente de una pareja que firmó un papel que nunca significó nada.

Más allá de eso, Ainé ya había comenzado a transitar por los oscuros recovecos de una relación desgastada, donde las pequeñas cosas que antes le parecían encantadoras de Daniel ahora la mortificaban. Sus comentarios constantes y de mal gusto sobre el poder adquisitivo de los Girón, el incidente del vino Vega Sicilia, cuya botella encontró y escondió de su familia, y cien detalles más, la pinchaban como alfileres.

Daniel había terminado su doctorado y trabajaba a tiempo completo en la Universidad de Salamanca, de donde viajaba en tren a Madrid cada vez que podía. Más que compartir con su pareja en su minúsculo apartamento, prefería viajar para quedarse en el lujoso apartamento del abuelo de Ainé en la Calle Atocha, cerca del Parque El Retiro y el Museo Reina Sofía, recién inaugurado en 1990.

Un viernes invernal y particularmente difícil en el albergue –como solía ocurrir en los meses más fríos–, Ainé llegó a su apartamento y encontró a Daniel tumbado en el sofá, pies arriba, degustando uno de sus vinos. La estampa la mortificó tanto que fingió sentirse mal para poder retirarse a dormir lo antes posible. Esa noche, mirando al techo y escuchando a Daniel respirar a su lado, decidió que no pospondría más el próximo capítulo de su vida, en el cual no encontraba espacio para el hombre que dormía a su lado.

Romper con Daniel fue más difícil de lo que Ainé había anticipado. Hubo recriminaciones a momentos, ruegos a otros y más dolor aparente de parte de Daniel que de Ainé. Cuando lo condujo la tarde siguiente a la estación de La Atocha, Daniel la besó como la primera vez, cuando hicieron el amor en su apartamento luego de la fiesta de retiro del profesor Lara. Ainé miró el tren arrancar lentamente, y se preguntó si estaría cometiendo un error.

Tres meses más tarde, Ainé supo por amistades mutuas de la universidad que Daniel se había casado con Maia, una chica vasca que ella misma llegó a conocer en la fiesta de *Aste Nagusia* aquel agosto de 1991; Maia tenía cinco meses de embarazo.

CAPÍTULO 21

Madrid, España

La primera vez que Ainé viajó a Costa Rica fue para renovar un contrato con Nuria Arias Obando, la autora feminista centroamericana más importante de la tercera ola. Nuria odiaba esas etiquetas; para ella su trabajo no requería de tantos referentes. «Soy una fuerza disruptiva… eso soy. Me parece absurdo tener que echar mano de la disrupción para acabar con la puta discriminación que no beneficia a nadie, ni a los mismos hombres. Pero si con el radicalismo entienden, se lo administramos como supositorio si es necesario», le soltó Nuria a Ainé a los diez minutos de conocerla.

Nuria, quien afirmaba que la gesta feminista latinoamericana requería del elemento indispensable de la lucha contra el racismo, ejercía su devoción diaria desde todas las trincheras que encontraba; un día deponiendo ante las Naciones Unidas y el otro dictando una conferencia contra la ablación en Tanzania. Escribía columnas sindicadas en varios diarios latinoamericanos, dictaba charlas magistrales en universidades en todo el mundo e insultaba y emplazaba regularmente a muchos Gobiernos. «Si me van a usar para ganar simpatías entre la población femenina, el precio de admisión es escucharme, preferiblemente en silencio», fue lo segundo que le dijo a Ainé.

Sin embargo, la tarea de producir largos escritos filosóficos, como eran sus libros, era para Nuria una tortura. Tenía las ideas y observaciones claras, y su profundidad en el tema de la equidad de género era incuestionable, pero para publicarla había que escarbar mucho, pulir las ideas, ordenarlas y saber venderlas. Nuria no era un proyecto fácil. La autora saltó de una casa editora a otra por años, casi siempre luego del primer proyecto, que solía terminar en recriminaciones y portazos, hasta el punto en que, ya a final del proceso, a nadie le importaba el libro: solo querían salir de ella.

El círculo vicioso de torturar a desventurados editores a mansalva terminó cuando conoció a Ainé en Madrid, a donde la autora viajó para investigar y posiblemente replicar el exitoso modelo de Casa Todas como alternativa de refugio. Con el plan en marcha para darle vida a su idea de la Editorial Vena Creativa, Ainé había renunciado al proyecto del refugio hacía seis años, una vez pudo económicamente estabilizarlo, y cortar la cinta de la nueva sede permanente de Casa Todas.

Aún pertenecía a la Junta de Directoras, y cuando supo que Nuria Arias Obando visitaría el proyecto, se ocupó de combinar unas vacaciones en Sevilla con una cita con la autora. Ainé quedó en recogerla en la Estación La Atocha, ya que Nuria llegaba de Barcelona en el AVE, y ella había planificado para que coincidiera con su regreso de Sevilla.

Por esos días, Ainé había visitado a su tía abuela materna, Sonsoles Carmona, que ya peinaba 86 años bien vividos a fuerza de cigarrillos Ducados en serie, tragos de brandy o anís y observando una dieta estricta de croquetas de bacalao con salmorejo cordobés. Ainé sinceramente no se explicaba cómo no había muerto a los 35 años con ese estilo de vida tan diferente al de su fallecido hermano, Julián, quien terminó siendo un jíbaro vegetariano al que solo le faltaba hacer yoga para completar el cliché.

Tomándose un *Agua de Sevilla* en el balcón del apartamento de Sonsoles en el Barrio Santa Cruz, Ainé le preguntó directamente el secreto de su longevidad, mientras su tía abuela encendía otro Ducado. «Pues es la mantilla de Madre que uso los domingos para ir a misa. También tengo mis buenos contactillos en las hermandades, especialmente la de La Paz, del barrio El Porvenir. Fue fundada por excombatientes del bando nacional al terminar la Guerra Civil, ¿sabías? ¿Me puedes creer que ahora permiten a mujeres participar en las procesiones de Semana Santa? Habrase visto semejante barbaridad» le dijo indignada Sonsoles, a modo de explicación. Ainé no entendió la conexión entre la mantilla, el inminente enfisema, el hígado dilapidado y las procesiones de Semana Santa, en las que, al parecer, La Paz tenía conexiones especiales para repartir longevidad.

Aún se estaba riendo sola con las ocurrencias de su tía abuela al bajarse del tren en La Atocha, cuando se le antojó un *espresso* y se detuvo en uno de los locales alrededor de aquella jungla tropical absurda que habían decidido colocar por decoración en el interior de la estación madrileña. Nuria la vio primero. La miró porque parecía sacada de un anuncio de temporada otoño-invierno de Adolfo Domínguez. Calzaba unas botas altísimas de piel negra que le llegaban a la rodilla, unas enormes gafas negras y una gabardina roja que hacía imposible no admirar el atuendo, aún cuando para Nuria, todo menos lo básico era un trapo innecesario.

La observó pedir el café y sentarse distraída muy cerca de ella. Miró cómo se quitó las gafas y las guardó cuidadosamente dentro de su bolso. Luego sacó un compacto y se miró en el espejo. A Nuria aquello le pareció el frívolo ritual de esas mujeres que pasan una hora maquillándose para crear la apariencia de no llevar maquillaje alguno, lo que para ella era una insufrible pérdida de tiempo. En el tema del maquillaje, opinaba Nuria, no se necesitaba nada más que un lápiz labial rojo para ocasiones especiales y listo. De pronto Ainé levantó la vista y atrapó a Nuria observándola. Su reacción la guardaría Nuria en su memoria durante su larga amistad. Ainé sonrió ampliamente, no solo con los labios, sino con los ojos, como si acabara de ver algo inefablemente hermoso que la llenaba de alegría.

—Tú debes ser Nuria. Qué honor. Soy Ainé. Qué pendejos estos madrileños, ¿no? Porque nada dice Madrid como una jungla tropical en medio de este crudo otoño –le dijo refiriéndose al interior de La Atocha. La amistad de toda una vida nació de ese intercambio inicial que duró solo unos minutos.

* * * * *

Durante sus frecuentes viajes a Madrid, Ainé seguía viviendo en el piso de su abuelo Manuel Antonio, en el que invitó a Nuria a hospedarse. Ambas extendieron sus planes y pasaron el final del otoño y parte del invierno festejando, tapeando, bailando y hablando durante horas interminables de todo lo que les apasionaba: el feminismo, la música, el arte, el cine, viajar, la literatura, el sexo y la política. Encontraron la una en la otra, un alma en la misma vibración capaz de hablar de política internacional y de ahí pasar a discutir la próxima película que verían juntas, sin precisar la transición. Pero el tema constante durante aquellas Navidades de vino y extensas conversaciones eran los hombres. Ambas eran usuarias frecuentes, admiradoras entusiastas y catadoras expertas. A Nuria le fastidiaba el asunto.

—Por absurdo que suene, me sentiría más purista en mi misión de vida si no me gustaran los hombres. Eso de estar peleando con ellos todo el día para luego follármelos por la noche me rejode la cabeza –le dijo a Ainé, quien estalló de la risa.

—Suena absurdo porque es perfectamente absurdo.

–-Sí, ya sé. Hay hombres feministas y son aliados y solidarios y blah, blah, blah... Solo decía. Me sentiría más entregada a la causa –dijo Nuria mientras encendía un porro de hachís, una novedad que había introducido a la vida de Ainé.

—Pasa el porro, mujer. ¿Cómo coño quieres estar más entregada a la causa? Te falta amarrarte de los pantalones del Monumento a Velázquez en el Prado. Además, si vas a sugerir renunciar a los hombres por *la causa* desde ahora te digo que andas con una desertora en potencia –le ripostó Ainé.

Ambas estaban semiocultas en el portal de un edificio de la Calle Príncipe casi esquina con la Calle del Prado, muy cerca de la famosa Cervecería Alemana, donde esperaban a unos amigos. En medio del suave viaje del hachís, Ainé tuvo una imagen relámpago de las caras de Alda y Diego si hubieran visto a su hija en un callejón oscuro de

Madrid fumando. Se le ocurrió que de seguro Diego le pedía probar el hachís y la certeza la hizo sonreír.

—Lo he intentado con mujeres, todo sea en nombre de la exploración de la sexualidad. Pero al final, realmente solo me gustan los hombres –continuó Nuria.

—Las cosas nobles que haces en el nombre de la exploración. Me parece todo fantástico con este hachís, pero para mí, los hombres son necesarios.

—¿Un mal necesario?

—Si lo quieres ver así –rió Ainé–. Ejemplo puntual, mira a Chema caminando hacia nosotras, ya nos vio. Dios se esmeró ahí. Lo hizo con mimo. Cosas así no se desperdician. –dijo, terminando de hablar justo antes de que Chema se acercara lo suficiente como para escucharla. Chema las besó a ambas en cada mejilla y les secuestró el porro.

El susodicho producto del esmero de Dios, según Ainé, era un ingeniero de carreteras que trabajaba para una firma que tenía varios contratos millonarios con el Gobierno, y a quien la vida le sonreía. Chema era también el amante intermitente de Ainé cuando estaba de pasada por Madrid. Después de Daniel, no había vuelto a tener una relación seria o exclusiva. En la opinión experta de Nuria, cuyo peritaje en el tema no podía ser cuestionado, Ainé elevaba a nivel de culto feminista aquello de «un amante en cada puerto».

En esas semanas navideñas, Chema, Ainé, Nuria y unas cuantas amistades adicionales formaron un tipo de ganga de lobos nocturnos que se desplazaba a conciertos, fiestas, o viajes cortos a Pedraza o a Barcelona. El 2002 lo recibieron con champaña y las requeridas uvas, apiñados en el balcón del apartamento de Chema en la Calle Arenal, desde donde tenían una espléndida vista a un infinito mar de gente que cubría la Puerta del Sol como una inmensa ola de fanáticos de fútbol. Ainé y Nuria continuaron su amistad visitándose con frecuencia y encontrándose en Ponce, San José, Madrid o Bogotá. Una de las autoras que con mayor éxito Ainé publicó en su carrera fue una tica feminista de maranta sensual, alma fiestera y corazón de oro de nombre Nuria Arias Obando.

* * * * *

San José, Costa Rica

El viaje de Bogotá a San José en Costa Rica fue breve y sin eventos. Ainé sentía que visitaba el país por primera vez, cuando en realidad era la tercera vez que pisaba tierra Tica. Los viajes anteriores habían sido de trabajo y solo llegó a ver la ruta del Aeropuerto Juan Santamaría al Hotel El Grano de Oro, un par de restaurantes y salones de reuniones. Nuria esperaba afuera del aeropuerto buscando con la vista a su amiga. Por fin la vio, alzándose en sus tacones como una jirafa entre venados. Ambas mujeres se abrazaron con fuerza. El 2004 recién había nacido y tenían planes de celebrarlo en grande por dos semanas. Ainé estaba físicamente exhausta; los tres años anteriores –que culminaron con el premio de Sarah Collins y su subsiguiente libro– habían absorbido totalmente su vida, y viajó tanto para el proyecto que a menudo se despertaba en un hotel y por unos segundos no sabía en qué ciudad del mundo se encontraba.

—¡Mujer! Qué alegría tenerte aquí. Déjame apapacharte. No puedo creer que estamos juntas para irnos de fiesta y no para trabajar. Tengo planificado el viaje a Monteverde, y si te apetece cruzamos a Guanacaste y vamos a la Playa de Tamarindo. Dame la maleta, que la acomodo aquí en este tiliche que tengo por nave –le decía Nuria mientras acomodaba el equipaje de Ainé.

—Con todo lo que se han vendido tus libros imaginaba que habías cambiado este tiliche, como bien le llamas, por un auto mejor –le dijo Ainé besándola.

—Le tengo cariño a este, y el asiento ya se amoldó a mi considerable trasero. No sé si esa hazaña sea posible con otro vehículo.

—Jajaja, cómo te he extrañado, bruja –le dijo Ainé, acomodándose en la camioneta de Nuria.

Se dirigieron al Hotel Grano de Oro, el favorito de Ainé en San José, y donde se hospedarían ya que Nuria vivía a unos buenos 45 minutos fuera de la capital. Luego de acomodarse en la suite Vista de Oro, con ventanales que abrían hacia el Valle Central, se dirigieron a la barra del hotel donde el servicio era tan formal y de viejo mundo que a ratos a Ainé le parecía estar en Londres. Nuria sacó de su bolso un mapa de Costa Rica, un bolígrafo y varios folletos, Ainé ordenó una botella de Ricart y se entretuvieron por media hora confirmando la ruta planificada con sus respectivas paradas en el camino. Ainé estaba ansiosa por descubrir el legendario bosque nuboso Santa Elena de Monteverde. Nuria estaba más enfocada en las aguas termales.

—Esta ruta es preciosa. Hasta yo voy a descubrir lugares nuevos porque eso de caminar por millas en un bosque de nieblas no es algo que me haya tentado nunca –le dijo Nuria–. Pasando a otros temas de igual importancia, tengo a un amigo, diputado de nuestra Asamblea Legislativa, que estoy loca por presentarte. Vio varios videos de entrevistas tuyas en la página web de Vena Creativa y nos invitó a cenar esta noche.

—Caramba, como hemos progresado de sentirte infiel a la causa feminista a convertirte en una celestina tipo Alda.

—¿Cómo está tu madre en estos días? ¿Y Diego y su padre? –le preguntó Nuria. Se había emborrachado en más de una ocasión saliendo de juerga con el Madrileño en Ponce, quien no perdía la esperanza de ligar con ella algún día.

—Están muy bien. Mami lleva unos meses sintiéndose rara de salud, con menos energías y ha perdido peso, pero creo que es por el maratón de la muerte y funeral de mi abuela Cora, que dejó instrucciones exactas, dando órdenes hasta después de muerta. Alda me prometió que se hará un examen médico de pies a cabeza en cuanto regrese de Canadá –le dijo Ainé probando un sorbo de champaña.

—¿Qué hace Alda por esas latitudes de hielo?

—Pues se empeñó en que, entre las dos, compráramos un piso en Montreal, la ciudad donde nació. Diego se ofreció a adquirirlo, pero ella quiere una propiedad comprada por ella y a su nombre, cosa que nunca ha tenido. Yo le celebro a Alda cualquier inclinación feminista por tardía que sea. Es una buena inversión y el costo del piso es moderado, así que accedí. Está de lo más entretenida decorando el lugar para celebrar su cumpleaños allí. Mami cumple 63 este año, así que tienes alojamiento allá cuando desees. Vamos a celebrarle una gran fiesta en octubre. ¿Por qué no te unes?

—Cuenta con ello. Desempolvo mi ropa de esquimal y llego allá.

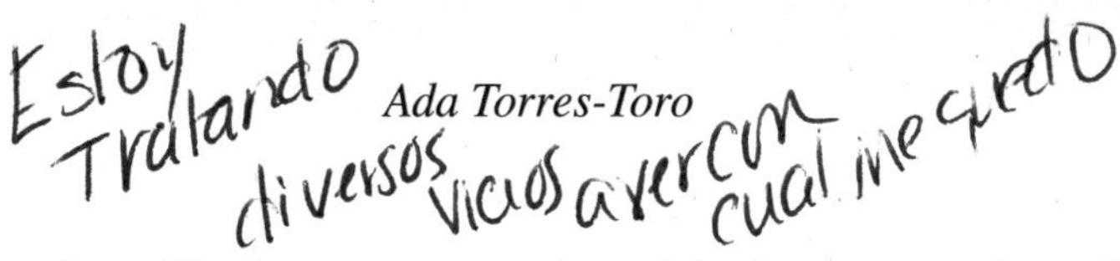

Alda ya tiene 63 años, me parece increíble. Parece que tiene 50, la muy guarra. Entonces, esta noche vas a conocer a Roberto –dijo Nuria, retomando el tema.

—¿Quién es Roberto?

—El diputado.

—Ah. ¿Podemos hacer de este viaje uno libre de hombres?

—Podemos, pero… ¿queremos? –le contestó Nuria riendo, recordando las aventuras y las maromas sexuales de ambas en Madrid.

—Yo sí. Cada vez tengo menos paciencia y energías para invertir en un imbécil que predeciblemente terminará drenando mi tiempo –le dijo Ainé encendiendo un cigarrillo. Nuria la observó en silencio por unos segundos.

—Entonces, para estar clara, ¿ahora fumas y no te gustan los hombres?

—Lo que se dice fumar, no fumo. Estoy tratando diversos vicios para ver con cuál me quedo. Y los hombres me siguen gustando mucho, es solo que no los soporto. En mi mente todo esto hace perfecto sentido –dijo Ainé, y ambas se echaron a reír.

—Pobre Roberto. Terminó siendo un imbécil insoportable sin llegar a conocerte. ¿Se puede saber exactamente qué buscas en una pareja? Porque desde el imberbe de Daniel, no te he visto en una relación seria con nadie.

—No sé porqué todo el mundo se empeña en verme emparejada con alguien. Hasta tú, que eres una de las madres modernas del feminismo latinoamericano.

—No seas aguada. Yo no te quiero emparejar con nadie, solo que te aprietes con Roberto, mira que tienes cara de que te hace falta. También me gustaría verte feliz, hermana.

—Soy feliz, Nuria. No todas las felicidades lucen iguales. Alda tuvo la suerte de experimentar el milagro de conocer a su alma gemela y vivir una gloriosa historia de amor, contra viento y marea. Tú eres feliz con nuestra causa. Yo soy feliz entre libros, que prácticamente son mis hijos, y mira todo lo que he logrado con autoras en diferentes partes del mundo. Quizás mi destino no sea vivir un amor para la historia, sino contar historias de amor –dijo Ainé mirando su reflejo distorsionado en el cristal de la flauta de champaña.

—Me gusta eso último que acabas de decir. Apúntalo para que no se te olvide. Puede ser el título de tu autobiografía. Mientras tanto, esta noche vas a conocer a Roberto. Tómalo como asignación de terapia.

—Qué equivocado es para una mujer esperar que el hombre construya el mundo que ella quiere, en lugar de crearlo ella misma –le dijo Ainé, citando los diarios de la autora francocubana Anaïs Nin.

—Anaïs también aconsejaba lanzar tus sueños al espacio como un cometa porque no sabes lo que te devolverán: una nueva vida, un nuevo amigo, un nuevo amor, un nuevo país –le ripostó Nuria. Ainé miró a su entrañable amiga y sonrió lentamente, como en etapas.

—Tienes razón. Creo que necesito todas y cada una de esas cosas, incluyendo un nuevo país. Por el momento, tengo a Costa Rica y te tengo a ti. Vamos a ponernos guapas que esta noche salimos a celebrar y a cenar con… ¿Cómo me dijiste que se llama el diputado ese?

Una semana más tarde, Ainé caminó sin prisa un kilómetro tras otro por el bosque encantado y nuboso de Santa Elena. A lo lejos, un mono aullador gritaba sobre sus desamores. Levitaba por senderos escondidos en una neblina que la acariciaba con microscópicos besos en su rostro. Cuando llegó a la cima desde la cual se veía el Volcán El

Arenal comenzó a reír sola, sonora, liviana. De algún lugar entre los recovecos de sus memorias, recordó una canción que se le grabó desde su fiesta de 18 años. La melodía comenzó a sonar diáfana en su mente y comenzó a cantarla en voz alta:

> *"Yo a tu lado no siento las horas que van con el tiempo*
> *Ni me acuerdo que llevo en mi pecho una herida mortal*
> *Yo contigo no siento el sonar de la lluvia y el viento*
> *Porque llevo tu amor en mi pecho como un madrigal..."*

Que equivocado es para una mujer esperar que el hombre construye el mundo que ella quiere tener en lugar de ella crearlo

anais Nin

CAPÍTULO 22

París, Francia

La segunda semana de cada marzo es una de las más importantes en el calendario anual de Ainé. En esa fecha se celebra la feria del libro, el *Salon du livre* de París, en la plaza de la Puerta de Versalles, un grandísimo espacio de exposición para profesionales y público en general. La feria del 2005 fue especialmente agitada para Ainé, quien estaba en plena promoción del libro de Sarah Collins y de un puñado de autoras latinoamericanas cuyas obras se estaban lanzando en francés. Pasaba doce horas diarias entre mesas redondas, debates, conferencias, y cócteles. Mientras salía de una de las jornadas y disfrutando del camino a pie hacia su hotel, sonó su móvil. Era Chema, desde Madrid.

—¿Por qué no me dijiste que estarías en París? Si no es por Nuria, no me entero. ¿Aún estoy a tiempo de dar un salto allá y visitarte, guapa?

Ainé trató de visualizarlo y el pensamiento le provocó hastío. Lo que le había contado a Nuria era cierto: a sus 30 años cada vez tenía menos inclinación para ligues de una noche, y puesto que tampoco deseaba una relación seria y menos tener hijos, había decidido tomarse una sabática de los encantos masculinos. Declinó la sugerencia de Chema, indicando que estaba demasiado ocupada y que, además, su viaje estaba por terminar. Cuando llegó a su hotel, cercano al Museo de Louvre, tomó un baño largo en la tina y, abrazada por el agua, comenzó a releer el manuscrito de Valentina Baumann.

Valentina era una escultora importante con taller en el barrio Palermo Soho en Buenos Aires, que de la noche a la mañana había dejado de esculpir y comenzado a escribir sobre una pintora que solo trabajaba la figura masculina y sus respectivas relaciones con sus múltiples modelos. En el libro, Valentina deconstruyó la narrativa universal de la «musa mujer» y el «genial artista hombre», invirtiendo los roles y pintando a la protagonista como una Picasso femenina, carente de empatía o amor real por sus modelos-amantes, que usaba como objetos vanos para luego descartarlos. La escultora había logrado una obra controversial, provocadora y contundente, justo la especialidad de Ainé.

Valentina y Ainé se conocieron unos años antes en Barcelona, donde la artista exponía su arte, y se convirtieron rápidamente en amigas durante un cóctel en la azotea de la emblemática Casa Batlló, diseñada por Antonio Gaudí. Pasaron unos días en la ciudad visitando galerías y tomando más «chupitos» de los necesarios. Cuando Valentina le dio un giro de 180 grados a su carrera artística, a la primera editora que llamó fue a Ainé. Inicialmente, la joven editora accedió a leer el manuscrito por consideración a su amiga, pero le bastó absorber los primeros dos capítulos para saber que tenía en sus manos una oportunidad de oro: una obra eróticamente elegante de corte feminista, que provocaría mucha controversia e incomodidad entre los hombres que se verían forzados a verse en un rol objetivado, históricamente reservado para las mujeres.

Al día siguiente, en el vuelo directo de las 11:00 del Aeropuerto de Orly al de Ezeiza en Buenos Aires, Ainé partió hacia su próxima aventura literaria, cavilando cómo una escultora a quien nunca le vio escribir nada excepto su firma, había creado de la noche a la mañana esa oscura y seductora voz literaria.

* * * * *

Buenos Aires, Argentina

A su salida del terminal, Ainé buscó entre la muchedumbre el rostro alargado y delicado de Valentina, hasta que divisó a un hombre alto y elegante, de unos 40 años, sujetando un cartel con su nombre. Ainé, tan experta en el arte de la moda como el de las letras, reconoció instantáneamente el impecable traje Kiton que llevaba el hombre. Aquella indumentaria no era de chofer.

—Soy Ainé Palacios. ¿Viene usted de parte de Valentina?

—¡Hola! Qué gusto. Soy su hermano, Nicolás; me ofrecí a recogerte. Podemos pasar primero por el hotel para que vos dejes el equipaje y descanses –le dijo amablemente. Afuera los esperaba un chofer en un BMW azul royal y ambos abordaron la parte trasera.

—Por fin tengo el gusto de conocer al hermano mayor de Valentina del que tanto me habló cuando estuvimos en Barcelona. ¿Dónde exactamente me voy a alojar? Cuando le pedí sugerencias me dijo que ella se encargaba.

—Pues ya verás, es una sorpresa. Te puedo adelantar que el hotel es de mi propiedad, pero cualquier otro detalle arruinaría el momento.

—¿Qué momento? –preguntó Ainé, quien lo único que deseaba después del maratónico vuelo era un baño y una cama. Nicolás no le dio mayores detalles de su alojamiento, pero procedió a entablar una amena conversación sobre el libro de su hermana, que claramente conocía íntimamente.

—Soy su lector beta. Vos y yo somos los únicos que hemos leído el manuscrito. ¿No te parece sensacional? –dijo Nicolás, mirando a Ainé con ojos de apreciación.

—Por supuesto. De otro modo no hubiera venido de París directo a Buenos Aires para discutir los pormenores del contrato y el plan que tengo para el libro –contestó, bostezando sin proponérselo.

—Debes estar exhausta. Ya casi llegamos.

El chofer se adentró en la exclusiva zona de La Recoleta y detuvo el vehículo frente a un hotel en la Calle Posadas 1557, llamado «Baumann Recoleta Plaza». El chofer abrió la puerta y Ainé miró con reverencia el histórico edificio.

—Bienvenida. Estás frente a… –comenzó Nicolás.

—...la residencia de Eva Perón de 1942 a 1944 –dijo Ainé, terminando la oración por él y mirándolo maravillada–. Pero ¿cómo es posible? ¿Cómo adquiriste este edificio cuyo valor histórico es incalculable?

—Esa es una historia larga para otro momento. Todavía no llega la parte de la sorpresa –dijo sonriente Nicolás Baumann, y ambos entraron a la recepción del hotel e instantáneamente se transportaron a la era de Perón.

El hotel había sido decorado cuidadosamente preservando piezas, muebles y parafernalia de Evita, todas en exhibición, en un balanceado contraste con los modernos elevadores totalmente trabajados en cristal que abordaron.

—Esta es la sorpresa, Señorita Palacios –dijo deteniéndose frente a la suite 41, que tenía una placa que leía simplemente: Evita. Ainé aguantó la respiración sin notarlo.

Con mucha pompa, Nicolás abrió la doble puerta que conducía a la suite privada de Evita cuando vivió allí. Ainé exhaló deslumbrada.

—Nicolás, esto es demasiado generoso. Estoy sobrecogida de la emoción. Voy a dormir en un verdadero museo –dijo fascinada.

—No es nada en comparación con lo que vas a hacer por Valentina –le dijo Nicolás, entregándole la tarjeta de acceso a la habitación.

—¿Y qué voy a hacer por ella, aparte de publicar su libro?

—No solo vas a publicar su libro. Vas a hacer famoso el apellido Baumann fuera de los confines de Argentina. Vas a hacer por ella lo que hiciste por Sarah Collins, Nuria González-Prieto y tantas otras. Necesitamos a alguien de confianza que pueda entender, mercadear y sobre todo, distribuir este libro a mercados internacionales. Valentina tiene plena fe en ti.

—Nicolás, la literatura de Nuria y la crónica de la investigación de Sarah son obras muy distintas a lo que escribió Valentina.

—Exactamente. Si eres capaz de comercializar exitosamente a pensadoras feministas e investigaciones de curas pedófilos, con este libro lograremos llegar a mercados en todo el mundo. Ahora te dejo para que descanses. Valentina y yo te esperaremos en el club de jazz aquí mismo en el hotel a las 21 horas, ¿te parece? –y con eso la besó en la mejilla y salió de la habitación, dejando una estela de perfume masculino tras de sí.

Ainé admiró su entorno, los muebles cuidadosamente restaurados, el escritorio y la silla de los 40, y el ventanal por donde Evita debió mirar hacia la Recoleta durante dos años de su inigualable vida. La mesa cercana a la enorme cama estaba adornada con un ramo de 24 rosas rojas, una botella de Dom Pérignon en hielo, una generosa canasta de frutas y una tarjeta que abrió. *«Bravo león, mi corazón tiene apetitos, no razón. Bienvenida. Quedamos honrados con tu visita»*. La tarjeta, aunque redactada en plural, solo tenía la firma de Nicolás Baumann. Ainé reconoció la cita de la poetisa y escritora Alfonsina Storni, una de sus favoritas. Claramente, Nicolás y Valentina tenían un plan bien delineado para convencerla de lo que ya estaba convencida.

Abrió la botella de champaña y se sirvió una copa en lo que desempacó, se bañó y se puso unos pijamas. Pensó ordenar el almuerzo en la habitación, pero el cansancio pudo más que el hambre y en cuanto se recostó en la cama, se quedó dormida instantáneamente. Soñó con Evita y con su tumba en el Cementerio La Recoleta, muy cercano al hotel. En su sueño, Evita tenía el rostro de Alda.

* * * * *

Cuando Ainé despertó, luego de cuatro horas de un sueño profundo, miró por la ventana y comprobó que había anochecido. Sobresaltada, miró su reloj y vio que aún tenía una hora para prepararse. Tomó fresas y uvas de la canasta de frutas para aplacar su hambre. Caminó hasta el armario y observó sus opciones, incluyendo algunas piezas reción adquiridas en París. Poco a poco las fue descartando hasta llegar a un glorioso vestido color borgoña de la colombiana Silvia Tcherassi, en el más fino satén. En la percha, el vestido no parecía más que una simple toga, pero en cuanto Ainé se lo puso, desplegó su impecable confección y diseño. El traje que le flotaba hasta los tobillos, era de un solo hombro con un nudo en la cadera desde donde salía una hendidura que dejaba al descubierto la totalidad de una pierna. Por un segundo Ainé se preguntó si iba sobrevestida, pero concluyó que en La Recoleta no existía tal cosa.

Se recogió el cabello en una versión más moderna del twist francés, calzó unos *stilettos* que no había estrenado y terminó descartando todas sus prendas excepto unos largos aretes de esmeraldas que había tomado prestados de Alda, y un brazalete egipcio que se colocó alrededor de un bíceps. Luego se maquilló con manos expertas y se miró al espejo. Por una fracción de segundo, su cerebro le jugó una broma y le pareció ver a Alda en el reflejo. Recordó su sueño, pero no tenía mucho tiempo para interpretaciones de simbologías nocturnas. Se miró por última vez, tomó su bolso de noche y salió de la habitación hacia el famoso *Jazz Voyeur* en el sótano del hotel.

* * * * *

Cuando Ainé atisbó a Valentina y a Nicolás en la mejor mesa del club, agradeció su selección de vestido. Valentina estaba enfundada en un sensacional traje negro, escotado casi hasta el ombligo y portando un collar con un ópalo tan masivo que merecía estar en un museo. Nicolás, que se hubiera visto guapo con cualquier prenda, vestía el mismo traje Kiton, con una nueva camisa y una impecable corbata de seda. Todos se saludaron efusivamente.

—Estás sensacional Ainé. ¿Pudiste descansar? –le preguntó Valentina, encendiendo un cigarrillo.

—Cuatro horas ininterrumpidas. Ya tengo mi batería recargada. Estas hermosa Valentina, qué felicidad verte. No sabes la anticipación que hay en Vena Creativa con esta novela.

En el escenario del club, el venerable trío de Manuel Fraga comenzó un tributo de canciones famosas de películas de Woody Allen reinterpretadas en jazz. Nicolás notó su cara de fascinación.

—Me comentó Valentina que te gusta el jazz.

—Me fascina, y no es la primera vez que escucho al Manuel Fraga Jazz Trío. Estoy en el paraíso –le dijo Ainé, aceptando el cigarrillo que le ofreció Nicolás.

—Todavía no, pero pronto, Ainé – le dijo; Ainé no estaba segura de si se refería al libro de Valentina o estaba flirteando–. Me toma por sorpresa que una feminista de tu calibre admire a algo relacionado a Woody Allen.

—Era mi cineasta favorito hasta que se destapó como un depredador sexual de menores. No creo que podría ver otra película suya –contestó Ainé, usando la oportunidad para seguir hurgando en la psiquis de Nicolás.

—Si las feministas descartaran a todos los artistas varones que durante la historia de la humanidad han cometido atrocidades mientras creaban arte, me temo que nos quedaríamos con millones de museos, videotecas y bibliotecas casi vacías. Mira a Caravaggio, por ejemplo. Un asesino convicto a quien le debemos el *chiaroscuro*. A veces, hay que separar la divinidad de la obra de la mortalidad del creador o los métodos que usó para llegar a su creación –contestó predeciblemente Nicolás.

—He escuchado esa justificación mil veces. En la superficie suena lógica y muy acomodaticia para los artistas. No le funciona tanto a las víctimas, ¿no crees? –contestó mientras Nicolás le refrescaba la copa. Ainé dio por terminado el tema y se volteó a hablar con su amiga.

—Valentina, tengo tantas preguntas que hacerte sobre el libro, del proceso de transición de la escultura a la literatura, y cómo llegaste a esa voz literaria tan oscura y seductora. La historia es una joya –le dijo Ainé, chocando su flauta de champaña con los hermanos.

—No solo la historia es una joya. Todo el libro es perfecto –ripostó Nicolás, que apenas había dejado hablar a su hermana. Ainé lo miró algo sorprendida por el comentario.

—No hay libros perfectos en el primer manuscrito, Nicolás. Hay libros perfectamente editados y esa es la parte que me toca. A eso vine.

Nicolás la miró en silencio mientras bebía otro sorbo y Valentina interrumpió la posibilidad de otro comentario de su hermano.

—Para hablar del libro tenemos toda la semana, empezando con una reunión mañana en mi estudio en Palermo. Esta noche es para brindar, ponernos al día con nuestras vidas y escuchar buena música –dijo Valentina abrazando nuevamente a su amiga.

—Y para comer, espero. Estoy hambrienta.

Luego de la excelente música del club, los tres subieron al restaurante francés del hotel, que estrenaba chef en esos días.

—Acabo de llegar de París y les puedo asegurar que esta cena no tiene nada que envidiarles a los mejores restaurantes de esa ciudad –dijo Ainé, y Nicolás sonrió complacido como si él mismo fuera el chef.

Cuando terminaron la sobremesa ya era pasada la 1:00 de la madrugada y Valentina comenzó a despedirse una vez llegaron a la recepción del hotel.

—Usa el chofer, hermana. Voy a invitar a Ainé a una copa a la barra del Recoleta Grand –dijo Nicolás–. Es acá cerca, Ainé. Podemos ir caminando.

Ainé comenzó a responder, pero de pronto notó una mirada de Valentina hacia Nicolás que no pudo decodificar.

—¿Crees que es buena idea, Nic? Ya es tarde y Ainé estará agotada.

—En realidad la siesta tan larga me espantó el sueño. Podemos ir si les apetece –contestó Ainé, no perdiendo detalle de la interacción entre los hermanos.

—Como gusten. Yo ya me retiro. Nos vemos mañana, Ainé –y dándole un sonoro beso a cada uno, desapareció en el BMW. Nicolás señaló la ruta, cruzaron la acera y comenzaron a caminar.

—¿Tienes por costumbre visitar los hoteles de la competencia?

—Por supuesto. Y ellos el mío. En cualquier caso, ese vestido que llevas está rogando ser lucido por toda Recoleta –le dijo Nicolás mirándola nuevamente. Definitivamente flirteo, pensó Ainé, quien no tenía planes en este viaje de ninguna otra actividad que no fuera trabajar.

En pocos minutos llegaron al majestuoso lobby del Recoleta Gran Hotel. En el centro del lobby estaba la espléndida barra. Nicolás pidió dos *martinis*, sin preguntar a Ainé.

—Jazz, champaña, gastronomía francesa y *martinis*. ¿Te facilitó

Valentina una lista de mis gustos?

—Solo los decadentes. Salud.

—Salud. Nicolás, me quedé pensando en tu comentario sobre el manuscrito de Valentina, que te parece perfecto. Mañana podemos ir paso a paso sobre el proceso de llevar este manuscrito a convertirse en un *bestseller*, pero te debo anticipar que no se trata solo de diseñar una portada atractiva y publicar el manuscrito tal cual está. No es así como funciona este negocio –dijo la editora, empezando a tirar suavemente de un fino hilo invisible y enigmático que veía entre los hermanos y que no comprendía del todo.

—Como agente y representante de Valentina, estaré en todo el proceso con la única misión de ayudar.

—¿Agente de Valentina? Una de mis gestiones acá era precisamente presentarle a Concha Torrens, una agente literaria de larga experiencia. ¿Tienes trasfondo en este negocio?

—No, soy solo un hotelero. Pero nadie conoce ese libro como yo –le contestó Nicolas mirándola fijamente. Por un instante, toda su galantería melosa desapareció.

—Imaginaría que Valentina, la autora, lo conoce mejor que tú.

—Por supuesto –dijo con la máscara de la galantería nuevamente *in situ*–. Me refiero a que trabajamos juntos en esta transición de escultora a escritora, y siento que el producto final de esta obra es mío también, en alguna medida.

—Pero el manuscrito no es el producto final, Nicolás. Ahora comienza el proceso de edición de estilo y contenido, y tengo notas para reescribir varias partes claves del libro –le explicó.

—¿Reescribir, dices?

—Si, es usual en el proceso, particularmente con una autora que lanza su primera obra. No te preocupes, que a eso nos dedicamos en Vena Creativa. El libro será un éxito, te lo aseguro.

Ainé declinó otro trago y ambos caminaron sin prisa por las hermosas aceras de La Recoleta hasta llegar al hotel de Nicolas, quien la condujo al elevador. Sin invitación, la siguió por el pasillo hasta su suite. Antes de abrir la puerta, Ainé se volteó y le extendió la mano.

—Gracias por esta noche maravillosa y por todas tus atenciones –Nicolas sonrió y no hizo ademán de retirarse–. Tus atenciones, por cierto, terminan aquí –y con eso Ainé entró sola y cerró la puerta tras de sí.

Se quitó los zapatos mientras revisaba su móvil por si tenía mensajes de Diego o de Alda. En esos días su madre se estaba sometiendo a una segunda batería de exámenes y el asunto tenía a Ainé con el corazón en la garganta. Cero mensajes. Se desvistió sin prisa, colocó los aretes de Alda en la caja fuerte, y se preparó para dormir. En la oscuridad de aquella habitación donde Evita Perón de seguro pasó similares momentos de cavilaciones, Ainé tuvo la inequívoca certeza de que no estaba en posesión de toda la historia detrás del manuscrito de Valentina, y que era clave averiguarlo antes de firmar el contrato.

* * * * *

Palermo Soho es para Buenos Aires lo que SoHo es para Nueva York. Apenas cinco años antes, en el 2000, Palermo Viejo, un barrio de mala muerte, comenzó una transformación vertiginosa. Las casas antiguas se convirtieron en restaurantes, barras o boutiques y todas las marcas importantes se mudaron allí junto a la población bohemia y artística que adoptó ese pedazo de Palermo, el barrio más grande de la ciudad. Era una de las áreas favoritas de Ainé en Buenos Aires. El estudio abierto tipo *loft* de Valentina se encontraba cerca a la Plaza Cortázar, en la intersección de las calles Borges y Honduras. Los tres llegaron luego de almorzar en un suculento restaurante japonés repleto de gente que parecía sacada de catálogos, sin dejar a un lado su aire bohemio.

Cuando llegaron al estudio, procedió a admirar embelesada las nuevas piezas de Valentina. En otro giro de 180 grados, Valentina había dejado a un lado los grandes bustos andróginos con detalles en metal que la hicieron famosa, y ahora trabajaba en piezas huecas de formas geométricas acentuadas en su interior con figuras humanas, reminiscentes del Hombre de Vitruvio de Leonardo Davinci. No estaba segura si esta nueva etapa escultórica de Valentina le gustaba, pero ciertamente daría de qué hablar. Mientras los hermanos Baumann se acomodaban en la amplia mesa de comedor y Valentina descorchaba una botella de vino de Mendoza, Ainé terminó de admirar las piezas, y felicitó a su amiga.

—Son para mi nueva exposición en julio. Espero que puedas venir –le dijo Valentina, entregándole una copa.

—¿Tienes una exposición en julio y el proyecto del libro a la vez? ¿Escribiste el manuscrito mientras trabajabas en todo esto? Wow, Valentina. Eres toda una mujer renacentista. Salud.

—Bueno, a lo que vinimos –interrumpió Nicolás ya sentado frente a una laptop–. ¿Cuál es el próximo paso? Imagino que formalizar el contrato. Empecemos por ahí.

Ainé había anticipado, correctamente, que los Baumann comenzarían la sesión con el tema del contrato.

—Bajo circunstancias normales sí, pero aquí estamos entre amistades, y para mí lo importante es que la autora se sienta cómoda con el proceso que vamos a comenzar –y procedió a explicarle a Valentina todo lo que le había detallado la noche anterior a Nicolás–. Vamos a empezar por conversar un poco sobre tu idea, cómo llegaste a ella y cómo podemos convertirla en la mejor versión posible. Para ser el primer manuscrito está muy bien, pero debemos revisar y reescribir algunas partes, en específico el final, que no armoniza del todo con el resto del libro. ¿Les parece si vamos sobre mis notas?

Durante la siguiente media hora, Ainé detalló pacientemente los cambios que sugería y cómo el final podía ser más contundente.

—Tenemos un libro que agarra al lector de inmediato y lo abandona al final. De hecho, casi diría que le falta un nuevo final. Es cuestión de agregarle la misma voz seductora y oscura que tiene el resto del escrito. Esta otra parte, más al principio, la eliminaría, y solo tienes que escribir una transición nueva al próximo capítulo.

Valentina la miraba sin decir palabra y a menudo buscaba la vista de su hermano quien no había sacado la nariz de su laptop.

—Por hoy, vamos a hacer un ejercicio. Escribe una nueva transición donde te indiqué. Solo eso. Entonces lo reviso y voy a poder calcular mejor con cuánta celeridad podemos trabajar el resto de los cambios, ¿vale?

—Claro. ¿Lo hacemos ahora, juntas? –le preguntó Valentina, algo vacilante con sus enormes ojos marrones, que parecían de muñeca.

—No, te dejo tu privacidad para que puedas concentrarte. No debe ser más de una página a doble espacio. Una muestra. Mientras, estaré en el café de la esquina contestando mensajes de mi oficina.

—Te acompaño –dijo Nicolás, mientras se ponía de pie.

—No es necesario. Valentina necesita a su agente y representante con ella, sin duda. Los veo, digamos, ¿en una hora? –Y con eso Ainé recogió su bolso y salió del piso. Caminó hasta el café cercano y mientras esperaba por un *espresso*, intentó nuevamente conseguir a Diego. Nada. Marcó el número de Luisa, su socia. Contestó de inmediato como de costumbre.

—Cuéntame –dijo sin saludar–. Estoy teniendo orgasmos espontáneos con este libro. ¿Qué está pasando en el cono sur? –le preguntó rápidamente, y Ainé se tuvo que reír.

—No lo sé exactamente, Luisa. Pero lo voy a saber en unos minutos.

—No entiendo.

—Valentina está montando una nueva exposición para verano. Bueno, en realidad lo que sería el invierno de Argentina, pero eso significa que una mujer que nunca ha escrito ni los títulos de sus propias obras se las ha ingeniado para lanzar una nueva propuesta escultórica y escribir un libro de 500 páginas simultáneamente.

—Pues será muy prolífica o trabajará 18 horas al día, yo que sé. ¿Ya firmó el contrato?

—No se lo he entregado aún. Confía en mi intuición, Luisa. Te llamo esta misma noche. Oye, ¿has sabido de Alda o Diego? No me responden.

—No, pero si han estado en el hospital, allí no permiten móviles. Los habrán apagado. Si me entero de algo te aviso, y me llamas sobre el tema de Valentina, que ahora no voy a poder pensar en otra cosa.

Pagó por el *espresso* y para matar el tiempo, entró a un estableci-

miento de joyería artesanal, donde se enamoró de una enorme y pesada sortija de plata, trabajada con piedras de ónix en forma de enredadera. También seleccionó un rosario en lapislázuli para la colección de Alda. Pagó las piezas, y se llevó puesto en el dedo índice su nuevo anillo, admirándolo mientras caminaba al piso de la escultora. La puerta estaba entreabierta, así que entró anunciando su llegada. No vio a Nicolás en el piso y Valentina estaba concentrada observando una de sus nuevas esculturas. En medio de la mesa donde habían estado trabajando había una hoja de papel impresa con dos párrafos.

—¿Y Nicolás?

—Tuvo que marcharse a resolver algo en el hotel. ¿Te sirvo otra copa de vino? –contestó Valentina. Ainé declinó, se sentó y empezó a leer la página. Cuando terminó, abrió el manuscrito impreso y releyó el final. Respiró profundamente y lo cerró. Cuando levantó la vista, Valentina la miraba esperando el veredicto.

—¿Qué te parece?

—Me parece que me gustaría conocer a la persona que realmente escribió este manuscrito, que claramente no es la misma que escribió el final ni esta hoja que tengo en la mano –contestó Ainé sin rodeos.

Valentina comenzó a protestar, pero vio la certeza de la experiencia en la mirada de Ainé e hizo silencio. En vez, encendió un cigarrillo y se sentó junto a su amiga.

—El manuscrito es de Nicolás –dijo finalmente.

—No es posible. Este libro no lo escribió un hombre y menos Nicolás a quien no le veo grandes sensibilidades femeninas como para crear esto.

—No dije que lo escribió él. Dije que es su manuscrito.

—¿Quién es la autora, Valentina? –La escultora hizo un largo silencio que Ainé no interrumpió.

—La autora fue una pintora de nombre Emma Güendell. Pintaba figuras masculinas, como narra la historia. Nicolás y yo la conocimos en una de sus exposiciones, que no tuvo mucho éxito porque no tenía idea de cómo promocionar su obra. Tenía un talento glorioso para todo. Pintaba, escribía, y además era una gran talladora. Lo que no tenía era conexiones, ni conocía la compleja parte del negocio de las artes. No era muy conocida, pero Nic y ella se hicieron amigos. Eventualmente fueron amantes.

Valentina miró a Ainé quien la escuchaba sin expresión discernible.

—¿Y cuándo Nicolás comenzó a modelar para ella? –preguntó Ainé. Valentina la miró dándose cuenta de que Ainé ya había conectado muchas piezas del rompecabezas que representaba aquel manuscrito.

—Poco después de comenzar su relación íntima con ella. Emma le pidió que modelara para ella y él accedió a cambio de que escribiera inspirada en el proceso de la serie que pintaría de él. Nic se lo pidió por vanidad, más que nada, pero lo que Emma escribió trascendió por mucho un relato cualquiera. El día que mi hermano llegó aquí con el manuscrito, al que solo le faltaba el capítulo final, lo leí y supe que era una obra digna de publicarse, y con mucho éxito. Enseguida le sugerí llamarte para conectarte con la autora, pero poco después Emma murió súbitamente de una aneurisma cerebral a los 43 años. Una tragedia, un desperdicio terrible de talento –narró Valentina mientras le servía una copa a Ainé, que estaba segura de que ahora necesitaría.

—¿Y Nicolás pensó que podía apropiarse de una obra ajena y hacerla pasar por tuya?

—Emma era una bohemia que vivía sola, manteniéndose con la modesta herencia de sus padres, ambos fallecidos. Tampoco tenía hijos, hermanos o familiares conocidos, al menos en Argentina. Solo Nic sabía del manuscrito. Mi hermano calculó que no sería creíble atribuirse a sí mismo la autoría del libro. Además, Nic está casado y hubiera sido difícil explicarle a su esposa la inspiración erótica del libro. Así fue como me pidió que lo publicáramos bajo mi nombre. Me resistí por mucho tiempo. Sabía que no era ético...

—Ni ético ni legal, Valentina. Estamos hablando de un esquema burdo de plagio con repercusiones legales internacionales si lo hubiera publicado. Hubiera pensado que por nuestra amistad y respeto mutuo no me colocarías en ese riesgo.

—Lo siento tanto Ainé. Me muero de pena y vergüenza contigo. Nunca debí acceder, pero la realidad es que Nic controla y maneja mi carrera con mucho éxito y dependo de él para casi todo –ofreció Valentina a modo de una blandengue justificación–. ¿Qué hacemos ahora?

Ainé se puso de pie y recogió su bolso.

—Ahora, nada, Valentina. Editorial Vena Creativa no está en el negocio del plagio, y si quieres un consejo que te evitará muchos problemas, no lo publiques con nadie. Esta no es tu obra, ni la de Nicolás. Es la obra de Emma Güendell. Si se publica con éxito bajo otro nombre, y alguien conecta un par de datos, todos esos familiares que dices que Emma no tiene, van a aparecer hasta debajo de las piedras. Te lo garantizo. Siempre ocurre cuando hay dinero por medio –Ainé se acercó a Valentina y la abrazó despidiéndose.

—Cuídate y ten cuidado, Valentina.

—¿Cuidado?

—Con Nicolás –y con eso salió del estudio, buscó un taxi y regresó al hotel a empacar. No soportaba la idea de permanecer allí ni un minuto más.

* * * * *

Cuando regresó al Baumann Recoleta Plaza, llamó directamente a Aerolíneas Argentinas y cambió su vuelo para la primera hora del día siguiente. Ordenó algo de comer en su habitación y comenzó a empacar, mientras hablaba con Luisa y le contaba la bizarra maroma de plagio que por poco logran los Baumann. Luisa quedó atónita, pero su parte de empresaria se recuperó lo suficiente como para preguntar qué pasaría con la obra.

—No lo sé Luisa. Mañana temprano vuelo de regreso y hablamos. Están tocando a la puerta. Debe ser mi cena. Te veo pronto.

Cuando Ainé abrió, se encontró de frente con la estampa de Nicolás. Su aliento expedía olor a *whisky*. Sin pedir permiso, entró a la habitación y miró las maletas abiertas de Ainé.

—¿Ya te vas? –preguntó estúpidamente.

—No tengo nada que hacer aquí. Vine a conocer a una autora que no existe –le contestó Ainé, mientras retomaba la tarea de empacar. Nicolás caminó hasta la barra de la habitación y se sirvió otro trago.

—Podemos publicar el libro, Ainé. Esa obra merece un sitial en el mundo de la literatura y que públicos en todo el mundo puedan leerla.

—Y tú mereces estar en la cárcel si eso ocurre. Mi casa editora no publica plagios, Nicolás.

El hotelero echó una carcajada con la risa estridente de los borrachos.

—Sos una mina muy brillante. Valentina me habló mucho sobre vos, y me advirtió que no eras fácil de embaucar, pero pensé que verías el valor de publicar esto –Ainé levantó la vista de la maleta y vio que lo tenía demasiado cerca de sí. Lo empujó levemente por el pecho y caminó hacia la puerta.

—Ándate, como dicen ustedes, Nicolás.

El hotelero comenzó a caminar hacia la puerta para alivio de Ainé, pero se detuvo antes y sin aviso, la besó brusca y torpemente. Ainé, asqueada, pudo sentir el sabor del *whisky* y lo empujó esta vez con fuerza.

—Sal de aquí ahora mismo.

—Me fascinas, Ainé. El viaje no tiene que ser una total pérdida de tiempo –dijo arrastrando las palabras sazonadas con licor.

—No me atraen los plagiaristas, y menos casados.

—Ah, ¿no? Y yo que te pensaba tan liberal, con tu madre adúltera –dijo con veneno Nicolás.

Ainé sintió la lava caliente de un instinto primitivo que la arropó como un manto de odio asfixiante. Observó en cámara lenta como su mano se levantó para darle una bofetada a Nicolás, pero a mitad de camino, como por voluntad propia, se cerró en un contundente puño que conectó la pesada sortija de plata que llevaba con la quijada de Nicolás. La sangre le brotó de la boca de inmediato. Ainé nunca supo si fue el golpe, la borrachera o la combinación de ambos, pero el hermano de Valentina cayó al piso, golpeándose en la cabeza. Ainé tuvo que usar hasta la última gota de autocontrol para no rematarlo con una patada en las costillas. Siempre se arrepintió de no haberlo hecho.

* * * * *

Abordando su vuelo de conexión de Bogotá a la RIAP, su móvil le avisó de un nuevo mensaje de voz. Era la añorada voz de Diego. La segunda consulta médica de Alda coincidió con la primera opinión. Su madre comenzaría de inmediato la primera ronda de tratamientos. Ainé cerró fuertemente los ojos mientras sus lágrimas comenzaron a surcarle el rostro. No cesó de llorar en silencio hasta aterrizar en Ponce.

Al día siguiente, se reunió con Alda, Diego y la doctora que la atendería durante los tratamientos, y se delineó un plan familiar para manejar el asunto. Ainé acompañó a sus padres a la casa del Vigía y allí le entregó a Alda su rosario de lapislázuli que le compró aquella tarde en Palermo Soho. Alda, serenísima como si acabara de llegar del salón de belleza, en vez del hospital, sonrió feliz admirando el fino trabajo artesanal del rosario.

—¡Qué belleza, Ainé! Este es muy especial. ¿Sabes cuántos rosa-

rios me has traído de todos tus viajes hasta el día de hoy? –le preguntó Alda, besándola en el cabello y aspirando su aroma, como cuando era una niña.

—Pues a la verdad que nunca lo había pensado. Para mí es un reflejo automático el comprarte un rosario cada vez que viajo. ¿Cuántos? –preguntó Ainé con genuina curiosidad.

—Este es el rosario número 100.

—Válgame, no pensé que fueran tantos.

—Son mis posesiones más preciadas. Los rosarios y este anillo –dijo, dándole vueltas al sencillo aro dorado, igual al de Diego, que habían comenzado a usar desde la noche de la fiesta de los 18 años de Ainé. Alda se quitó el aro y se lo dio.

—Mira lo que tiene grabado dentro.

—*Amor Vincit Omnia*. El amor lo vence todo.

—Así es Ainé. Siempre recuérdalo.

—Entonces, para ti, ¿no hay amores innecesarios? –se aventuró Ainé, haciéndole la pregunta que siempre se guardó desde que escuchó esas dos palabras juntas por primera vez en una conversación entre su madre y Diego. Si Alda se sorprendió, no lo dejó ver.

—Mi cielo... Al final te das cuenta de que el amor, todo el amor, es lo único que tienes como equipaje de vida. Nada más. Y nada más hace falta.

Ainé besó a su madre, puso la cabeza en su regazo y cerró los ojos. El sonido del viento bailando con las trinitarias la hizo dormir.

* * * * *

Al otro día, Ainé amaneció con una furia salvaje dirigida hacia todo, y decidió sacarle provecho. Llegó caminando inusualmente temprano a las oficinas de Vena Creativa. En uno de los salones de conferencias más pequeños había acomodado cuidadosamente varias pilas de documentos. Luisa llegó, seguida de Isabel Castillo, editora asociada y gestora de derechos, pero en realidad, la fuerza explosiva que impulsaba la editorial junto a Ainé y Luisa. Ambas se sentaron en silencio y miraron ansiosas a Ainé, café en mano.

—Estas son dos copias del manuscrito que pretendieron plagiar los Baumann. Hay otra copia en nuestros archivos en el sistema. Este proyecto tiene la más alta prioridad. Isabel, imagino que Luisa te dio la información inicial de lo que pasó en Buenos Aires. Aquí hay dos carpetas con todos los detalles de lo que me narró Valentina. No asumamos que todo es cierto. Estas son otras averiguaciones que he hecho en línea. En efecto, una escultora de nombre Emma Güendell falleció hace diez meses en Argentina. Los Baumann se hicieron cargo de los arreglos fúnebres. Emma debe tener algún familiar en alguna parte. Los apellidos alemanes son demasiado comunes en Argentina, pero esta data nos ayudará. Luisa, ya tienes coordinada una videoconferencia hoy con Concha Torrens. Es una amiga y agente literaria en Buenos Aires de mi entera confianza. Está al tanto de lo que está pasando y monitoreando cualquier intento de los Baumann de buscar otra casa editora. También nos va a ayudar a rastrear a alguien conectado a Emma. Una vez eso pase, Isabel, prepárate para la gestión de derechos más bizarra de tu carrera. Recluten la ayuda que necesiten. Yo voy a trabajar desde este salón que es donde único hablaremos de esto hasta nuevo aviso. Vamos al asunto sin perder tiempo.

Dos meses más tarde, Isabel Castillo, con la ayuda de Concha Torrens, localizó a Severino Güendell, el único hermano de Emma quien vivía con su familia en Costa del Sol, España. No sabía de la muerte de su hermana y recibió con agradecimiento la información, y aún más agradecimientos la oferta de derechos del libro.

Fuera de editar levemente el texto y lo estrictamente necesario de contenido y estructura, Ainé dejó el libro con la esencia fiel de lo que escribió Emma, eliminó el final escrito por los Baumann, y en vez de escribir otro final, lo dejó inconcluso, como la obra distópica *El Castillo* de Kafka. Redactó, bajo su propio nombre, un epílogo explicando la publicación póstuma de la obra y la historia verídica paralela que hubo que superar para lograr publicarla. Ainé no mencionó a los Baumann por nombre y apellido, pero para aquellas fechas todo el mundo en la escena literaria en Argentina había escuchado los rumores.

El libro *Cuerpos desechables* de Emma Güendell salió publicado simultáneamente en español e inglés en enero del 2007 y en seis meses escaló a las listas de *bestsellers* de toda Latinoamérica, al igual que en mercados anglosajones. En Europa fue un éxito instantáneo. Eventualmente fue traducido a 12 idiomas, y Severino y su familia vivieron muy holgadamente el resto de sus vidas. El día del lanzamiento del libro en Buenos Aires, tanto Valentina como Nicolás recibieron en sus respectivas oficinas 24 rosas, una botella de champaña y una sencilla nota que leía: «Decía Devin Grayson que se puede tener justicia o venganza, pero no ambas. Qué equivocado estaba el pobre. Salud, de parte de Emma y Ainé».

CAPÍTULO 23

Región Independiente Autónoma de Ponce (RIAP)

Un atípico día gris de enero del 2010, el director del Hospital Damas llamó temprano en la mañana y la vibración de su móvil sacó abruptamente a Ainé de la espesa niebla mental que dejan los sueños sazonados con somníferos. Muy triunfal y con demasiada energía para esa hora de la mañana, le confirmó que Don Álvaro, también delicado de salud, sería trasladado al mismo centro hospitalario donde atendían a su madre, por lo que dentro de lo «complejo de la situación», al menos los tendría juntos. Ainé no pudo evitar pensar que estar en el mismo hospital en sus respectivos lechos de muerte era añadir insulto a la injuria, pero se guardó el comentario.

A Doña Alda Carmona le asignaron una amplia habitación privada en el piso seis. A Don Álvaro Palacios le tocó una habitación compartida en el piso cuatro. Durante casi un año, subir y bajar las escaleras se convirtió en un metrónomo que marcaba el ritmo repetitivo de los días de Ainé. Contaba los escalones para arriba y abajo como si fueran un ábaco. Al principio de la enfermedad de Alda, la rutina se conformó sola, como una célula que crece según se acumulaban las responsabilidades y tareas asignadas por la enfermedad y la muerte incipiente. En una jugada final y cruel del destino, su madre había sido tratada y declarada en remisión solo para recaer tres años después.

Ainé comenzaba sus días despertando, pero negándose abrir los ojos, tratando de procesar el cansancio que le pesaba como si se hubiera acabado de acostar a dormir. Se bañaba hasta despertar, engullía un café *espresso* doble sin azúcar, que complementaba con un desayuno de un ansiolítico y un yogur líquido. Luego entraba a su cuarto de clóset, que en algún momento de menos eventos catastróficos fue la parte favorita de su apartamento y que su madre consideraba una tienda donde tomar prestado lo que quisiera, y de hecho lo hizo mientras tuvo salud sin necesariamente devolver nada.

Hileras e hileras de piezas en ganchos de madera colgaban en una delicada danza exuberante de telas y estampados, acompañados de docenas de zapatos de tacones de distintos diseñadores dedicados a torturar y deformar pies femeninos y columnas vertebrales, y exquisitas correas en todas las pieles ya políticamente incorrectas. A veces las acariciaba, como delicados objetos a ser subastados, pero regresaba a la pequeña parte del clóset que actualmente estaba en uso: de ahí colgaban tres mahones, varias blusas negras y blancas, abrigos variados para el frío del hospital, y un par de chaquetas. El resto de lo que contenía su armario no había visto la luz del sol en meses. Sin pensar, echó mano de un mahón negro, una camiseta, una chaqueta, el primer reloj que encontró, su bolso de turno, y salió del clóset a la habitación.

Al entrar en el dormitorio se miró al espejo como quien contempla un caso perdido. Agradeció la oscuridad. Aunque a sus propios ojos nunca había alcanzado la belleza etérea de Alda, sabía que hasta hacía poco hubiera podido detener el tráfico si se lo proponía. Ahora, con suerte, apenas sería capaz de detener a un enfermero en el pasillo del hospital. Decidió no perder el tiempo con sus ojeras, su palidez extrema, y su cabello, que ya llevaba al menos 48 horas suplicando un lavado. Se elaboró un moño precario que amenazaba con colapsar, y se dirigió hacia la puerta.

Como si recordara algo de poca importancia que había olvidado en el dormitorio, se volteó y miró hacia la cama. Allí dormido, con la boca semi abierta y roncando esporádicamente, estaba Paulo, con quien llevaba dos años de relación, sin haber encontrado en todo ese tiempo la justificación ni la motivación para casarse con él. Lo miró durmiendo, en ese momento inanimado cuando aún no había empezado a disparar elaboradas excusas para cualquier cosa. Siempre hacía una visita rápida al hospital a las horas de mucho tráfico cuando sabía que otros lo verían; visitas lo suficientemente calibradas como para que quedara en récord su presencia, pero no para representar una ayuda para Ainé.

Por el momento, solo quería evitarlo en lo posible hasta que pudiera resolver el asunto de sus progenitores. La saga de Alda y Álvaro siempre fue dramática e irremediable. Era de esperar que el final siguiera el mismo patrón. Salió silenciosa de la habitación. Tanto pensamiento caótico a la vez no era posible. Una crisis a la vez. Un día a la vez. Una píldora amarga a la vez.

* * * * *

Media hora más tarde, Ainé llegó a la Editorial Vena Creativa.

Eran pasadas las 10:30 de la mañana e iba tarde para la primera reunión, pero la *Valium* comenzaba a hacer su efecto contra la ansiedad por la inmensidad de los retos del día. Apenas había puesto un tacón en su oficina cuando Isabel Castillo la alcanzó, con un café que le puso en la mano mientras la guiaba por el brazo a sentarse en su escritorio, donde ya estaba comenzando una reunión por llamada en conferencia. Isabel era el recurso que, últimamente, utilizaba el resto del equipo de trabajo cuando no encontraba cómo plantearle asuntos urgentes a Ainé, sabiendo que su concentración era muy limitada en aquellos días.

Isabel lo manejaba con la sencilla estrategia de no añadir más drama al asunto y recitar información importante en una cadencia que parecía cantada. Era además una *techie* bonafide y esa mañana, para distraerla, la alertó sobre una nueva tecnología de videoconferencias llamada *Zoom* que estaban probando con éxito y que ella estaba empeñada en que la Editorial Vena Creativa fuera de las primeras empresas de Ponce en usar. Isabel, su profetiza tecnológica uniformada de Tous y Kate Spade, predecía por aquellos días que con esa tecnología sería posible en el futuro cercano reunirse virtualmente con todas las escritoras de la editorial desde cualquier parte del mundo.

—Gracias Isabel. Eres un sol –dijo Ainé, mientras probaba el café con más parsimonia de la que demandaba el momento.

—Ahora –prosiguió Isabel casi sin pausa–, quita el 'mute' y saluda por favor. Luego tienes un almuerzo en El Prado con el representante de Uribitarte Editores, de la casa editora de Bilbao. Para eso te debes cambiar de ropa. Tienes un par de trajes sastre aquí en la oficina. Un poquito de maquillaje no te mataría. Igual ese moño necesita ayuda.

Además, tienes una reunión con Finanzas que no podemos posponer, porque ya la has cancelado tres veces. El resto lo manejo contigo por teléfono desde el hospital. ¿Cómo sigue Doña Alda? Tan bella. Le envías mis saludos.

Con esa retahíla de instrucciones salió cerrando la puerta. Ainé asintió, como lo hacía últimamente con todo lo que Isabel o Luisa sugerían. Presionó el botón. *Unmute*.

* * * * *

Cuando Ainé llegó esa noche al hospital, se dirigió primero a la habitación de su madre, como de costumbre. Alda estaba sentada en la cama, cual reina en corte, maquillada y vestida, rosario en mano, hablando con sus tropas animadamente. A su llegada, Ainé fue abrazada efusivamente por la entrañable Jean Ferris y sus tías Aila, Beatriz y Evina.

Al terminar la ronda de saludos se acercó a su madre, la besó y la abrazó como si fuera una porcelana a riesgo de romperse; de hecho, se estaba rompiendo. Detrás de los planos clásicamente hermosos de su rostro, de los pómulos altísimos, de los profundos ojos y de la piel color nácar que ya se tornaba amarillenta, vivían y se multiplicaban células con veneno propio empeñadas en destruir a otras. Sin embargo, hoy había sido un «buen día», le informó Jean. Diego había estado todo el día con ella, justo acababa de retirarse a descansar, y ahora estaba rodeada de sus amigas y hermanas. Estaba sentada y animada, y había logrado comer un poco. Al terminar de abrazar a Ainé sonrió como lo hacía últimamente: con una sonrisa que no le llegaba a los ojos y con la que se iba despidiendo de a poco. Ainé se sentó a su lado y en silencio le tomó la mano y la besó también. Cada vena azul, torturada por mil agujas, era dolorosamente visible.

El cuarto quedó en silencio. Se interrumpió el cacareo de sus tías, como si alguien hubiera bajado el volumen de una bocina delicadamente. Madre e hija se miraron con ternura y se dijeron todo lo necesario sin palabras, como suele suceder a veces entre hijas únicas y sus madres. Todo lo que cabía en un día, se dijo en una mirada. Ainé sintió un cansancio tan profundo que le caló los huesos. Subió las piernas a la cama de Alda, puso la cabeza en la almohada y cerró los ojos. Tan poco espacio ocupaba Alda que ambas cabían cómodamente en la cama del hospital. Su madre empezó a acariciarle el cabello y reanudó la conversación con Jean, Beatriz, Evina y Aila.

Las voces se entrelazaron en una cadencia musical para Ainé. Podía escuchar el sonido sin atender lo que decían, y se sentía como un arrullo. Se quedó dormida profundamente en cuestión de segundos. Cuando abrió los ojos, tres horas más tarde, una enfermera la alertaba tocándola suavemente por el brazo. Le dio un beso a Alda, quien también dormía. Tras dudar por un instante, se fue sin pasar por la habitación de Álvaro.

* * * * *

Al llegar a su apartamento esa noche, luego de dormir tres horas en el hospital, Ainé se dio cuenta de que no recordaba la última vez que se sentó a comer algo que no fuera un café, un yogur o una barra de proteína. Paulo no estaba en el apartamento, y Ainé recordó que había viajado ese día. ¿A dónde? Se le hacía difícil recordar; su mente se movía en cámara lenta. Verificó su celular y en efecto, tenía varios mensajes suyos recordándole el viaje y preguntándole sobre Alda. Los miró y empezó a contestar, pero se desvió a ordenar una pizza y cuando terminó ya había olvidado los textos de Paulo. En lo que esperaba la entrega de su cena, se bañó, se puso pijamas, y se sentó en el mullido sofá de la sala a contestar correos electrónicos.

La siesta en el hospital le había espantado el sueño. Una hora más tarde había devorado media pizza margarita que digirió mientras revisaba un manuscrito de una joven autora de Medellín que le había recomendado su tío, Marcos Gerena. De la barra adyacente a la cocina desempolvó una fina caja de madera con todos los instrumentos que hubiera necesitado el más exigente camarero para hacer un *martini* y siguió la supuesta receta creada para Frank Sinatra. No sabía si esa fórmula del Hotel Savoy en Londres para complacer las excentricidades de Sinatra era historia cierta, pero el resultado del brebaje era sublime.

Le había contado la historia de la receta quien le hizo el regalo: una amiga de sus tiempos de escuela superior a quien le había publicado un libro de tirillas para adultos de una típica familia hispana que navegaba las complejidades de emigrar a Nueva York. Se había vendido muy bien hacía un par de Navidades en varios mercados y el regalo correspondía a que Ainé había renovado el contrato para la segunda edición de las tiras, además de cerrar un lucrativo acuerdo de mercadeo basado en los personajes y algunas de sus célebres frases.

Su amiga caricaturista era parte del ya nutrido catálogo de autoras femeninas que había acumulado Vena Creativa. Lo que inicialmente fue un proyecto enfocado en publicar autoras latinoamericanas, había explotado a mercados mundiales con los exitazos del libro de Sarah Collins y la novela póstuma de Emma Güendell que había llevado a la empresa a jugar en las grandes ligas de las editoriales. Ainé había fundado la Editorial Vena Creativa con un modelo de negocios que incluía un agresivo departamento publicitario interno enfocado en el nuevo y creciente mundo digital. Eran docenas las autoras hispanoparlantes que Ainé había firmado y sacado de la oscuridad, donde el mundo literario y los públicos hispanos esconden a demasiadas voces femeninas.

Ainé y su equipo de trabajo ponían el mismo cuidado en editar, publicar y distribuir que en promocionar. En su mente y la de su socia Luisa, cada autora era una estrella literaria y con ese mismo impulso las promocionaban. «No publicamos libros para que recojan polvo ni para que se releguen a la parte trasera de los estantes, detrás de los autores masculinos» decía Ainé con frecuencia en entrevistas. Para cada autora, diseñaba un cuidadoso plan de proyección. «Tengo la misión de hacer que estas narrativas y las voces de las mujeres que las cuentan sean tan ubicuas y accesibles como la literatura masculina hispana», también había dicho en más de una ocasión.

Se sentó frente a su balcón que le ofreció una majestuosa y tranquila vista de la Plaza Las Delicias y en el tope de una montaña cercana, la cruz de El Vigía, siempre observando las idas y venidas de sus hijas e hijos sureños. En pocos minutos sería sábado. Se prometió regresar al hospital en cuanto despertara y obligarse a empezar su ronda diaria por la habitación de Álvaro.

* * * * *

Región Independiente Autónoma de Ponce (RIAP)

Ainé llegó a la periferia del hospital y comenzó la búsqueda de estacionamiento. Se encaminó a los ascensores más lentos de la ciudad y pensó en subir las escaleras, pero la ligera resaca que le habían dejado el *martini* de la noche anterior la hizo permanecer *in situ*.

Al llegar a la puerta de la habitación de Álvaro, hizo una breve pausa y respiró profundo, como preparándose para sumergirse en agua fría. Todo estaba en penumbras, como de costumbre, con todas las cortinas del ventanal cerradas. La segunda cama de la habitación estaba vacía. Irma se había acomodado en la silla de visitantes correspondiente al espacio de su padre, y usaba la de la segunda cama para colocar su cartera, un maletín de mano y una montaña de otros paquetes.

Su tía estaba sentada petrificada en la silla, mirando a su hermano mayor. Los silencios entre esos hermanos podían ser de longitudes épicas. A la llegada de Ainé, Irma no la saludó, como no saludaba a casi nadie. Los modales más básicos eran un asunto con el que Irma no se concernía. Ainé la ignoró como de costumbre y procedió a saludar a su padre, quien abrió los ojos y la saludó con un débil: «Hola, Ainecita». Por un rato hablaron sobre las comidas, las rondas del médico y de todas las conversaciones universales que se tienen en los hospitales mientras se espera el arribo de la muerte. Álvaro no preguntó por Alda, ni Ainé esperaba que lo hiciera. Desde su regreso a Ponce, tres años antes y obligado por su diagnóstico, Álvaro vivía con Irma como un recluso y sus salidas eran estrictamente para citas médicas u hospitalarias.

Ya el médico de Álvaro había advertido que le daría de alta en unos días y le había instruido hablar con la trabajadora social del hospital para identificar una solución más permanente, eufemismo que todos entendían como un asilo. Ainé sabía que no había nada más que hacer por el paciente, excepto mantenerlo cómodo lo que durara, que podrían ser meses o años, pero en continuo deterioro de sus facultades mentales. Un panorama sencillo de reducidas opciones se había convertido en un drama exasperante, ya que tanto Álvaro como Irma se negaban de plano a cualquier sugerencia del equipo médico y ni hablar de la trabajadora social del hospital, a quien ni siquiera le habían concedido audiencia.

Ainé aprovechó que Irma salió al pasillo, lo cual era un pequeño milagro, ya que no dejaba a su hermano solo con nadie, y abordó nuevamente el tema de cuál sería el próximo paso.

—No voy a ningún lugar de cuido. Voy a casa de Irma. No hay más que hablar. No sé para qué sigues insistiendo –le dijo Álvaro molesto, como si Ainé fuera la responsable de su actual situación.

—Insisto porque tu médico me rogó que lo hiciera. Te niegas a contratar a los dos turnos de enfermeras que harían falta en casa de Irma. ¿Es necesario que te repita todo esto? –le contestó Ainé con el mismo tono, arrepintiéndose de inmediato.

—Irma me va a cuidar. Ella se encarga –dijo Álvaro sin hacer contacto visual con su única hija.

Aimé se alejó del borde de la cama de Álvaro y se sentó en la silla que Irma había dejado momentáneamente vacía. Miró a su padre biológico por unos segundos preguntándose cómo había terminado siendo responsable del cuidado de aquel hombre con quien no sentía conexión alguna. Un pensamiento largamente engavetado se asomó en su mente y recordó a Casilda, y a la segunda familia que tuvo Álvaro en Azua. Se preguntó si su padre sencillamente desapareció de sus vidas como lo hizo con Alda y con ella misma. Pensó en aquella niña que salió corriendo a abrazarlo el día que lo siguió con Carmela Rosa hasta la casa que parecía contener un calor de hogar que Ainé nunca conoció con él. La cara de ilusión de la niña estaba tatuada en su mente como un carimbo, y de pronto sintió una profunda tristeza por ella y por esa otra familia de la que Alda nunca se enteró.

Álvaro había cerrado los ojos y aprovechó para estudiar con detenimiento su rostro varonil que rara vez vio sonriendo, su abundante cabello, blanco como la nieve, sus finas y cuidadas manos que tantos edificios, museos y espacios habían creado, sus copiosas cejas, su pálida piel perennemente manchada por el sol. Ella también cerró los ojos y buscó algo en su alma, por pequeño que fuera, que le conectara a Álvaro. Abrió los ojos sin encontrarlo.

* * * * *

Irma regresó a la habitación interrumpiendo las cavilaciones de Ainé y acompañada de una mujer que intentaba explicarle pacientemente que ella, hermana del paciente, no le podía negar acceso a conversar con Álvaro siendo ella la consejera familiar asignada por el hospital y autorizada por los médicos y su hija. Ainé les hizo una señal para que bajaran la voz, ya que Álvaro se había quedado dormido nuevamente, y las acompañó afuera. Ainé tuvo un momento de puro deleite al ver el rostro desencajado de Irma. El que no tuviera voto decisivo sobre los asuntos de su hermano era un concepto descabellado en su mente. Ainé no perdió un segundo para mover sus fichas en aquel escenario idóneo.

—Soy la única hija del Señor Palacios. ¿En qué puedo ayudar? –le dijo con una dulzura exagerada para contrarrestar la grosería innata de Irma. La mujer la miró agradecida.

—Mi nombre es Belén Campos. Debo completar un plan de traslado y cuidado del paciente previo a que le den de alta.

Irma la miró con recelo como si fuera una *bookie* de apuestas ilegales.

—Qué bien. La estaba esperando –dijo Ainé, mirando abiertamente a Irma.

En los largos meses de entradas y salidas hospitalarias, altas y bajas y viajes frecuentes en ambulancia, tanto de Álvaro como de Alda, Irma aún no había puesto un pie en la habitación de Alda, ni siquiera para verificar si seguía viva. De hecho, nunca lo haría, pero por si acaso le tentaba montar uno de sus bochornosos espectáculos públicos, Diego había asignado a Guisín a cuidar la entrada a la habitación, y el amigo y chofer de la niñez de Ainé se había tomado el asunto muy en serio.

—¿Es usted Ainé Palacios Carmona? Pues justo con usted es con quien tengo que hablar –respondió Belen. No tener que bregar con aquella mujer de ojos brotados y carácter diabólico era una buena noticia en cualquier liga.

—Pues se me ocurre que, para no hablar en el pasillo, podemos subir a la habitación de mi madre, que también está ingresada aquí, y discutir sus recomendaciones con tranquilidad –sugirió Ainé, sabiendo bien que un contingente de la fuerza de choque no hubiera podido arrastrar a Irma a la habitación de Alda, excepto para intentar humillarla de algún modo, cosa que bajo la seguridad que había montado Diego, era casi imposible.

—Me parece excelente idea. Dejemos a su padre descansar. Después de usted –dijo con rapidez Belén, asumiendo correctamente que en la visita no estaría incluida Irma.

La mujer regresó abruptamente a la habitación de Álvaro, dando un portazo malogrado que la puerta absorbió. Ainé aprovechó para mirar a Belén y encogerse de hombros.

—La pobre. Es la hermana menor de mi padre y no está muy bien de la cabeza. La semana pasada se nos escapó de aquí del hospital y se fue caminando desnuda por el pueblo. Imagínense usted semejante espectáculo traumático –mintió Ainé con tal aplomo ante la cara apoplética de Belén, que por un momento se lo creyó ella misma.

En cualquier caso, no estaba mintiendo del todo. Su tía estaba, en efecto, mal de la cabeza. Como igual era cierto que en un escenario ficticio donde a Irma le hubiera dado por irse a caminar desnuda en público, sin duda hubiera sido una experiencia traumática para cualquiera que presenciara la escena.

Alda estaba sentada en su cama mientras a su lado, Diego le leía en voz alta *La Palabra Diaria* del día. En el televisor corrían sin sonido capítulos repetidos de *Betty, la Fea*. Cuando Ainé llegó, los besó a ambos y les presentó a Belén explicando las pretensiones de Álvaro. Ni Alda ni Diego tenían el más mínimo interés en el asunto, pero cortésmente la escucharon en solidaridad a su hija. Belén estaba más que dispuesta a resolver el problema. Luego de unos minutos de cordial conversación, las fichas cayeron en su lugar. Alda no era un problema y su plan ya había sido coordinado. Sencillamente se trasladaría a su casa en El Vigía cuando fuera dada de alta. Era su decisión no recibir más tratamientos.

Álvaro se iría a casa de Irma, pero con un turno nocturno de enfermera que Belén podía coordinar de inmediato. Ainé respiró sonoramente y abrazó a Belén, quien aparentaba estar acostumbrada a estos momentos emocionales porque la abrazó de vuelta sin sorprenderse. De inmediato Ainé empezó a hablarle a Alda sobre los arreglos que haría.

—Me voy a mudar a mi vieja habitación en la casa con ustedes para tenerte cerca, mami. También voy a comprar un televisor para que no tengas que bajar las escaleras para ir a la sala –le dijo Ainé.

Belén delicadamente le sugirió tanto a Diego como a ella que comenzaran por las tareas más urgentes de comprar una cama de posiciones, habilitar un baño con agarraderas y una habitación para una enfermera. Ainé tomó nota de todo y sintió que el orden comenzaba a asomarse a su vida. Estaba equivocada.

CAPÍTULO 24

Región Independiente Autónoma de Ponce (RIAP)

Alda Carmona murió el 14 de marzo de 2011 a los 68 años. Se despidió en los brazos de su hija y de Diego en la casa de El Vigía, con el suave arrullo de los cipreses y las trinitarias que sembró cuando Diego compró la casa en la que fue feliz. Fue una muerte digna y amorosa, como ella misma. Con la muerte de Alda, Ainé dio por terminada su relación con los Palacios que quedaban vivos y que en realidad había mantenido por un innecesario sentido de responsabilidad que nadie le había requerido. Desde la muerte de Alda, ni Álvaro ni Irma la habían llamado. Álvaro posiblemente ya no recordaba. De Irma no esperaba otra cosa. Don Erasto y Doña Ignacia habían muerto muchos años antes.

Aunque eran de conocimiento público, Ainé no informó a los Palacios directamente de los actos fúnebres de Alda, entendiendo que era un ejercicio en futilidad. Sabía que era devolverles una falta de elegancia con otra, y le dio muchas vueltas a aquella decisión, pero al final, no se comunicó más con los Palacios y colocó a su fiel Güisín a la entrada de la funeraria, por si a Irma le daba por aparecerse y formar una de sus escenas públicas. A su lado en cada instante de aquel suplicio, estaba Diego tomado de su brazo, el hombre que adoraba como su único padre. Realmente, no se sabía quién sostenía a quién. El roble de fortaleza que era Diego de repente se sentía débil a su lado. Lo abrazó y lo acercó más a sí misma.

La única persona conectada a los Palacios que Ainé abrazó fuertemente en aquel funeral fue a su tía Beatriz, quien había descartado el apellido Palacios por el suyo de soltera, Mattei. Después de casi 35 años de casada con su adorado Marcos, no había querido usar nuevamente el apellido de otro hombre, ni Marcos se lo hubiera pedido. Por aquellos días, Beatriz y Marcos dividían su vida entre la Universidad Nacional Autónoma de México y la Complutense en Madrid, el *alma mater* donde Marcos era profesor invitado. Durante los dos años que Alda estuvo dentro y fuera del hospital, Beatriz, Marcos y su familia la visitaron con frecuencia. Sus primas, Frida, Kala y Flor, no se despegaron de su lado ese día.

En un acto de olimpismo materno digno de medalla de oro, Beatriz tuvo tres niñas con Marcos, que se juntaron con los tres varones que tuvo con Herminio Palacios. Eran como *The Brady Bunch* latino, excepto que Beatriz parió a toda la prole. Los seis hijos e hijas de Marcos y Beatriz llegaron de diversos destinos del mundo a despedir a aquella tía maravillosa que visitaba su casa dos o tres veces al año siempre con regalos de motivos religiosos y una sonrisa en la que cabía un mundo. Cuando Ainé vio a los Mattei-Gerena, desapareció en aquella malla de amor que le tejieron los ochos pares de brazos. Nadie le preguntó por Álvaro o Irma.

Beatriz se alegró mucho de ver a los Carmona, en especial a Evina y a Aila con sus familias, que prácticamente se habían hecho cargo de todos los pesados trámites del velorio y el funeral, para lo cual ni Ainé ni Diego tenían cabeza.

El amor que Alda nunca recibió de los Palacios o de sus propios padres, lo recibió con creces de su adorado Diego, su hija, Manuel Antonio, Beatriz, sus hermanas, Jean y toda la enorme red de amor que tejió en su extraordinaria vida. Filas interminables de personas que los Palacios nunca conocieron, pero cuyas vidas Alda tocó de alguna manera –recibiendo la comunión, ayuda desde la Alcaldía o en sus frecuentes visitas a hospitales y asilos para acompañar a pacientes solos–, desfilaron reverentes por la funeraria, incluido el Presidente del Senado, el Alcalde Autónomo y el pretendiente de Alda que ahora era el antiguo Primer Ministro de la RIAP.

Aquel día de cien horas finalmente se extinguió. Ainé regresó con Diego a la casa de El Vigía, y lo condujo a la habitación principal que había compartido con Alda. Diego se quitó los zapatos y la chaqueta y se recostó en la cama, en su lado derecho usual. El espacio vacío izquierdo que ocupaba Alda se sentía inmenso en la planicie de aquella cama. Ainé lo arropó y se sentó en una butaca a su lado. En el espaldar de la butaca descansaba un chal mexicano, aún despidiendo el dulce aroma de rosas y agua bendita de Alda.

—¿Te traigo algo de tomar? –dijo Ainé, tocándole las sienes. A su edad Diego seguía siendo un hombre muy guapo. Tenía toda su cabellera intacta con un leve rocío de canas y se veía mucho más joven que sus 63 años, algo que nunca le hizo gracia a Alda en vida.

—Vete a descansar tranquila, hija, que voy a estar bien. Eventualmente –le dijo Diego.

—Igual me quedo contigo un rato.

—No me digas que piensas que me va a pasar algo.

—Es posible. Nunca se sabe. Ustedes son de esos amores épicos que cuando uno muere, el otro se va detrás –le dijo Ainé, sonriendo levemente.

—No sé si eso es un cumplido o me estás prediciendo la muerte.

—Es un cumplido sazonado de mucha envidia –dijo Ainé.

—Pues ve tranquila que desafortunadamente no me puedo ir todavía. No te voy a dejar sola, Ainé. Te amo, hija –le contestó Diego y cerró los ojos.

Ainé lo besó en la sien y salió del cuarto.

Beatriz ya estaba descansando en uno de los cuartos de huéspedes junto a Marcos. El resto del *Brady Bunch*, algunos ya con familias propias, se había repartido entre las demás habitaciones y en las casas de las familias Gerena y Mattei. Ainé se arrastró exhausta hasta su habitación de niña que Alda le había redecorado hacía unos años, con muebles antiguos criollos y españoles cuidadosamente restaurados. La habitación le recordaba a la que compartió con su madre en casa de Cora, pero más sofisticada y ciertamente más grande. No existía en el mundo una cama donde Ainé durmiera mejor que en aquella de su habitación en la casa de Diego y Alda. Caminó hasta el borde de la cama, se quitó los zapatos y el traje negro, y cayó de bruces.

* * * * *

A la mañana siguiente, abrió los ojos y descubrió que no era la mañana, sino el mediodía. Miró a su lado y vio a Beatriz leyendo plácidamente a su lado. La abrazó con tanta fuerza que le tambaleó el libro de las manos. Beatriz le acarició el cabello por un rato, y luego la mandó a bañar mientras le preparaba una taza de café que le trajo a la cama, a donde Ainé se había regresado luego de salir del baño.

—Pijamas limpios, muy bien. Ni te pregunto cómo estás. Al menos dormiste bastante y eso es bueno para recuperarse, mi amor –le dijo Beatriz, mientras observaba a Ainé dando sorbos al café–. ¿Y Paulo? No lo vi en el funeral ni por aquí –le inquirió con delicadeza.

—No sé. Ya no vivimos juntos –le contestó Ainé, ronca por no haber usado las cuerdas vocales por tantas horas. Beatriz hizo una mueca de sorpresa a modo de pregunta de seguimiento.

—Le pedí que se fuera cuando empecé a coordinar mi mudanza temporera aquí para estar con mami. No podía bregar con él y con esto a la vez –explicó Ainé. Sintió ganas de llorar nuevamente, más por el momento, la necesidad de cafeína era más fuerte.

—Hubiese sido de ayuda.

—¿Alguna vez has visto a Paulo ayudar en algo? Cuando te visitamos en México hace par de años me dijiste que la próxima vez lo trajera con alguien que fuera recogiendo tras él la estela de ropa, vasos y objetos que dejaba por todas partes.

—Coño, tienes razón. Había olvidado ese detalle.

—Estoy como en un trance sin Alda. Me siento desnuda. Como si me hubieran quitado una capa de piel –dijo Ainé mirando el fondo de la taza.

—¿Por qué no te regresas conmigo a Madrid por un tiempo? O mejor aún, México. Podemos pasar unas semanas en San Miguel de

Allende, que tanto te gusta, y así empiezas a recuperarte –ofreció Beatriz, arropando a Ainé quien había recostado la cabeza nuevamente en su almohada.

—No tengo planes de cargar a nadie con lo que soy en este momento tía Bea, más allá de mi terapista, a quien le pago por escucharme.

Beatriz se incorporó en la cama, le tomó el rostro a Ainé por la barbilla y la miró con tanta ternura que a Ainé se le volcó el alma.

—Querida Ainé, escucha bien. Todo lo que tengo se lo debo a dos personas en el mundo: a Alda y a Marcos, en ese orden. Tu madre fue mi mejor amiga, mi hermana, mi salvadora en el momento decisivo donde mi cordura estaba en juego. Me horroriza pensar lo que sería mi vida si tu madre no hubiera intervenido cuando murió Herminio. Tú eres mi séptima hija, Ainé. No estás sola –le dijo Bea abrazándola.

Beatriz se quedó un mes con Ainé, quien declinó irse con ella, y luego Diego, Evina y Aila se turnaron para no dejarla sola rumiando por los pasillos de la casa de El Vigía seguida de su eterna estela de perros cuyas generaciones ya nadie recordaba. El Madrileño, quien en esos días estaba delicado de salud con alta presión y gota, también estaba en la casa bajo el agudo ojo de supervisión de Diego quien le había reducido el consumo de vino y retirado la carne roja de la dieta, para su total indignación.

—Tan padrazo que he sido y mira cómo me pagas. Para eso que me maten de una buena vez. La vida sin una buena paella con chorizo no es vida –era la letanía diaria de Manuel Antonio cuando Diego no estaba.

—A mí no me tiene que convencer abuelo, si yo concurro. El policía del chorizo aquí es Diego –le decía Ainé, quien agradecía el humor invencible de Manuel Antonio ante cualquier adversidad.

Ainé pasaba largas horas con él leyendo, jugando Monopolio o caminando por los jardines de la casa, que, con los años, Alda modeló según la estética de las villas toscanas que tanto amó. Ambos se sentían cómodos viviendo su dolor en silencio y criticando las restricciones dietéticas que imponía Diego. Aunque la vida de Ainé había quedado en pausa, el resto del mundo, sus amistades y ciertamente sus colegas retornaron a sus rutinas. Cuando finalmente regresó a su piso con su nostálgica vista de la plaza de Ponce, se sentía exactamente igual que la primera mañana que amaneció sin Alda: adolorida, con una herida recién infligida. Ya no estaban las voces de sus tías, ni del Madrileño, ni de Diego. No estaban las voces de la oficina, de sus amigas, de sus escritoras. Todo era un prístino silencio que empezó a tragársela poco a poco, como degustando cada angustia oscura que desfilaba por los pasillos yermos de su alma.

CAPÍTULO 25

Región Independiente Autónoma de Ponce (RIAP)

Cada día que pasaba, Ainé comprendía menos lo que le sucedía. Sabía que la muerte de Alda sería devastadora, pero ciertamente tuvo tiempo de prepararse. Nada estaba ocurriendo como lo imaginó. Selena, su terapista, le repetía que tenía que pasar por el proceso, hacer el duro trabajo emocional que tenía por delante y que no había una fecha fija en el calendario para completar esa tarea. Eventualmente, Selena decidió recetarle antidepresivos, algo que había querido evitar, pensando que Ainé encontraría las herramientas para trabajar su situación, pero el progreso no era el deseado.

En cada terapia Ainé destapaba nuevas neurosis, la más reciente se centraba en que se sentía absurdamente culpable por no haberle dado nietos a Alda. Su madre había comenzado el diplomático cabildeo para convertirse en abuela cuando Ainé cumplió un año de vivir con Paulo. Con Ainé ya bien entrada en sus 30 y galopando hacia los 40, e intuyendo que su insistencia para lograr una boda de traje blanco no estaba rindiendo frutos, Alda decidió hacer una excepción de dogma religioso, brincar un paso, y comenzar a suplicar directamente por una nieta.

—Con tu tren de vida vas a necesitar ayuda, y yo te puedo ayudar ahora. No me hagas abuela cuando ya no pueda levantar ni la taza de café.

Era su línea favorita, alternando la taza de café por cualquier otro objeto inanimado.

—¿En serio quieres una nieta de Paulo? Porque ni yo misma lo aguanto por más de un par de horas seguidas.

—Vaya selección de marchante.

—Los hombres como Diego no se encuentran a menudo. Son especímenes muy raros. No todo el mundo tiene tu suerte –le ripostó Ainé, con un argumento que había usado antes cuando Alda reprobaba a alguna de sus parejas.

—Quiero una nieta. A estas alturas no me importa si te casas o si vas a un banco de esperma. Solo que no me lo digas si lo haces para no tener que confesarlo al cura –le respondió Alda con toda seriedad.

—¿Qué exactamente vas a confesar en ese escenario ficticio donde yo iría al banco de esperma? –preguntó Ainé, ya acostumbrada a las descabelladas concesiones religiosas que Alda manejaba a su gusto con tal de conseguir lo que deseaba.

—Pues el que lo permití, a sabiendas.

—¿Permitirlo? Pero ¿cuál es tu opción, según la Iglesia? ¿Inmolarte frente al banco de esperma para que los espermatozoides sin pedigrí no lleguen a mí? –le dijo Ainé riendo.

Las horas se le iban en revivir conversaciones con Alda, como si

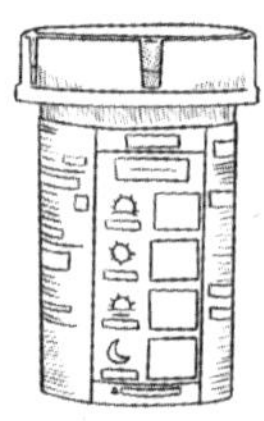

en ese ejercicio de nostalgia encontrara alivio.

* * * * *

El frío paralizante que se mudó a vivir con ella era un veneno pegajoso que se esparcía lentamente por su interior. Fue luego del incidente en el restaurante que Ainé aceptó que su «estilo de vida» desde la muerte de Alda no era normal. El punto de referencia más antiguo que recordaba en su archivo mental, según le narró a Selena, fue un viernes, seis meses después de los eventos fúnebres de Alda. Por aquellos días *post* funerarios, Ainé intentaba retomar su rutina de trabajo y esa semana había sido especialmente pesada. Llevaba poco tiempo trabajando presencialmente en la oficina y aún tenía innumerables manuscritos, proyectos y notas atrasadas.

Paró en un supermercado camino a su piso y se apertrechó de alimentos fáciles de preparar. Procedió a encerrarse desde ese viernes hasta el lunes siguiente en la mañana. Progresivamente, esa se convirtió en su forma favorita de pasar los fines de semana. Cuando no estaba encerrada en su apartamento, se refugiaba en su antigua habitación de la casa del Vigía, igualmente aislada.

Poco a poco su familia, círculo de amistades y colegas comenzaron a recibir el rechazo consistente de casi toda invitación. Salidas al cine, teatro, restaurantes, tertulias o viajes, tan frecuentes en el calendario de Ainé antes de la muerte de Alda, se convirtieron en tareas inimaginables y complicadas que comenzó a evadir. Aplacaba esos rechazos invitando a su familia y amistades más cercanas a visitarla. Para esas ocasiones, Ainé se esmeraba en agradarlos escogiendo vinos y botellas de champaña que le llegaban por entrega de una de las bodegas cercanas y de exquisitas cenas que ordenaba al restaurante de su abuelo, que le quedaba al cruzar la Plaza Las Delicias. En un *quid pro quo* por su vida de semiermitaña, se esmeraba en agradar a sus amistades, cuya creciente preocupación era tema frecuente entre ellos.

Pensaba que su vida solitaria era una reacción temporal atada a los eventos recientes en su vida y que podía detener a gusto cuando lo deseara, pero la duda le molestaba. Tras mucho debate interno, que en sí mismo debió ser indicativo del problema, decidió salir de su apartamento un sábado y caminar por el pueblo a cualquiera de los restaurantes cercanos. Pensó en llamar a una de sus amigas, pero descartó la idea. No quería muletas. Vestida con un traje de verano estampado que no había visto acción hacía mucho tiempo, Ainé bajó en el ascensor de su edificio concentrándose en su respiración, que por algún motivo se escuchaba en alto volumen.

Cuando salió a la Calle Marina, frente a la Plaza, el sol era tan intenso que le hizo cerrar los ojos aún detrás de las gafas negras que llevaba. Giró a la derecha hasta la calle Reina Isabel y caminó el trecho hasta un restaurante italiano del que en el pasado había sido cliente frecuente.

—Ainé Palacios, qué honor tenerla aquí –la recibió cariñosamente el *maître d'*, quien se apuró en buscarle una mesa bien situada, cerca del balcón–. Bienvenida. Hoy tenemos sopa de espárragos. Sé que le encanta.

—Con eso voy a comenzar. Y una limonada, por favor –le dijo Ainé sonriendo.

Se acomodó y sacó de la cartera una nueva colección de microrrelatos de una autora chilena que le habían recomendado. Luego de unos minutos comenzó a comprobar que no pasaba nada con ella. Podía salir y socializar si lo decidía. Podía estar tranquila.

Ordenó la *burrata* que estaba deliciosa. A medio bocado y sin aviso en medio de su lectura, se quedó sin respiración como si hubiera recibido un golpe en el plexo solar. Alzó la vista azorada. Nadie la estaba mirando. Todo el mundo estaba en lo suyo. No podía comprender como nadie se daba cuenta, como todos seguían inmutables mientras ella no podía respirar con palpitaciones que parecían salirle hasta por los poros. Se tocó el rostro y lo sintió caliente.

Utilizando todas las herramientas que le había dado Selena, comenzó a respirar, contando las inhalaciones y exhalaciones. El *maître d'* se le acercó y le preguntó cómo estaba todo. Ainé lo miró y buscó en sus ojos algún signo de alarma, pero su pregunta era casual. ¿No se daba cuenta? «Todo está excelente. Decidí cenar en casa. ¿Lo empacas? Y me traes la cuenta, por favor», le dijo Ainé. No tenía idea de cómo sonaba su voz.

En cinco minutos, estaba en la calle y echó a caminar hacia su edificio. La distancia era corta, pero cada vez que Ainé levantaba la vista de la acera hacia su destino, no había avanzado tanto como pensaba. Era como si caminara contra un viento huracanado. Una ola de escalofrío la sacudió y un sudor helado le surcó los senos. El sonido de sus latidos retumbaba arropando la ciudad. Entró a la recepción del edificio y escuchó la voz de Juanín, el guardia de seguridad, saludándola. Le contestó sin mirarlo a los ojos y apuró el paso cuando vio un ascensor abierto y vacío. Cuando la puerta del ascensor cerró, se echó a llorar, confundida. Al llegar a su piso, abrió la puerta con una aplicación de su celular, la cerró, y se recostó dejándose caer de espaldas contra la puerta, deslizándose hasta caer sentada lentamente. Ahí estuvo por una hora antes de gatear hasta su habitación. Un mes después del incidente del restaurante, Ainé llamó a Luisa a su móvil. Su socia contestó al instante.

—Ainé querida, ¿cómo estás? –Ainé pudo escuchar a Luisa moviéndose, y la imaginó excusándose de una reunión para atenderla.

—No lo sé, Luisa. Te quisiera dar mejores noticias. Pero he tomado un par de decisiones que debes saber. La primera, y la más relevante, es que voy a tomarme un año de sabática de la editorial. Ya hablé con nuestra abogada para redactar un documento con los términos y condiciones, y verás cuando te lo comparta que está pensado para proteger el funcionamiento y las necesidades de la empresa. Lo que necesito es un poco de tiempo –pausó, y ante el silencio de Luisa decidió apurar el resto del rollo de una vez–. Lo otro es que me mudo al piso de mi madre.

Ahí Luisa reaccionó rápidamente.

—¿Al piso de Montreal? ¿Montreal, Canadá? –preguntó alarmada.

Sabía que Ainé necesitaba recuperarse, pero una mudanza a Canadá parecía algo extremo. A pesar de tener raíces maternas accidentales allí, Montreal era una ciudad relativamente extraña para su socia.

—Claro que Montreal, Canadá. No hay otro Montreal en el mundo. No es como Venecia, Italia, que tiene que vivir con la indignidad y el bochorno de que exista Venice, Florida –le dijo Ainé.

Luisa se echó a reír agradecida de tener por dónde canalizar su tensión.

—Punto anotado. Pero ¿por qué, Ainé? Si te soy franca, estoy muy preocupada. Aquí nos tienes a nosotras, a Diego y a Manuel Antonio, a tu grupo de amistades, tu terapista, toda una red de apoyo –le dijo Luisa.

—Toda esa red de la que hablas seguirá conmigo. Sabes que trabajo la mitad del tiempo de manera remota. Ya coordiné con Selena para seguir mis terapias allá por telemedicina. No veo a casi nadie excepto a Diego, Manuel Antonio y mis tías que me visitan con frecuencia. Cualquier compra la hago en línea y todo llega por correo, *delivery* o me lo trae Diego. He descubierto que cualquier servicio en el mundo se ofrece a domicilio, si estás dispuesta a pagarlo –le refutó Ainé, sentándose en el sofá de su balcón y mirando hacia la cruz del Vigía.

—¿Y cómo mudarte sola a una ciudad desconocida va a ayudarte a salir de ese problema de ostracismo que admites?

—Solo tengo claro que necesito alejarme de aquí por un tiempo para poder superar esta depresión. Los medicamentos ayudan, pero con pastillas solamente no voy a salir de esto.

—¿Qué dice Selena sobre esta mudanza?

—La ve como un enorme progreso –mintió Ainé–. Luisa, vamos a pensar en Vena Creativa. Esta no es una manera sensata de correr la empresa y sus muchas responsabilidades. El equipo de trabajo no puede permanecer semiparalizado en espera de saber cuándo podré regresar a ser lo que era. Esta situación crea inestabilidad. No voy a terminar destruyendo lo que yo misma construí –razonó Ainé.

Finalmente, en el 2013, Ainé cedió formalmente la dirección de la editorial a su socia y asumió los roles de editora en jefe de proyectos especiales y, por supuesto, accionista.

—¿Cómo te puedo ayudar? –le dijo Luisa cuando bajaron de las oficinas de la abogada de la empresa, a donde ambas acudieron a firmar los documentos necesarios. En silencio cruzaron la calle y caminaron hasta la Fuente de los Leones donde los cuatro icónicos felinos parecían despedirse con la mirada.

—Cuidando de nuestra editorial en lo que regreso. La verdad es que he hecho mucho en mi vida profesional y muy poco en mi vida personal, Luisa. Me voy a dar tiempo para averiguar qué más me inspira, además de editar y vender libros. No me voy a desconectar totalmente. La mudanza es sencilla. Voy liviana de equipaje. Cerraré mi piso aquí tal y como está por el momento, y una vez llegue a Montreal, remodelo o compro lo que haga falta. Aquel piso está cerrado hace mucho tiempo –le explicó Ainé.

—¿Tienes alguien que te ayude allá? ¿En lo que te organizas?

—Janine trabajó por años atendiendo el piso para Alda y Diego. Le pedí que regresara ahora que voy a vivir allí.

—De verdad espero que esto te ayude. ¿Qué dicen Diego y Manuel Antonio de tu mudanza?

—Les he dicho que es temporero, como espero que lo sea. Ambos apoyan cualquier cosa que me anime. Cuídate, Luisa. Nos hablamos muy pronto, y cuida de nuestra empresa y de las chicas -dijo refiriéndose a que la totalidad de la plantilla de Vena Creativa estaba compuesta de mujeres, desde la presidenta hasta la mensajera.

Con eso, Ainé la besó y echó a andar por la Plaza Las Delicias, tomando la misma ruta abrazada por la gentil sombra de los robles y almácigos, por la que muchos años antes había regresado de sus citas de adolescente en el Teatro Fox para cantar en la barra de El Prado con Güisín y Bruno.

Aquellos días felices y despreocupados se sentían tan lejanos como otra vida.

* * * * *

Un par de semanas más tarde, Ainé abordó el primero de dos aviones que la llevarían a Montreal. En una maleta de mano de la misma Alda llevaba los 15 diarios escritos por su madre desde que comenzó a desahogarse en papel viajando por California, hasta poco antes de morir. Desde la muerte de su madre, no había podido reunir la fuerza para leerlos. Le aterrorizaba descubrir en qué la decepcionó como hija, o más detalles dolorosos del inmerecido martirio que vivió con los Palacios.

Ainé miró por la ventanilla del avión y le vino a la mente una hermosa palabra en portugués que le enseñó su tía brasileña, Marena. Durante una visita de Ainé a Río de Janeiro para asistir a la inauguración de su más reciente exhibición, Marena le contó que existía una palabra en su idioma que no tenía traducción exacta a ningún otro: *saudade,* una especie de nostalgia o añoranza profunda ante la ausencia de algo muy querido. La palabra se le acomodó en el corazón a Ainé porque sabía exactamente el sentimiento que recogía. Sintió *saudade* por su ciudad, por su madre, por Diego, por su abuelo Manuel Antonio, por sus cafetales, y hasta por la habitación de niña en la casa de Cora, con sus ventanas de celosías que saludaban al sembradío de algodón.

Seis años más tarde, en el 2020, cuando el frenesí autodestructivo de la humanidad diera a luz el inicio del encierro del mundo, Ainé estaría en el mismo piso en Montreal, aún sin haber leído los diarios de su madre.

CAPÍTULO 26

Montreal, Canadá

Isabel Allende había escrito: «Silencio antes de nacer, silencio después de la muerte: la vida no es más que ruido entre dos silencios insondables». Lo que no aclaró la admirada autora chilena es que aquel paréntesis de ruido que era la vida, no le aplicaba a gente como Ainé. El silencio llegó a convertirse en su amigo, y lo aceptaba, mientras no viniera acompañado de su socia, la soledad.

Diego, Beatriz y el resto de la familia, colegas y amistades de Ainé finalmente aceptaron la seriedad de su persistente depresión cuando Don Manuel Antonio Girón Ortega murió a pocos meses de la mudanza de su única nieta. La muerte de su abuelo devastó aún más a Ainé, quien se detestó por no encontrar las fuerzas para abordar un avión de regreso a Ponce. Nunca pudo ver al pueblo desbordado en la Plaza, dentro y fuera de la catedral despidiendo a su abuelo. Nunca pudo vivir el momento sublime cuando Bruno, el venerable camarero ya anciano del restaurante El Prado, comenzó a cantar *Madrigal*, al que se unió la voz de Güisín, y así, una tras otra, cientos de voces se juntaron en un coral impromptu que se escuchó hasta la cima de El Vigía, donde la cruz eterna observaba cómo se despide una vida bien vivida.

El Madrileño fue el más longevo de sus cinco abuelos y abuelas, quienes dejaron una marca indeleble en el corazón de Ainé. De Erasto, aprendió el valor de aceptar a quien no puede dar amor porque nunca lo recibió. De Julián, aprendió la reverencia hacia la tierra y la naturaleza. De Cora aprendió a ver el lado humano, incluso de aquellos que no parecen tenerlo. De Ignacia aprendió la inclinación de su familia paterna hacia la melancolía y la depresión, y eso le daba ánimos para pelear la suya con uñas y dientes.

La lección final, y la más importante, fue la del Madrileño, de quien aprendió que la vida se vive únicamente en la página del ahora. Nunca en el pasado. Nunca en el futuro. Nunca sin la risa. Nunca sin amor. Y nunca con arrepentimientos. Aún le faltaba poner esta última lección en acción, pero tenía esperanzas. Después de todo, era la hija de Alda Carmona y de Diego Girón.

* * * * *

Ainé estuvo una semana en la cama, a veces sin bañarse y sin comer, recriminándose el no haber despedido a aquel abuelo amoroso que tanta felicidad desprendida repartió durante su larga vida. Janine, preocupada, contactó a Diego. A las dos semanas del entierro, un sombrío Diego abordó un avión hacia Montreal. Ainé y su padre permanecieron un mes curándose mutuamente las heridas de la doble pérdida que habían sufrido. Diego seguía extendiendo su estadía mientras veía el lastimoso estado de su hija.

—Ainé, eres mi única familia y me preocupas, especialmente porque estás tan lejos de mí, aquí en Montreal. ¿Qué piensa tu terapista? –indagó Diego.

Ainé no hablaba con Selena desde la muerte del Madrileño, pero no quiso preocupar más a Diego, que apenas podía cargar con sus propias penas. Imaginaba, ilusamente, que le podía mentir.

—Que esto es natural. Son dos golpes muy seguidos, tanto para ti como para mí –le dijo Ainé.

—Y, sin embargo, no soy yo quien está enclaustrado en un piso en el ártico. ¿Qué pasa, Ainé? Yo perdí a mi padre y al amor de mi vida, y no estoy escondido en un cuarto –le dijo Diego, ya resuelto en abordar de frente el asunto.

—Pero tuviste el amor de tu vida –dijo, y prosiguió antes de que Diego reaccionara–. Esto es pasajero. La mudanza me ha ayudado, aunque no lo parezca, y me iré recuperando, ya verás –le contestó Ainé, llorando nuevamente en su hombro, arruinándole otra camisa con lágrimas, mocos y baba.

Diego debía regresar a Ponce y retomar la obligación de dirigir los destinos de la hacienda cafetalera, el Hotel Girón, el restaurante y la media docena de otros negocios e inversiones de padre e hijo. Finalmente puso una fecha de regreso a condición de que Ainé tuviera una sesión verificable de terapia con Selena. Ainé accedió, cumplió y de ese punto en adelante no falló en su cita semanal con ella. Lo hizo a nombre del Madrileño.

* * * * *

Ainé abrazó la distracción de los mil trámites y obstáculos típicos de una mudanza de un país a otro que habían quedado momentáneamente detenidos tras la muerte de Manuel Antonio.

Consideró los seis años subsiguientes como un triunfo en ingeniosidad y utilización eficiente de las muchas tecnologías que estaban crecientemente a su disposición. Con cada nueva aplicación, cada nueva plataforma digital, Ainé seguía perfeccionando el diseño de su vida de modo que se reincorporó a trabajar a tiempo completo en Vena Creativa de forma remota, y en su tiempo libre salía a reencontrarse con la ciudad que vio nacer a Alda.

A menudo daba largas caminatas que terminaban frente a la Basílica de Notre-Dame, cerca del puerto viejo de la ciudad, donde siempre encendía dos velas: una para Alda y una para el Madrileño. Siendo agnóstica, no entendía cómo aquello ayudaba, pero de algún modo le proveía paz. Durante esos años, Ainé recibió la visita frecuente de Diego, Beatriz –quien viajaba a verla todos los meses de febrero para su cumpleaños–, Luisa, Nuria –que a menudo pasaba largas temporadas allí–, y Sarah Collins, quien vivía muy cerca de ella y no la perdía de vista. Poco a poco, Ainé comenzó a viajar, primero a Ponce, y luego a otras ciudades para atender sus proyectos en la editorial.

Vivía en el piso en *Rue des Basins* en el suroeste de Griffintown, que Alda había comprado con su ayuda años antes. «Nunca he tenido una propiedad adquirida por mí. Quiero que compremos una en la ciudad donde nací», le había anunciado Alda, poco antes de Ainé encontrarse con Nuria en sus inolvidables vacaciones en Costa Rica en el 2004.

Ainé, a quien ninguna oportunidad le pasaba por el lado sin que la investigara, descubrió que Montreal era, en efecto, un excelente lugar donde invertir en aquel momento. Cada una puso sobre la mesa cien mil dólares canadienses y adquirieron un piso de sobre 700 metros, con una amplia terraza en el último nivel de un edificio justo frente al Canal Lachin, con vista al centro de la ciudad en un barrio sin muchas pretensiones. Con poco más lo amueblaron y decoraron, más al gusto de Alda que al de Ainé. Durante unos años, el piso de Griffintown se convirtió para Alda y Diego en un refugio de los Palacios. A modo de tortura psicológica, Irma se dedicaba en aquel tiempo a recorrer en auto la calle que pasaba frente a la casa del Vigía y, cuando Güisín no estaba a la vista, dejar en el buzón recortes de pasajes de la Biblia donde se condena a «la mujer impía». Alda nunca llegó a ver los macabros recortes porque Diego, Güisín o el resto del personal que trabajaba allí los arrojaba a la basura antes de que los viera, pero el fantasma del odio de Irma apestaba como el azufre. Montreal fue para los padres de Ainé un segundo hogar, libre de las ataduras mohosas del pasado.

Para la enorme suerte de Ainé, poco antes de su mudanza a Montreal, la ciudad puso en marcha un plan de revitalización para el área de Griffintown, que antaño estuvo poblada por trabajadores inmigrantes. La gentrificación llegó a galope firme y año tras año, observó desde su terraza, como la ciudad se tragó a su barrio y transformó áreas antiguamente industriales, en un vecindario *trendy* lleno de restaurantes, parques, áreas de juego, ciclovías, y una animada escena artística. Su propio edificio atravesó una enorme remodelación y modernización de áreas comunes.

En ese periodo, la mayoría de sus vecinos se mudó temporal o totalmente de propiedades que pronto serían vendidas por cinco veces su valor original. Ainé no tuvo más remedio que soportar la transformación de su entorno, y aprovechó para renovar también su piso y pasar largas temporadas en Ponce o en Madrid, en la propiedad que le dejó en herencia su abuelo. El proceso de gentrificación –y que la ciudad llamaba en vez *revitalización*– culminado en 2019, había elevado el valor del piso que Alda y Ainé adquirieron años antes por apenas $200 mil dólares canadienses a sobre $1 millón, según la última tasación que se ordenó a principios de ese año.

Ya casi no quedaba ninguna de las familias con las que Ainé compartió cuando Alda vivía, y en su lugar se mudaron un galerista, Lucas Lee, una mujer pelirroja dueña de una cadena de salones de belleza en Montreal, y un profesor y autor retirado de la Universidad de Toronto al que Ainé hubiera querido conocer, hasta que Lucas le informó que el vecino en cuestión había sido profesor de ingeniería mecánica y era autor de textos académicos. Ainé perdió instantáneamente el interés.

A pesar de sus frecuentes quejas por el ruido, la construcción, el polvo y sus interminables peroratas sobre la «insensibilidad de la ciudad en aplastar las raíces comunitarias de sus inmigrantes» que le soltaba a Lucas cuando la visitaba, la editora había terminado viviendo en un piso privilegiadamente situado gracias a la inversión promovida por su madre.

Cuando inicialmente Ainé se mudó al edificio, se deshizo de casi todos los muebles y alfombras de Alda, deterioradas por el largo abandono; sus manteles, cruces, vírgenes, y otros objetos preciados de su madre los reacomodó en una de las cuatro habitaciones del apartamento, al que añadió una cama nueva y un juego de cuarto más moderno. Allí creó la habitación de huéspedes que usaban Evina o Beatriz cuando la visitaban.

El resto lo miró con ojo crítico y como un enorme lienzo. Decidió que tenía todo el tiempo del mundo y que se tomaría el proyecto como terapia, creando un espacio con atención a cada detalle. Comenzó por rehacer los pisos en madera, y usando una paleta de colores blancos, grises y negros, siguió con la cocina, un espacio amplio y abierto con una isla que abría hacia un comedor en un arreglo tipo palomar. Toda la pared que daba hacia el centro de la ciudad era de cristales y la vista era una pintura mágica, cambiante con cada estación del año. Luego de la nueva cama de la habitación de Alda, donde Ainé dormía por lo pronto, lo primero que compró fue una masiva mesa de comedor para doce comensales, imaginando con ilusión a su familia y amistades reunidos allí en una alegre tertulia.

Fue durante la entrega de un larguísimo mueble seccional blanco, con una batería de cojines en diversos tonos grises, que Lucas no pudo más con la curiosidad acerca del experimento en decoración de laboratorio que se llevaba a cabo sin supervisión en su propio edificio, y decidió subir y asomar su cabeza junto a los mudanceros que entraban y salían.

En el centro del salón principal estaba de pie una mujer alta, delgada, pálida, en unos pijamas de satén de pantalón y camisa de manga larga de corte masculino, con el pelo marrón rojizo recogido en un moño improvisado, unas enormes gafas negras y una taza en la mano, observando las partes del sofá seccional entrando por su puerta con cara de duda. Parecía una versión maltratada de Holly Golightly.

—*Salut! Je m'appelle Lucas Lee. Je suis ton voisin* –le dijo Lee con su mejor sonrisa de galerista, y mirándola amigablemente con sus ojos grises que trataban de registrar todo lo que podían.

Ainé se volteó a mirarlo en cámara lenta. Tardó tanto en enfocar que Lucas pensó que no lo había entendido.

—*Salut. Je ne parle pas très bien en français. Désolée* –le contestó Ainé en un francés más que decente, aunque le acababa de informar que no lo hablaba.

—*Ce n'est pas un problème. L'anglais alors?*

—*Oui. Ou espagnol* –Ainé seguía dándole opciones idiomáticas que no eran francés, mientras seguía hablando francés. Entre inglés o español, Lucas optó por lo primero. Su español, del que presumía, se le antojaba menos pulido que el francés de Ainé.

—Te decía que soy Lucas, tu vecino de abajo –le repitió en inglés.

—Esa parte la capté. *Enchantée* –le dijo la mujer sonriendo–. ¿Qué te parece? –le preguntó con un ademán que abarcaba todo el espacio.

—¿La decoración? No sé por dónde van tus planes. ¿Buscas un ambiente tipo laboratorio estéril? –le preguntó Lucas.

Ainé, que seguía concentrada mirando los muebles que seguían entrando, soltó una carcajada.

—Tienes razón, pero pienso que con una paleta de colores blanca, gris, azul plomo y madera no hay modo de equivocarse –le dijo.

—No hay modo de equivocarse, pero sí de morir de aburrimiento. La remodelación, sin embargo, está quedando muy bien. Me encantan tus pisos –ya Lucas había echado a caminar casi imperceptiblemente hacia el interior–. Este espacio tiene mil posibilidades –dijo mientras llegaba al comedor formal y a la cocina, que observó con ojos críticos–. Maravilloso este ventanal de piso a techo. Me gusta así, limpio, industrial. Muy bien la cocina. Urbana, elegante. Necesitas cuadros. Contraste. Arte. Vida.

—¡Ah! Tú debes ser el galerista del que me habló Janine. Mira, aquí tengo tu contacto en mi móvil. Te iba a llamar en algún momento. ¿Así que crees que necesito cuadros?

—Pues viendo mejor este espacio, necesitas murales. Y la vista de la terraza es única. Se puede hacer mucho ahí. ¿Te quedas por mucho tiempo?

—Eso espero. En realidad, soy la dueña. Compré este piso con mi madre hace años a una fracción de lo que debes haber pagado por el tuyo. Lo compramos cuando Griffintown aún no era ni remotamente lo que es hoy día. Mi madre y su esposo, Diego, eran quienes más lo usaban. Me mudé aquí tras la muerte de mi madre –dijo Ainé bajando la voz, como siempre que recordaba la partida de Alda.

—¡Tú eres Ainé, claro! Janine me habló de ti. Mi más sentido pésame. Janine me contó que tu madre era una mujer extraordinaria –le dijo suavemente.

—Sí que lo era. Estoy intentando hacer de este lugar mi hogar, pero no creo haber dado aún con lo que estoy buscando –le dijo Ainé, mirando a su alrededor.

Unos días más tarde, Lucas tocó a su puerta y entró con varios rollos de papel de pared decorativo. Caminó hacia la amplia sala y seleccionó uno de los tres y lo presentó contra la pared.

—*¿Wallpaper?* Qué retro. No sabía que eso aún se usaba –le dijo Ainé, aunque ya estaba enamorada del asalto de color que trajo Lucas consigo.

—Lo que no sabes es mucho. Para crear un espacio interior tienes que dar paso a áreas de interés y acentos con personalidad propia que vayan fluyendo y narrando la historia de lo que eres, de tus gustos, de tus experiencias. Imagina las posibilidades de la vida que va a contener este espacio –le dijo Lucas.

—*Mon dieu*. Eres bueno en lo que haces –le ripostó ella, pero a la vez adoró cada palabra que dijo en ese momento y cómo le dibujó un futuro que ella misma no imaginaba.

—Visualiza esta pared con este papel, con unos muebles de este estilo –le dijo mostrándole una revista–, y esta paleta de colores con tonos de acentos. ¿Aún estás a tiempo de devolver ese sofá? Muy genérico. Te voy a presentar a una amiga que es curadora en la tienda *En Boca do Lobo*, los mejores muebles de Canadá, muchas piezas únicas, y en Mobilart podemos conseguir otros detalles –le dijo Lucas, haciéndose cargo de inmediato de aquella lastimosa situación.

Ainé ya había entrado a la página web de *En Boca do Lobo* y sabía que cualquier establecimiento que no publicara los precios de los artículos y los revelara únicamente «a petición», estaba fuera de lo que estaba dispuesta a pagar, pero no dijo nada. Invitó a Lucas a la cocina y le ofreció una copa de un Barolo, regalo de Diego, no atreviéndose a descorchar algo más modesto para ese ser que la dejó embelesada con aquel torrente hermoso de frases como *paleta de colores* y *acentos que fluyen*. Cinco minutos más tarde, se dio cuenta de que Lucas era una verdadera biblioteca andante de procedencias e historia de estilos de muebles y arte, particularmente contemporáneo.

El guapo galerista de cabello ondulado y ojos grises le brindó a Ainé el regalo de la frivolidad, la liviandad y la risa. Sin cierto grado de despreocupación no puede existir la risa, y Ainé llevaba toda una vida asumiendo cada incidencia como si fuera asunto de vida o muerte. Lucas trajo consigo luz, acompañado de muebles, piezas de arte, y mejor que todo, largas tardes hablando de esos temas. Eventualmente, gran parte del crédito por el cuidado estético, uso de la luz y del espacio en el piso de Griffintown, fue de Lucas Lee y no de Ainé. Con el tiempo, además de su decorador y galerista, se convirtió en su confidente y eventualmente, su amante.

Lucas respetaba profundamente la privacidad de Ainé. Nunca la visitaba sin una expresa invitación de su parte, que siempre comenzaban con un texto y alguna variante de: «Ya son las 17 horas en algún lado. *¿Martini?*». Sabía que era una poderosa editora con tentáculos y negocios en casi todo el mundo, pero nunca la interrogaba a menos que ella se abriera a algún tema. Intuía su fragilidad detrás de su formidable coraza.

Seis meses después de conocerse, Lucas y Ainé parecían una pareja en el proceso de remodelar un piso de recién casados. Con Lucas se permitía olvidar momentáneamente sus penas, y cuando estaban juntos, todo se reducía a hablar de arte, literatura, decoración, Antique Roadshow, o la genialidad de Cole Porter, a quien ambos veneraban.

Ella le enseñó a jugar dominó y Monopolio. Él le enseñó a jugar ajedrez. Los domingos los pasaban escuchando el último descubrimiento de jazz de Ainé en la terraza, asistiendo al teatro o a diversas aperturas de exhibiciones de arte. Lucas le fue presentando y tejiendo un nuevo grupo de amistades que, al no conocer los detalles de su pasado, la ayudaba a olvidarlo por largos periodos. El día en que llegaron los muebles de la habitación principal, Ainé se dedicó a observar a Lucas mientras el galerista daba instrucciones precisas a los mudanceros sobre dónde y cómo colocar cada pieza. No se trataba de un juego de cuarto tradicional uniforme, sino de una serie de piezas únicas escogidas bajo la curaduría de Lucas y armonizada tan exquisitamente que Ainé se puso de pie aplaudiendo cuando vio el efecto final. Lo besó en la mejilla y lo abrazó dándole las gracias por todo el tiempo y esfuerzo que había puesto en cada detalle de su piso. A veces sentía que mientras Lucas iba descubriendo las capas de su interior, las iba reinterpretando para su entorno.

Para su sorpresa, Lucas la besó en los labios y Ainé lo permitió, en parte porque la tomó desprevenida, y en parte porque nadie la había besado hacía mucho y quería ejercitar los labios.

Terminaron estrenando la cama de Ainé con una sesión de sexo muy distinta a las que acostumbraba Ainé, siempre dominante en esas lides. Lucas hacía el amor como si tuviera todo el tiempo del mundo para saborear cada paso del proceso. Inicialmente, Ainé se empezó a impacientar, y Lucas lo captó. Detuvo por un momento los besos con los que surcaba su espalda y le susurró: *«Détendez-vous l'amour. Ferme les yeux»*.

Ainé entendió que cerrara los ojos y lo hizo sintiéndose segura en sus brazos. Para su infinito alivio, el sexo no alteró la amistad entre ambos. Con el tiempo, y aunque Ainé no lo veía así en ese momento, otras conexiones más profundas se fueron tejiendo entre conversaciones y horas degustadas juntos. Ainé no sabía si su galerista y amante tenía sexo con otras mujeres. Sabía que él le contestaría honestamente si le preguntaba, pero no quería preguntar. Preferiría no pensar en la fragilidad de su vida sentimental, y menos ahora que empezaba a sentirse a gusto en su piel, y por primera vez, cómoda en una relación cotidiana con un hombre.

Fue en ese momento, cuando Ainé se sentía liberada de su depresión, que Lucas y ella recibieron el 2020. En la alegre fiesta organizada por ambos estaban presentes Diego, Juliette, la madre viuda de

Lucas –quien no cesó de coquetear con Diego ni un instante–, Aila, Evina y sus respectivos maridos, Janine y la entrañable Sarah Collins, además de varias amistades de Lucas. Todos brindaron ante la esplendorosa vista del ventanal del comedor, que Ainé había decorado con alegres pascuas, miles de luces y dos árboles de navidad. La nieve caía suave y delicada como finas mosquiteras sobre la ciudad.

Lucas lucía impecable en su etiqueta negra. Ella lució el ya famoso vestido color borgoña que usó en Buenos Aires durante su aventura con los Baumann, y que había bautizado como el *Emma*, en honor a la fallecida autora que tanta fama logró póstumamente. El grupo musical contratado para esa noche rendía tributo a Diane Krall, cuando los fuegos artificiales irrumpieron en los cielos de Montreal a la medianoche. Ainé recordó otro cielo, el de Ponce desde El Vigía, iluminado, hermoso, imponente, lleno de promesas cuando cumplió 18 años, y sintió su rostro empapado de lágrimas. Esa madrugada soñó con trinitarias tan rosadas y abundantes que parecían ramos de besos.

CAPÍTULO 27

Montreal, Canadá

Esa primera mañana del año 2020, Ainé despertó serena y contenta, con Lucas a su lado y su hogar pleno de su familia y amistades. El hilo de luz que entraba por sus cortinas era insistente y brillante como su ánimo. Lo primero que hizo fue llamar a Luisa para darle la noticia de que viajaría a Ponce en los próximos meses para echar a correr los planes de su socia de abrir una segunda oficina permanente en Madrid. Llevaba meses tratando de convencer a Ainé. A Diego le saltó el corazón en el pecho cuando se lo dijo en el desayuno.

—Qué alegría me das, hija. Es el mejor regalo de año nuevo, qué orgulloso me siento de ti ¿Por qué no traes a Lucas contigo?

—No lo dudes. Lucas me va a acompañar. Ni te imagines que va a perder la oportunidad de conocer el resplandor de Ponce, tu colección de arte y tu cava. Solo te pido que no lo eches de la casa cuando te vuelva loco con sus preguntas sobre la procedencia de cada pieza de mueble o el pedigrí de cada obra de arte. Te pongo en sobre aviso –le dijo Ainé sonriendo.

El 2020 comenzaba con el pie derecho.

En Costa Rica, Nuria supo de las buenas nuevas y le dijo que se apuntaba en el viaje. En México, Beatriz lanzó un sonoro «¡Güera! Qué alegría. Estoy loca por verte. Marcos y yo nos unimos». En Santo Domingo, en una llamada por *FaceTime*, Carmela Rosa gritó tanto de alegría que Lucas creyó escuchar a una gata psicótica. La noticia del regreso de Ainé a Ponce para lanzar una sucursal de Vena Creativa en Madrid pareció regarse de país en país como una nube de polvo del desierto Sahara.

Poco a poco, el viaje fue tomando forma y el grupo de amistades y familiares escogió las vacaciones de la primavera de 2020. Ese año Semana Santa corría del 5 al 12 de abril. Ainé compró pasajes llegando en marzo, un poco antes que el resto del grupo, para darse tiempo de trabajar con Luisa sin distracciones.

Durante esos días felices, cuando el 2020 era un recién nacido, un fuerte terremoto sacudió la RIAP destruyendo exquisitos edificios históricos, casas y escuelas. El corazón siempre bravo de su gente aún desconocía que lo peor estaba por venir. El terremoto golpeó a Ainé hasta el estupor. Entró en un ataque de pánico hasta que Lucas localizó a Diego por su móvil y se lo puso en el oído a Ainé, quien finalmente exhaló. Diego le aseguró que todos estaban bien, que no se habían registrado fatalidades y que no era necesario que adelantara su viaje. Lucas coincidió con Diego en que el viaje siguiera en la fecha escogida: a finales de marzo. Sin embargo, los temblores no cesaron. Se instalaron cómodamente en la aterrorizada región sureña y decidieron seguir jugando con los nervios de la población por mucho tiempo, como un gigante sádico que disfrutaba de despertarlos sacudiéndose a media noche. Ainé y Lucas se entregaron de lleno a la planificación de los detalles finales del viaje, tumbados en la cama de Ainé, ambos con sus ordenadores portátiles. Lucas miraba embelesado la página web del Hotel Girón y las fotos de la hacienda, que, según Diego, no había sufrido daños.

A nueve días de abordar el avión para el ansiado viaje a Ponce, Lucas llegó al piso con un *Montreal Gazette* en la mano y se lo mostró en silencio. Allí, en primera plana, estaba la noticia que le cambiaría la vida al planeta y que muy pocos entendieron de inmediato en su impacto inconmensurable: el 11 de marzo, la Organización Mundial de la Salud tocó el botón del pánico por un virus procedente de Wuhan que se esparcía por el mundo como una veloz telaraña invisible. En solo 24 horas, el 12 de marzo, tras regresar de una conferencia en Londres, Sophie, la esposa del Primer Ministro de Canadá, Justin Trudeau, arrojó positivo al virus y ambos ingresaron en aislamiento. Al día siguiente, el Parlamento canadiense cerró operaciones y el 16 de marzo, Trudeau comenzó la tarea de cerrar las fronteras de Canadá. En cuestión de días, el infierno se desató sobre la tierra.

* * * * *

Ainé observaba incrédula por televisión cómo la humanidad comenzó a vivir a regañadientes como lo hizo ella por mucho tiempo: evitando contacto humano, sin salir mucho de la casa, buscando cómo trabajar remotamente, recibiendo todo en entregas al hogar, y compartiendo solo con su entorno familiar inmediato. Era una broma cósmica de mal gusto que el mundo se hundiera en su viejo estilo de vida, ese que tanto le costó a ella superar. No sabía si reír o llorar. En Ponce, Diego se entregó en cuerpo y alma a trabajar donde más se necesitaba: ayudando a la gente a sobrevivir. Ordenó simplificar el menú de El Prado, y comenzar a repartir la mayor cantidad de comidas preempacadas que se podían producir en tres turnos que abarcaban 24 horas. La Hacienda Girón sufrió otro golpe. Diego no tuvo alternativa que despachar en marzo a sus trabajadores, excepto los esenciales, sin dejar de pagarles su salario. Luego organizó y presidió la alianza de comerciantes para la coordinación de ayudas y recuperación de la RIAP.

Ese mismo año anunciaría su candidatura para Primer Ministro de la orgullosa Región Independiente Autónoma de Ponce. Su campaña la corrió la misma Ainé y asignó un piso del edificio de la editorial para transformarlo en el Comité de Campaña de la candidatura de su padre. En los momentos cuando se sentía superfluo e insuficiente ante la enormidad de lo que ocurría, Diego revisitaba aquellos días aciagos de 1985 cuando ocurrió la tragedia de Mameyes mientras celebraban la boda de Aila. Recordaba el estoicismo de Alda, como se lanzó a trabajar desde la Alcaldía, las calles, las iglesias y los refugios, sin quejarse jamás. Entonces, sentía el espíritu inefable de su amada como una caricia, dándole ánimos para seguir. Cuando se acostaba en las noches en el lecho en el que tantas veces le hizo el amor a Alda, dormía siempre con nostalgia, pero en un sueño sereno.

Una vez Ainé comprobó que su padre y sus seres queridos alrededor del mundo estaban encerrados y seguros, construyó orgánicamente una unidad familiar con Janine, quien vivía sola a sus 72 años y a quien mudó a una de las habitaciones de huéspedes, y por supuesto, el mismo Lucas quien a su vez trajo de Quebec a su madre, Juliette.

Juliette tenía una personalidad como cascabeles de Navidad. Su cabello era abundante, sedoso y totalmente blanco en un estilo muy *chic*. Tenía una impresionante y pintoresca colección de *loungewear* y caftanes de seda, y nunca salía de su habitación sin lápiz labial y sin un pañuelo artísticamente atado al cuello. En cuestión de semanas se convirtió en una de las personas favoritas de Ainé. Durante aquel encierro, Ainé revivió por horas muchos pasajes de la historia de su madre con Juliette, quien esperaba cada revelación como el próximo capítulo de una novela. Cómo hubiera querido Juliette conocer aquel ser hermoso casi mítico, que la miraba desde las muchas fotos suyas enmarcadas por todo el piso.

Con el correr de los meses, que se desdoblaba a cuentagotas, Janine, Lucas y Juliette cayeron en una rutina en cinco actos: mirar o leer noticias apocalípticas sin descanso, comer, beber, llorar, recuperarse y repetir. Ainé, inusualmente sosegada, los miraba como un monje tibetano a quien un circo se le había mudado a su propia sala. La serenidad de Ainé se paseaba imperturbable entre los miedos colectivos; de algún modo, los muchos y seguidos golpes que había recibido en su vida, y el saber que los había sobrevivido, le hacían ver aquel encierro como un asunto que se resolvería con paciencia y tiempo, como se resuelve casi todo en la vida.

Pero la tensión entre el grupo se multiplicaba según pasaban los meses. Lucas y Juliette discutían constantemente por la tirantez misma del encierro y hasta la imperturbable Janine se la pasaba mascullando de mal humor. En el piso de Ainé se respiraba la misma desesperanza mezclada con pavor que en todas partes. Y, sin embargo, una rara paz que no esperaba experimentar, y menos en ese momento, la arropó como los brazos amorosos de Alda. En vez de unirse a las discusiones de tensión o entregarse nuevamente a la depresión que había superado, Ainé decidió tomar otra ruta. Dejó de ver y leer noticias, se retiró de las redes sociales –excepto para monitorear aquellas atadas a Vena Creativa–, y comenzó a trabajar más horas reorganizando casi totalmente las labores de la empresa de manera remota, cosa que hizo con facilidad porque llevaba años trabajando de ese modo.

Como si eso fuera poco, seleccionó dos proyectos nuevos: uno con una autora argentina representada por su querida Concha Torrens, que había escrito una deliciosa obra ficticia descaradamente basada en el caso Baumann-Güendell, lo que a Ainé le pareció genial, y otro con una fotógrafa belga. Toda esa carga de trabajo la transportó lejos de aquella rutina diaria de encierro e incertidumbre.

En noviembre, Ainé desempolvó uno de los libros de cocina de Alda y con la ayuda de Janine, Lucas y Juliette, preparó una espléndida cena de Acción de Gracias al estilo ponceño, completo con pasteles y arroz con gandules, cuyos ingredientes le envió Diego, todo mezclado con un *beef bourguignon* que preparó Juliette. Ainé calculó que aquella combinación caribeña-francesa sería un desastre, pero en la realidad terminó siendo un banquete excepcional. Por primera vez en semanas se escuchó el maravilloso sonido de las risas en su hogar. Juliette abrió otra botella de champaña y cuando brindaron, Ainé solo pidió que la fortaleza de roble de su madre la acompañara por siempre.

Esa noche, después de hacer el amor con Lucas, lo observó pensando que dormía, y lo besó en la sien diciéndole: «Gracias por tanto, Lucas». Sin abrir los ojos, Lucas le tomó la mano y la besó. «Soy tuyo, Ainé».

CAPÍTULO 28

Montreal, Canadá

En diciembre, Ainé estaba por entregar las revisiones finales del libro de la fotógrafa belga que documentaba especies en peligro de extinción en África. Las imágenes de Erika Rasmussen pulsaban con dramatismo y belleza en un perfecto balance. Ainé y Erika se habían conocido hacía años en un festival de música en Rotterdam. Para este proyecto, Ainé había hecho la curaduría de fotos y la redacción del contenido en inglés. El libro sería lanzado para reforzar a la Fundación Rasmussen que ahora, con la paralización del mundo, necesitaba fondos para seguir apoyando varias reservas protegidas. El libro era uno hermoso y en gran formato; aunque Ainé sabía que terminaría como pieza decorativa en las mesas de centro de apartamentos urbanos en el mundo, lo importante es que atraería los fondos que Erika necesitaba y era, además, una excelente carta de presentación para Vena Creativa en nuevos mercados.

Finalmente le dio al botón de *send* y, como era su ritual siempre que terminaba un proyecto, puso música a todo volumen y comenzó a bailar por su oficina casera. Ya Lucas sabía que el alboroto significaba que había terminado otro proyecto. Cuando terminó de bailar y de hablar con Erika por *FaceTime*, se dio un baño, se vistió con un hermoso caftán violeta cardenal, regalo de Juliette, y subió a la terraza, cerrada con un techo y paredes plegables para protegerlos del frío. Allí estaba Juliette sentada en una de las sillas de la barra mientras Lucas le servía un trago.

—A juzgar por el concierto de Concha Buika, asumo que terminaste el libro de Erika. ¿Qué te puedo servir para celebrar, mujer bella? –le preguntó Lucas, besándola suavemente en los labios.

—Acepto una copa de lo que esté tomando Juliette. ¡Salud! –les dijo Ainé mirando el horizonte de Montreal.

—¿Y cuál es el próximo proyecto, amor? Me muero por saber quién es la nueva autora que adoptarás –preguntó Lucas brindando.

Ainé lo miró con infinita ternura. Lucas se le antojaba como un ángel expresamente enviado por Alda. Sabía que ese amor no era uno épico como el de Alda y Diego, que tantos obstáculos tuvo que vencer, pero su amor por Lucas era real, profundo y honesto. Era un amor necesario, y eso era más de lo que jamás soñó alcanzar.

—Ya no voy a adoptar, editar o promover a ninguna otra autora –le dijo Ainé sonriendo.

Lucas la miró sin comprender.

—¿Te retiras? –preguntó incrédulo. Ainé se echó a reír.

—Qué va. Apenas he comenzado –le dijo.

En una epifanía que se le replegó como un rayo, Juliette la miró comprendiendo todo de golpe, uniendo los puntos de sus muchas conversaciones con ella e intuyendo cuál era el único destino posible para Ainé. Levantó su copa hacia la hija de Alda y le guiñó un ojo.

* * * * *

En enero de 2021, Ainé, Lucas y Juliette finalmente pudieron viajar a Ponce, donde Ainé abrazó tan fuerte y por tanto tiempo a Diego, que temió quebrarlo. Todos se instalaron en la casona del Vigía que regresó a la vida con sus nuevos visitantes, mientras las trinitarias se encendieron nuevamente en sus estridentes colores. En su antigua habitación de niña, Ainé miró por el ventanal y se deleitó con la vista, calculando los minutos que faltaban para la puesta del sol, cuando el cielo presentaba su espectáculo diario de atardeceres color flamboyán.

Sobre una mesa, había una foto enmarcada de Ainé a los cuatro años colgada de la cadera de Alda, recién llegadas a Ponce a principios de los 80, procedentes de California sin saber aún qué les esperaba. La sonrisa de Alda evocaba la nostálgica sutileza de una Gioconda. Escondía mucho aquella sonrisa en tan hermoso rostro. Ainé tomó la foto y siguió caminando con ella apretada a su pecho. Llegó hasta el armario donde había guardado su equipaje y sacó del fondo el bolso de mano que contenía los diarios de Alda. Lo abrió y buscó entre las libretas hasta que encontró la primera: «California, 1978».

Caminó hasta su escritorio y se sentó sin prisa. Colocó la foto delante sí, abrió su ordenador, y una nueva página en blanco. Sin vacilar un instante, escribió: «Amores Innecesarios, una novela de Ainé Carmona-Girón». Miró y acarició por largo rato las palabras sonriendo. Se recostó en la silla, abrió la primera libreta y comenzó a leer.

EPÍLOGO

«Al final de mi vida, siento que en mi mente se aclara todo, incluso antes de preguntar nada».

— Última oración de los diarios de Alda Carmona, Ponce, 22 de octubre de 2010.

FIN

AGRADECIMIENTOS

Dar a luz una obra de ficción es un proceso solitario y gregario a la vez. No tengo dudas, ni peco de falsa modestia, al reconocer que este libro nació con el apoyo incondicional de mi compañero y esposo, Radamés Rosado, quien fue mi primer lector, editor y crítico. Las palabras no son suficientes para agradecer su generosidad y amor.

A Ariana Vega Vargas, Gerardo Enríquez Rivera y Carlos Goyco Blechman, de Libros787, mi profundo agradecimiento por ser un equipo de ensueño; tomaron un manuscrito y lo convirtieron en magia. Cuando se ama lo que se hace, la devoción lo arropa todo, y trabajar con un equipo enfocado y apasionado hizo de este proceso uno fascinante. Es para mí un honor que hayan seleccionado mi obra para editar y publicar.

Quiero agradecer a mi hermosa ciudad de Ponce. Espero que mis compueblanas y compueblanos me perdonen la licencia literaria de convertir a la ciudad—y todo el sur de la Isla—en la imaginaria república RIAP (Región Independiente Autónoma de Ponce). A través de las páginas de esta novela, logré experimentar el vivir en un lugar libre de los conflictos eternos y diarios con los que luchamos en Puerto Rico. Fue hermoso vivir ahí por unos meses. El espíritu indómito, orgulloso, y eternamente optimista de la cultura ponceña es tan protagonista de este libro como cualquier personaje. Este libro es un testimonio de amor a mi ciudad, como lo hizo Alda en una carta en la novela. Redescubrir a Ponce, caminar por días y semanas por sus calles admirando su belleza, fotografiando y estudiando su historia, fue un viaje exquisito de redescubrir mis raíces que me acompañará por siempre.

Cada una de las autoras que publica una de las protagonistas de esta novela fueron inspiradas en mujeres reales, amigas queridas en muchas partes del mundo que han marcado mi lucha por la equidad de las mujeres y niñas, y que me han honrado con su sabiduría y sus pasiones.

Mi equipo de trabajo en iFullCircle Communications fue, sin saberlo, instrumental en cada paso de esta aventura. Sin la excelencia y dedicación que traen a la agencia todos los días, no hubiera sido posible separar el tiempo para escribir Amores Innecesarios.

Finalmente, doy gracias a mi madre, Ada Reyes-Torres, quien aún desde otro plano me sigue inspirando y guiando. Cuánto me hubiera gustado que me leyeras, madre querida. Quizás ya lo hayas hecho. Este libro es para ti.

15

(1) levantar globos puertos

(2) puertos porros

(3) quadupedia

(3) raptiés